JOHANN MAIER

JÜDISCHE AUSEINANDERSETZUNG MIT DEM CHRISTENTUM IN DER ANTIKE

ERTRÄGE DER FORSCHUNG

Band 177

JOHANN MAIER

JÜDISCHE AUSEINANDERSETZUNG MIT DEM CHRISTENTUM IN DER ANTIKE

1982

WISSENSCHAFTLICHE BUCHGESELLSCHAFT

DARMSTADT

CIP-Kurztitelaufnahme der Deutschen Bibliothek

Maier, Johann:
Jüdische Auseinandersetzung mit dem Christentum in der Antike / Johann Maier. — Darmstadt: Wissenschaftliche Buchgesellschaft, 1982.
(Erträge der Forschung; Bd. 177)
ISBN 3-534-08551-5

NE: GT

12345

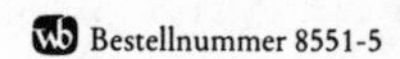
Bestellnummer 8551-5

Satz: Maschinensetzerei Janß, Pfungstadt
Druck und Einband: Wissenschaftliche Buchgesellschaft, Darmstadt
Printed in Germany
Schrift: Linotype Garamond, 9/11

ISBN 3-534-08551-5

INHALT

VORWORT

Der hiermit vorgelegte kritische Forschungsüberblick zur antiken Auseinandersetzung des Judentums mit dem Christentum ist als Ergänzung des Bandes 82 der ›Erträge der Forschung‹, ›Jesus von Nazareth in der talmudischen Überlieferung‹ von 1978 (im folgenden abgekürzt JvN), angelegt. Es wird darum empfohlen, nicht nur die Einleitung zu jenem Band zu beachten, sondern ihn überhaupt mit diesem zweiten Band zu benutzen, da sich teilweise Überschneidungen in bezug auf Texte und Inhalte ergeben und das Literatur- und Abkürzungsverzeichnis hier nur ergänzt und weitergeführt, nicht aber wiederholt wird. Dieser Umstand erschwert zwar in gewissem Maß die Benutzung, doch bitten Autor und Verlag um Verständnis für das Bemühen, den zur Verfügung stehenden Raum möglichst nicht durch Wiederholungen einzuschränken. Auch diesmal wurde in das alphabetische Literaturverzeichnis nicht jeder benutzte bzw. zitierte Titel aufgenommen, um die Thematik nicht ins Unübersichtliche ausufern zu lassen, doch gibt das Verzeichnis der modernen Autoren die nötigen Hinweise. Der Umfang der Literatur, die für die behandelten Themen bei erstrebter Vollständigkeit heranzuziehen wäre, ist immens, allein schon für den theologischen Sektor. Es war daher eine Beschränkung auf markante Stellungnahmen nötig, sofern es sich nicht um Werke handelt, die speziell das Verhältnis Judentum–Christentum zum Gegenstand haben. Dabei ist sicherlich einiges auch übersehen worden, weil nicht selten relevante Bemerkungen innerhalb unterschiedlichster Kontexte gemacht wurden. So hoffe ich, daß sachkundige Rezensenten insbesondere aus dem Bereich der Patristik noch allerlei Bemerkenswertes ergänzen werden. Obwohl hier die rabbinische Literatur im Brennpunkt der Behandlung steht, könnte die kritische Sichtung dieser Quellen eine neue Basis für eine noch intensivere Befragung der altkirchlichen Zeugnisse bilden und damit zu weiteren Erkenntnissen auch in bezug auf die jüdisch-christliche Auseinandersetzung in der westlichen Diaspora führen, für die mehr als bisher hellenistisch-jüdische als rabbinische Voraussetzungen beachtet werden sollten.

Auch diesmal habe ich meiner lieben Frau für ihre Hilfe bei der Erstellung des Manuskripts und bei der Korrektur sehr herzlich zu danken.

Brühl, Mai 1980 Johann Maier

ABKÜRZUNGEN

(ergänzend zu
›Jesus von Nazareth in der talmudischen Überlieferung‹)

Ab	Abot
Agg.Ber.	Aggadat Bereshit
Am	Amos
Apc.Joh.	Apokalypse des Johannes
aram.	aramäisch
atl.	alttestamentlich
Bab.	Babylonien
BM	Baba Meṣiᶜa
c.Ap.	Flavius Josephus, Contra Apionem
Dem.	Demonstrationes
Er	Erubin
ev.	eventuell
Gal.	Galaterbrief
hebr.	hebräisch
Hebr.	Hebräerbrief
Hi	Hiob
Jad	Jadajim
Jalq.Shim.	Jalqut Shimᶜoni
Ket	Ketubbot
Kol.	Kolumne
Kol	Kolosserbrief
Lam	Lamentationes (Klagelieder)
Meg	Megillah
Men	Menachot
MHG	Midrasch ha-Gadol
Mi	Micha
Midr. Teh.	Midrasch Tehillim

Mk	Markusevangelium
MQ	Mo^{c}ed Qatan
MS	Ma^{c}aser Scheni
MT	Masoretischer Text
Ned	Nedarim
Ob	Obadja
Oh	Ohalot
Pal.	Palästina
Pes.RK	Pesiqta deRab Kahana
RH	Rosch ha-Schanah
Sof	Soferim
Suk	Sukkah
Tem	Temurah
Thess	Thessalonicherbrief
Tim	Timotheusbrief
Toh	Toharot
TR	Tempelrolle (von Qumran)
Zab	Zabim
Zef	Zefanja

1. RABBINISCHE SPUREN DES NT UND SONSTIGEN CHRISTLICHEN SCHRIFTTUMS

1.1. Zur Einführung

Die Frage, ob in der talmudischen Literatur christliche Schriften bzw. Worte Jesu in irgendeiner Weise erwähnt werden, wurde zu einem Teil bereits im Band über ›Jesus von Nazareth in der talmudischen Überlieferung‹ (JvN) erörtert. Das gilt im besonderen für das angebliche Jesus-Wort in tḤull II, 24 und Parallelen [1], aber auch für die Gleichsetzung bestimmter erwähnter Schriften mit den Evangelien [2] oder anderen christlichen Texten [3], wobei freilich nur kontextbedingte Bemerkungen möglich waren. Das so vorläufige Ergebnis war negativ – im Unterschied zur offenkundigen Verwendung neutestamentlicher Texte oder Inhalte im Rahmen der antichristlichen Polemik des Diaspora-Judentums, wie sie sich in christlichen Zeugnissen niedergeschlagen hat. Im folgenden werden weitere Stellen besprochen und einzelne auch erneut geprüft. Dabei ist sowohl die geläufige Annahme, die rabbinische Literatur müsse Spuren einer Kenntnis des NT oder christlicher Schriften aufweisen, wie die gegenteilige, dies könne nicht der Fall sein, außer acht zu lassen: an sich ist keines der beiden Extreme zwingend, denn die Untersuchung der (angeblichen) Jesuszeugnisse zeigte für die rabbinischen Texte der tannaitischen und amoräischen Zeit (bis zum Abschluß der Talmude) zwar ein deutliches Desinteresse, das prinzipiell und situationsbedingt zu erklären war, andererseits darf man für die amoräische Zeit, jedenfalls nach den Toleranzedikten des Galerius (311) und Konstantins d. Großen (313), mit Sicherheit annehmen, daß einzelne Juden Gelegenheit hatten, christliche Literatur kennenzulernen. Dies einmal infolge von Kontakten, die Theologen wie Origenes [4] und Hieronymus zu jüdischen Gelehrten suchten, aber auch allgemein, denn ebenso wie die Heiligen Schriften des jüdischen Kanons in öffentlichen Bibliotheken anzutreffen waren, dürften dort im 4. Jh. jedenfalls auch christliche zur Verfügung gestanden haben, also nicht im Rahmen einer missionarisch-religiösen Konfrontation, sondern gewissermaßen in neutralem Bereich. Aber die Benutzung solcher Institutionen wie in Caesarea war bei den Rabbinen schwerlich gang und gäbe, und die Interessenlage war eben im Vergleich zu christlichen Exegeten auch eine völlig andere: Was Nichtjuden aus der Bibel machten, konnte den Rabbinen nicht von positiver Bedeutung sein, wie überhaupt fremden Bildungsquellen selten ein Wert eingeräumt wird, schon gar nicht religiösen Autoritäten, während bei christlichen Schriftstellern wie Clemens von Alexandrien, Origenes, Eusebius und Hieronymus die Berufung auf jüdische Traditionen zur Erhöhung des Prestiges diente und so z. T. sogar zum Klischee geworden war[5]. Außerdem muß die überlieferungsgeschichtliche Situation bewußt bleiben: Die Traditionskomplexe der rabbinischen Literatur sind – ungeachtet weiterer Redaktionsvorgänge – in ihrem wesentlichen Bestand bereits fest geformt gewesen, als das Christentum in jüdischen Siedlungsgebieten massiv in Erscheinung trat, wobei man natürlicherweise in Fällen gemischter Siedlungen wie Caesarea annehmen möchte, daß zumindest die dort beheimateten Überlieferungen Spuren einer jüdisch-christlichen Begegnung aufweisen. In einem Punkt bedarf es vielleicht noch einer Warnung. Man ist gewohnt, das Judentum der talmudischen Zeit entsprechend dem dominanten Bild, das die rabbinische Literatur darbietet, als relativ geschlossene Einheit anzusehen. Dem entsprach die Wirklichkeit jedoch schwerlich. Was von Christen und anderen Nichtjuden als „Juden“ oder „Hebräer“ angesehen und bezeichnet wurde, muß nicht immer dem rabbinischen Judentum zuzurechnen sein, ein Gesichtspunkt, der selten beachtet wird[6], jedoch im Zusammenhang mit den „Minim“ und anderen Dissidenten von besonderem Gewicht ist.

Die Antwort auf solche Fragen, auch die nach den möglichen jüdischen Partnern eines Origenes, ist jedoch erst nach einer Prüfung der Texte sinnvoll, wobei wie im Fall der Jesuszeugnisse von den (assoziativen und literarischen) Kontexten aus und nicht von vorgefaßten Fragestellungen her interpretiert werden sollte. Eine solche vorgefaßte Fragestellung ist die nach der Kanonisierung. Ein beträchtlicher Teil der wissenschaftlichen Diskussion ging und geht von ihr aus und deutet daher viele Texte kontextwidrig. Die Versuchung ist allerdings auch durch die Eigenart der Quellen vorgegeben, da die Terminologie bis zu einem gewissen Grad verschwommen erscheint. Wenn etwa von „Büchern" (*s^efarîm*) die Rede ist, kann es im engsten Sinn um Tora-Rollen gehen, im weiteren Sinn um biblische Schriftrollen, um biblische Texte, und im weitesten Sinn um Bücher überhaupt. Wenn von „Heiligen Schriften" (*kitbê haq-qodäš*) gesprochen wird, können alle biblischen Schriften gemeint sein, aber auch nur die Hagiographen. Selbst die jüdische Auslegungstradition konnte im einen oder anderen Fall auf Grund solchen Mangels an Eindeutigkeit zu unterschiedlichen Deutungen kommen. In der Regel freilich kann man voraussetzen, daß gerade die frühesten Auslegungen, nämlich die der gaonäischen Zeit, für das Verständnis der talmudischen Zeugnisse besonders wertvolle Leitlinien bieten, da sie in Babylonien in einer kontinuierlichen Schultradition wurzelten und von den apologetischen Zwängen der jüdisch-christlichen Auseinandersetzung so gut wie frei waren, während die italo-aschkenasische Auslegungstradition, wie sie v. a. im talmudischen Wörterbuch (*^cArûk*) des Natan b. Jechiel von Rom und in den Kommentaren Raschis entgegentritt, in hohem Maß durch die zeitgenössische Konfrontation mit dem Christentum als Religion und zugleich politischer Macht bestimmt war, daher auch ein entsprechendes Interesse an einer apologetischen Verwendung der autoritativen Texte hatte. Die Kontexte, in denen von solchen jüdischen Schriften die Rede ist, die in der Forschung mit neutestamentlichen oder anderen christlichen Büchern in Verbindung gebracht wurden, sind recht unterschiedlicher Art, können daher nicht von vornhinein unter einem Aspekt zusammengefaßt werden. Auf den ersten Blick mag es anders aussehen, denn allem Anschein nach – und dies ist die vorherrschende Meinung – geht es dabei ja in der Regel um die Frage, welche Schriften jüdischerseits noch als „kanonisch" anerkannt und welche als „nichtkanonisch" abgelehnt wurden. Bei genauerer Betrachtung der Quellen erweist sich diese Fragestellung allerdings als ein Vor-Urteil, das auf der Annahme fußt, für das frühe rabbinische Judentum sei die Kanon-Frage ein äußerst gewichtiger Diskussionsanlaß gewesen und zudem eines der bedeutendsten Abgrenzungsmittel gegenüber dem entstehenden Christentum. Um nicht mit der Kanon-Frage eine kontextfremde Sicht vorweg zu programmieren, ist darum zunächst die gesonderte Behandlung der Quellen zu empfehlen. Dabei ist allerdings ein Punkt vorweg zu beachten: Es ist weithin üblich geworden, die nach 70 n. Chr. in Jabne/Jamnia gegründete rabbinische Schule, die nach und nach den Vorrang vor anderen Schulen erlangte und schließlich zur rabbinischen Institution des Sanhedrin geführt hat, als „Synode von Jabne/Jamnia" zu bezeichnen und die in diesem Schulbetrieb abgewickelten Diskussionen und erreichten Entscheidungen in etwa dem gleichzuwerten, was auf kirchlichen Synoden und Konzilen vor sich zu gehen pflegte. Damit wird ein historisch falscher Eindruck erweckt, denn von einer „Synode" in Jabne/Jamnia kann keine Rede sein,[7] und es bedurfte eines komplizierten inneren Prozesses, bevor aus den divergierenden Traditionen der Nachkriegszeit die Konturen des „rabbinischen Judentums" hervortraten[8]. Das Wunschbild eines kompakten Judentums für Jabne vermag sich darum so hartnäckig zu halten, weil es sowohl im Interesse jüdisch-traditionalistischer wie christlicher Apologetik und Polemik liegt. Für traditionalistische jüdische Autoren diente und dient diese Konstruktion als Beweis der vorherrschenden Kontinuität in der Tradition und zum Aufweis der Außenseiterrolle des frühen Christentums, und christliche Autoren benutzen nur zu gern das Bild von einem festgefügten pharisäisch-rabbinischen Judentum, um dem frühen Christentum so ein einheitliches jüdisches Gegenüber entgegenzustellen und aus diesem Gegensatz die prinzipiellen Kriterien für die Beurteilung des Verhältnisses zwischen christlicher und jüdischer Religion überhaupt zu gewinnen. Für den hier zu behandelnden Zusammenhang ist dies in zwei Punkten von Bedeutung: in der angeblichen Festlegung des Kanons bzw. seiner Grenzen und in bezug auf die 12. Benediktion des Achtzehngebets. Letztere gehört in einen späteren Zusammenhang, erstere spielt in vielen Publikationen im Blick auf die zu behandelnde Bücherfrage eine beherrschende Rolle. Dabei muß bei nüchterner Quellenbeurteilung jedoch festgestellt werden, daß – Synode hin,

Synode her – von einem formellen Kanonisierungsbeschluß in Jabne nicht die Rede sein kann [9]. Um die Gewichte einigermaßen korrekt verteilen zu können, muß zunächst klargestellt werden, daß zwei Corpora autoritativer Schriften, ›Tora‹ (Pentateuch) und ›Propheten‹, schon längst feststanden und daß darüber hinaus für bestimmte Bereiche des Judentums vor 70 n. Chr. auch schon ein dritter Komplex von ›Schriften‹ (Hagiographen) weitgehend feststand [10]. Es konnte also nur mehr darum gehen, welche Qualität manchen Büchern im einzelnen zuzuerkennen sei und welche sonst noch in einzelnen jüdischen Gruppen als autoritativ angesehene Bücher keinen Platz innerhalb des Corpus der Hagiographen erhalten sollten, doch gibt es keinen Beweis dafür, daß dergleichen in Jabne beschlossen wurde. Diese Frage stellte sich z. B. in bezug auf das sog. deuterokanonische bzw. apokryphe Buch Sirach, es ist jedoch nicht mehr erkennbar, ob weitere der uns noch bekannten ›Apokryphen‹ zur Diskussion standen oder wie viele von den danach diskutierten uns gar nicht mehr erhalten sind, jedenfalls bedeutet die bloße Tatsache, daß die christliche LXX eine Gruppe von Schriften zusätzlich hat, nicht deren (vorherige) Anerkennung als autoritativ auch in einer jüdischen Gruppe. Die Abstufung in Tora, Propheten und Hagiographen ist wohl nicht nur eine historisch-chronologisch und gruppenmäßig bedingte geblieben, sie wurde gewiß auch durch die Entwicklung der liturgischen Verwendung bestimmt. Tora und Propheten waren durch die Ordnung der Schriftlesung liturgisch fest institutionalisiert, wobei die Tora als eigentliche Offenbarungsgrundlage eindeutig den Vorrang einnimmt. Die Hagiographen hingegen sind liturgisch in ganz unterschiedlichem Maß verankert. Man tut also gut daran, für die frühen rabbinischen Texte den üblichen „Kanon"-Begriff zu vergessen und zunächst allein die verschiedenen Kriterien der Wertung und Behandlung biblischer Schriften für sich zu beachten. Das Bild wäre aber unvollständig, wollte man nur die jüdische Seite im Auge haben. Der Frage, wie innerhalb der frühen christlichen Gruppen die aus dem Judentum mitgebrachten oder vom Judentum übernommenen autoritativen Schriften eingeschätzt, abgegrenzt und praktisch (schreibtechnisch) behandelt wurden, müßte zumindest von all jenen Autoren intensiv nachgegangen werden, die dem Kanonisierungsprozeß in der christlich-jüdischen Auseinandersetzung der Antike eine besondere Rolle zuschreiben (und das geschieht weithin gewohnheitsmäßig). Es ist jedoch verblüffend, wie wenig darauf geachtet wurde, jedenfalls unter jenen Gelehrten, die dabei rabbinische Zeugnisse behandelten.

Nun geht es in solchen Arbeiten aber weit weniger um atl. Heilige Schriften als um neutestamentliche. Wenn dabei Entscheidungen der „Synode von Jabne" postuliert werden, gerät man in eine Zeit, in der die Evangelien gerade ihre letzte Gestalt erhielten und manche ntl. Schriften noch gar nicht abgefaßt waren, jedenfalls von einem Corpus Heiliger Schriften des NT noch keine Rede sein kann. Diese schlichte Tatsache muß leider vorweg miterwähnt werden, weil in der Tat immer wieder so argumentiert wird, als hätten die Rabbinen bald nach 70 n. Chr. die Frage zu klären gehabt, ob ntl. Schriften auch als „kanonisch" gelten können, und daher ihren „Kanon" abgeschlossen [11]. Mehr Aufmerksamkeit verdient die Frage nach der rabbinischen Wertung und Behandlung alttestamentlicher Schriften, die sich im Besitz von Nichtjuden oder Dissidenten (und dabei eben auch Christen) befanden bzw. von solchen Personen geschrieben waren. Die frühe Christenheit hatte bis ins späte 2. Jh. nicht das NT als Heilige Schrift, sondern das AT, dieses freilich völlig auf Christus hin interpretierend, wodurch eine entscheidende Verlagerung der Akzente auch im Inhaltlichen unvermeidlich war, ganze Komplexe des AT ihre praktische Bedeutung verloren und andere eine unvergleichliche Aktualität erhielten. In diesem Zusammenhang dürfte es auch auszugsweise zusammengestellte atl. Texte, etwas wie Testimoniensammlungen [12] gegeben haben, die den Missionaren und Predigern als Handexemplare dienten, und eine solche Anwendung war gewiß dazu angetan, auf jüdischer Seite noch mehr Unbehagen hervorzurufen als die nichtjüdische Verwendung ganzer Exemplare der drei biblischen Einheiten ›Tora‹, ›Propheten‹ und ›Schriften‹. Selbst dabei ist jedoch Vorsicht am Platz, denn die Christen waren weder die ersten noch die einzigen, die in der Antike das Alte Testament außerhalb des Judentums kannten und benutzten. Seitdem biblische Schriften ins Griechische übertragen vorlagen, hatten sie ihren Weg auch in die Bibliotheken gefunden, waren sie interessierten Nichtjuden in die Hände gekommen, wurden sie teil- und auszugsweise (ob textgetreu oder nur dem ungefähren Inhalt nach) auch vom Hörensagen her bekannt. Auch dabei ergab sich eine deutliche Vorliebe für bestimmte Textpartien und Inhalte, etwa für die biblische Urgeschichte, und die Gnostiker haben ihre Kenntnisse atl. Texte und Stoffe nicht bloß aus christlichen Bibeln geschöpft, sondern auch aus solcher Überlieferung. Bereits im Zusammenhang mit den Jesustexten (JvN) wurde deutlich, daß unter den Minim eine gezielte antirabbinische Bibelkritik im Schwang war, die sich z. T. auf eben die Stellen konzentrierte, die auch für die gnostischen Umwertungen des AT von Interesse waren, von heidnischer Seite als Belege für einen Polytheismus im AT angesehen wurden – und zudem christlicherseits als christologische und trinitarische Beweistexte dienten. In bezug auf die christliche Benutzung des AT und ihr Echo in der rabbinischen Literatur wird en detail noch wiederholt zu handeln sein, hier gilt es nur, vorweg darauf hinzuweisen, daß das rabbinische Judentum mit einer recht bunten nichtjüdischen Bibelbenutzung konfrontiert war, wobei es fraglich erscheint, ob man in der Lage oder auch nur willens war, die einzelnen Benutzer zu unterscheiden, denn im großen und ganzen wurde das Umweltverhältnis durch die strikte Zweiteilung Israel : Weltvölker bestimmt, und was innerhalb der Weltvölker vor sich ging, erschien religiös nicht bloß als uninteressant, sondern auch als ausgesprochen gefährlich, weil mit Götzendienst verbunden. Schwieriger ist freilich das Verhältnis zu nichtrabbinischen jüdischen Gruppen und Richtungen, weil uns darüber kaum Nachrichten erhalten sind. Immerhin reichen die Andeutungen aus, um eine Feststellung vorweg zu machen: Die judenchristlichen Gruppen waren keineswegs die einzigen und offenbar auch gar nicht die dominanten nichtrabbinischen Kräfte, ein Umstand, der meist unbeachtet blieb. Aber selbst innerhalb dessen, was man insgesamt als Hauptstrom der jüdischen Überlieferung bezeichnen darf, bleiben beachtliche Unsicherheiten, weil uns ja so gut wie nur die Literatur der rabbinischen Kreise erhalten blieb, und diese wieder einseitig aus den Zentren rabbinischer Gelehrsamkeit in Palästina und Babylonien stammt, während die übrige Diaspora völlig zurücktritt. Gerade aus der griechischsprachigen Diaspora im Mittelmeerraum – etwa aus einer so großen jüdischen Gemeinde wie Rom! – ist an direkten Quellen kaum etwas erhalten geblieben, also gerade aus den Bereichen, in denen die Konfrontation mit dem Christentum von Anfang an und kontinuierlich gegeben war. In manchen Publikationen wird außerdem die Bedeutung der angenommenen jüdischen Kanonisierungsprozesse (sowohl im griechischsprachigen Bereich wie auf der angeblichen „Synode von Jabne") für die Geschichte des christlichen Kanons weit überschätzt. Tatsächlich liegt es doch eher so, daß die christliche Kanonabgrenzung zunächst durch die vorherrschende jüdische Tradition praktisch vorgegeben war und erst im 2. Jh. zu einer bewußten Frage wurde – weniger in Auseinandersetzung mit dem Judentum als mit innerchristlichen Schwierigkeiten, v. a. mit Marcion und mit der Gnosis[13]. Der Kanonbegriff ist insofern ein christlicher, nicht ein übernommener Kanonbegriff, und er entsprach dem (erst im Lauf des späten 2. Jh. aufkommenden) Bedürfnis, die neuen christlichen autoritativen Texte als ein eigenes Corpus neben dem Corpus atl. Bücher zu definieren, und in eindeutiger Form ist der christliche Begriff der „Kanonizität" erst im 4. Jh. vorhanden. Autoritative religiöse Schriften sind auch nicht eo ipso „Heilige Schriften" im rituell-liturgischen Sinn. Man darf also durchaus nicht davon ausgehen, daß ntl. Texte als „Heilige Schriften" in den hier zu behandelnden rabbinischen Texten eine Rolle spielen können. Selbst die Ausgrenzung von Apokryphen wie Jesus Sirach kann schwerlich speziell mit jüdisch-christlichen Auseinandersetzungen verbunden werden. So gewichtig waren derartige Texte in der frühen Kirche nicht, man hatte sie eben aus bestimmten jüdisch-hellenistischen Kreisen (in Verbindung mit den Hagiographen?) ererbt, und die rabbinische Stoßrichtung (s. u.) ging gegen solche Zuordnung weiterer Schriften zu den 22 bzw. 24 überhaupt, nicht speziell gegen einen christlichen Kanon. An der christlichen LXX stieß man sich weit mehr wegen ihrer Textgestalt bzw. Übersetzungsart. Interessanter wäre hingegen, welchen Eindruck jene judenchristlichen AT-Auffassungen machen konnten, die auf eine Art Kanon im Kanon hinausliefen oder gar gefälschte Perikopen voraussetzen[14]. Aber dies wäre erstens nur anhand sorgfältiger auslegungsgeschichtlicher Untersuchungen zu sämtlichen in Frage kommenden Texten zu beurteilen, und zweitens bleibt auch dann noch der Vorbehalt in Geltung, wonach solche Texte z. T. ohnedies bereits Problemtexte waren und daher exegetische Bemühungen nicht unbedingt eine Reaktion auf judenchristliche Behauptungen sein mußten. Alles in allem erscheint der gesamte Fragenkomplex noch ungenügend geklärt, er ist in dem hier gesetzten Rahmen auch nicht zu klären.

Eines aber dürfte deutlich geworden sein:

1. Eine Festlegung der „Heiligen Schriften" im Sinn eines Kanons als Mittel jüdisch-christlicher Auseinandersetzung ist für Jabne weder nachweisbar noch als taugliches Mittel plausibel zu machen.
2. Die Einbeziehung neutestamentlicher Schriften in die Frage nach der Kanonizität projiziert einen erst viel späteren christlichen Kanonbegriff in das rabbinische Judentum des späten 1. und frühen 2. Jahrhunderts zurück – in eine Zeit, da das AT noch unbestritten alleinige Heilige Schrift der Christen war.
3. Der Kanonbegriff ist an sich für die rabbinische Literatur insofern unbrauchbar, als es für ihn im Hebräischen/Aramäischen kein Äquivalent gibt. Eine Reihe von Kriterien, die im folgenden behandelt werden, decken sich nicht exakt mit dem Bedeutungsfeld von „Kanon", ergeben zwar insgesamt in etwa die Sache, doch trifft in keinem Fall zu, daß statt eines solchen Kriteriums „kanonisch" gesetzt werden könnte.

Weitaus umfangreicher als die Erörterung der Kanonizität ist die Diskussion über die Art und Weise der Herstellung Heiliger Schriften zu liturgischem Gebrauch, eine Frage, die mit ihrer Kanonisierung nichts mehr zu tun hat, es geht vielmehr um die Eigenschaft der rituellen Heiligkeit bzw. Reinheit solch vorschriftsmäßig angefertigter Exemplare (bereits) autoritativer Schriften. In diesem Punkt begegnen in der Fachliteratur die meisten Mißverständnisse, denn bis auf wenige Ausnahmen wird dieser rituelle Aspekt mit dem Begriff „Kanonisierung" verquickt[15], was nur in begrenztem Maß berechtigt ist. Die rabbinische Literatur enthält eine ganze Reihe von Gesichtspunkten, unter denen Behandlung und Bewertung autoritativer Schriften möglich oder nötig war, und nach diesen Gesichtspunkten richtet sich die folgende Übersicht.

1.2. Kriterien für Wertung und Behandlung von Bibel-Exemplaren

1.2.1. *Heiligkeit, Verfügbarkeit und Textkontrolle*

(a) Die Mischna zählt mZabim V, 12 unter die Dinge, die die (heilige) Priesterhebe rituell untauglich machen, auch *has-sefär* („die Buchrolle") und danach „die Hände". Zweierlei fällt dabei ins Auge: Der Ausdruck *has-sefär,* der zwar – wie in der Auslegung bald üblich geworden – jedwedes heiliges Buchexemplar bezeichnen könnte, jedoch – und dies ist historisch wahrscheinlicher – ursprünglich nur den *Sefär tôrah,* die Pentateuchrolle, gemeint haben dürfte. Sodann ist zu vermerken, daß die Buchrolle und die Hände in einer Reihe nebeneinander geordnet erscheinen (vgl. auch die Zitierung in bPes 19b). Möglicherweise handelt es sich um ein altes Stratum der halakischen Überlieferung, in der zwar die Unverträglichkeit von Priesterhebe und Buchrolle bereits Selbstverständlichkeit war, die (rituell unreinen) Hände aber in der Rangsystematik der Heiligkeits- bzw. Reinheitsvorstellungen noch nicht in einem nachgeordneten Verhältnis zur Buchrolle standen. Wieso „die Buchrolle" Priesterhebe untauglich macht, ergibt sich keineswegs logisch aus dem System der Heiligkeits- und Reinheitsvorstellungen, muß also irgendeine spezielle, historische Ursache haben. Das Prinzip der rituellen Tabuisierung ist ja nach zwei Seiten wirksam: Entweder kommt einem Gegenstand so hohe Heiligkeit zu, daß er minder Heiliges tabuisiert, oder er wird selbst durch minder Heiliges oder rituell „Unreines" für den eigenen Heiligkeitsgrad und somit für die rituelle Verwendung untauglich, wobei in gewissem Maße rituelle Heiligungs- bzw. Reinigungspraktiken (v. a. Waschungen) den geforderten entsprechenden Reinheitszustand her- bzw. wiederherstellen können[16]. Grundsätzlich gilt diese Systematik auch für die rabbinischen Heiligkeits- und Reinheitsvorstellungen und -praktiken[17], und sofern Ungereimtheiten auftreten, können sie nicht damit erklärt werden, daß die Rabbinen sich dieser Systematik nicht mehr bewußt gewesen wären, sondern es handelt sich um spezielle Anliegen, nach deren Durchsetzung sogar Spannungen und Widersprüche in der Systematik in Kauf genommen werden mußten. In welchem Ausmaß derartige Anliegen schon im Parteienkampf des Frühjudentums schroffe Konfrontationen markierten, zeigt die 1978 publizierte Tempelrolle von Qumran, in der ein extrem priesterliches Heiligkeits- und Reinheitsverständnis sich bereits in zahlreichen Punkten deutlich von anderen, eher der pharisäisch-rabbinischen Überlieferung entsprechenden Positionen polemisierend abhebt[18].

(b) Die Gemara hat jSabb I, 5f. 3c; bSabb 13b/14a (im Unterschied zu mSabb I!) den Topos von den Dingen, die Priesterhebe untauglich machen, zu jenen sagenhaften 18 Verordnungen gerechnet, die eine Anzahl von Rabbinen an einem bestimmten Tag im Obergemach des R. Chananja b. Hiskia b. Garon erlassen haben sollen. Für hier ist nur die Reminiszenz relevant, daß es sich um eine sehr alte Regelung handelt, noch aus der Zeit des Tempels. In dem Zusammenhang wird eine Erklärung des R. Mescharscheja (Bab., Mitte 4. Jh.) erwähnt, die man z. T. als völlig unzutreffende späte Rationalisierung beurteilt[19]. Demnach hätte man ursprünglich Priesterhebe und heilige Torarolle als gleichgradig heilig angesehen und daher zusammen aufbewahrt, was für die Buchrolle nachteilig war (die Ausleger denken an Mäusefraß). Darauf verfügte man, daß die Buchrolle Priesterhebe untauglich macht, und zwang damit zu getrennter Aufbewahrung und Handhabung beider. Die Erklärung erscheint tatsächlich gekünstelt, denn nichts zwang im Tempel dazu, zwei gleichgradig heilige Objekte in ein und demselben Raum aufzubewahren – und man hat auch schwerlich jemals im Tempel die Bibel-Musterexemplare dort aufbewahrt, wo man Priesterhebe ablagerte! Interessant ist jedoch die These von der alten Gleichrangigkeit, denn sie paßt durchaus ins System der Heiligkeits- und Reinheitsvorstellungen.

(c) In diesem Zusammenhang ist eine merkwürdige Stelle im Hebräerbrief von Interesse. Nach 9, 19 soll Mose am Sinai (Ex 24,

13ff.) vom Bundesblut auch auf das *biblion,* die Tora-Rolle, gesprengt haben[20]. Dies bedeutet vielleicht, daß in der priesterlichen Tradition, aus welcher der Verfasser des Hebräerbriefes für seine Zwecke schöpfte, dem Tempel-Tora-Exemplar hochheiliger Charakter zukam und daß es somit denselben rituellen Regeln unterlag, auch in der Beschränkung der Handhabung, wie die hochheiligen Tempelgeräte (vgl. Lev 8, 14ff.), auf deren Weihe Hebr 9, 21 verweist. Trifft es zu, daß in einer Tradition „das Buch" so hochgradig heilig gehalten wurde, dann lag nach ihr die Verfügungsgewalt über das hochheilige Musterexemplar und damit die letzte Kontrollinstanz über die Textgestalt in priesterlichen Händen allein! Doch dies betraf – entsprechend dem, was wir über den Offenbarungsbegriff der Sadduzäer wissen – nur die Tora, den Pentateuch. In bezug auf den *Sefär tôrah* galt es dann für andere Gruppen, z. B. Pharisäer, das priesterliche Monopol aufzubrechen, was nur durch eine Verminderung der Heiligkeitsstufe dieses *Sefär tôrah* möglich war, während umgekehrt für andere biblische Schriften, sobald für sie Offenbarungsautorität in Anspruch genommen wurde, der Kampf darum gehen mußte, sie ebenfalls mit einem angemessenen Heiligkeitsgrad zu versehen. In gewissem Sinn befanden sich die antipriesterlichen Kräfte also in einer Zwickmühle, die sich auch im Blick auf die Systematik der Heiligkeits- und Reinheitsvorstellung auswirken mußte.

Die bisher erwähnten rabbinischen Quellen setzen als Ausgangsposition jedoch nur voraus, daß „die Buchrolle" der Priesterhebe im Heiligkeitsgrad gleichrangig war. Das konnte bedeuten, daß ein Priester über autorisierte Bibelexemplare unter denselben Bedingungen verfügen konnte wie über Priesterhebe, wobei gleichgültig ist, ob man dem Musterexemplar im Tempel noch höhere Heiligkeit zuschrieb. Für Nichtpriester war entscheidend, daß Priester so auch außerhalb des Tempels die Möglichkeit hatten, ihre Schrift-Autorität zur Geltung zu bringen. Verfügte nun eine maßgebliche Gruppe die Unvereinbarkeit von Priesterhebe und „Buchrolle", so konnte dies dazu führen, daß denen, die Priesterhebe ablieferten, eine Kontrollmöglichkeit zufiel, was unter Umständen einen Priester vor die Wahl stellte, entweder auf Priesterhebe (und damit einem wichtigen

Teil seines Lebensunterhaltes) oder auf das Privileg der Schrift-Handhabung zu verzichten. Nach der Zerstörung des Tempels, als die meisten Einkünfte der Priester wegfielen und die noch immer entrichtete Priesterhebe demgemäß ein noch größeres Gewicht für die priesterlichen Haushalte bekam, war damit zweifellos ein wirksames Druckmittel gegeben, zumal die Rabbinen überhaupt bemüht waren, die kultischen Abgaben nur Priestern ihrer Partei zukommen zu lassen. Mit der Vorstellung, daß „Buch" und „Hände" die Priesterhebe untauglich machen, ist die andere, daß heilige Bücher Hände verunreinigen, nicht identisch[21]. Wie alt das Konzept vom Hände-Verunreinigen auch sein mag, es markiert gegenüber der Grundkonzeption, wonach der ganze Mensch bis zur Absolvierung der vorgeschriebenen Reinigungsriten „unrein" bleibt, eine Erleichterung in der Praxis. Und um Mißverständnisse zu vermeiden, sei darauf verwiesen, daß die rituelle Händewaschung an sich nicht einfach die andere Seite der Medaille darstellt, also auch hier kein identisches rituelles Konzept zugrunde liegt[22]. Die Bestimmung, daß heilige Bücher die Hände verunreinigen, ist gemessen an der Konzeption, daß sie mit Priesterhebe gleichgradig heilig sind, eine Erleichterung, die die Verfügbarkeit über den Kreis der Priester hinaus erweitert. Die pharisäische Tendenz, priesterliche und levitische Reinheitspraktiken auf Laienkreise auszudehnen, entsprang vielleicht nicht nur dem Streben nach dem Ziel des priesterlichen Gesamtvolkes im Sinn der Deutung von Ex 19, 6, sondern ebenso der Absicht, die rituell bedingten priesterlichen Prärogativen zu unterlaufen.

(d) Der herkömmlichen Auffassung nach haben die Pharisäer mit der Verfügung, daß heilige Schriftexemplare die Hände verunreinigen, einen Heiligkeitsgrad im rituellen Sinn überhaupt erst eingeführt[23]. Die historische Entwicklung dürfte aber nach dem Bisherigen umgekehrt gewesen sein: Sie haben den Heiligkeitsgrad jedenfalls im Blick auf die (Tempel-)Pentateuch-Musterexemplare herabgesetzt, in bezug auf die Hagiographen freilich um die Anerkennung des (von ihnen selbst erfundenen) Grades des Händeverunreinigens zu ringen gehabt. Nun gibt es für die These, daß einst die Priesterschaft das Monopol der Textkontrolle hatte, auch Belege. Die Basis ist Dt 17, 18, wo für das vom König geschriebene Tora-Exemplar eine Vorlage der „levitischen Priester“ vorausgesetzt wird. Diese Regelung erscheint in der Tempelrolle von Qumran Kol. 56, 20f. in klarer Form bestätigt. In der rabbinischen Auslegungstradition konnte man um diesen Text nicht umhin, setzte eine Abschrift und Korrektur nach dem *Sefär ha-^{ca}zarah* (Tempelhof) voraus, ergänzte aber die Kontrollbefugten um den ganzen Sanhedrin, so daß das priesterliche Verfügungsmonopol über die autoritative Textgestalt gesprengt erscheint. So etwa Sifre Dt § 160 (vgl. auch tSanh IV, 7; jSanh II, 6f. 20c; bSanh 21b).

e) Reminiszenzen an die Tempel-Musterexemplare finden sich auch sonst noch in der rabbinischen Literatur, wobei der *Sefär ha-^{ca}zarah* in der Textüberlieferung auch als *Sefär ^{c}Ezra$^{\supset}$* erscheint, offenbar, weil die Meinung vorherrschte, das Tempel-Musterexemplar schlechthin sei das von Ezra herstammende gewesen. Freilich taucht die Reminiszenz nur mehr in bestimmten Zusammenhängen auf. Nachdem für heilige Schriftexemplare die Verunreinigung der Hände deklariert worden war, ergab sich systembedingt die Frage, wie solche Objekte überhaupt im Tempel vorhanden sein konnten. Die rabbinische Auskunft war, daß es im Tempelbereich keine Verunreinigung durch Hände gegeben habe, und in bezug auf die Bibel heißt es mKel XVI, 6 ganz lapidar: „Alle Buchrollen (*s^{e}farîm*) verunreinigen die Hände, ausgenommen die *^{ca}zarah* (Tempelhof)-Buchrolle. Und tKel BM V, 8 führt weiter aus: „Das ›Buch Ezra‹, das nach außen (d. h. außerhalb des Tempelheiligkeitsbereichs) gerät, verunreinigt die Hände; und nicht bloß das ›Buch Ezra‹ (der Pentateuch) allein, sondern selbst Propheten und einzelne Pentateuch-Teilrollen oder sonst irgendein Buch, das dort (im Tempel als autoritative Schrift) Eingang gefunden hat, verunreinigen die Hände“.

Obschon diese Formulierungen bereits ganz vom rabbinischen Konzept der Händeverunreinigung bestimmt sind, dieses Konzept (und z. T. auch die Erweiterung des Kreises der händeverunreinigenden Schriften) untermauern sollen, scheint doch die Ausgangsposition durch: Eigentlich müßten die Tempel-Musterexemplare in ihrer Heiligkeit dem dort herrschenden Heiligkeitsgrad entsprechen und wären darum auch nur unter Beachtung der dementsprechenden rituellen Regeln und Beschränkungen handhabbar gewesen. Als hochheilig überhaupt nur im Tempel und durch Priester, als gleichrangig der Priesterhebe immer noch nur durch Priester, aber als bloß händeverunreinigend eben auch für Laien. Freilich ergab diese letzte Einschätzung eine Inkonsequenz im System der Reinheits- und Heiligkeitsvorstellungen, sofern die Tempelexemplare betroffen waren, und die pharisäisch-rabbinische Lösung dafür bestand eben darin, für den Heiligkeitsbereich des Tempels die Regelung außer Kraft zu setzen (vgl. auch bPes 19b), die die Verfügbarkeit autoritativer Exemplare außerhalb des Tempels und in Laienhänden gewährleistete.

Der Begriff der rituellen Verunreinigungspotenz hatte also wahrscheinlich keinen speziellen Bezug zur vielbeschworenen „Kanonisierung", schon gar nicht handelt es sich um eine Metapher dafür[24]. Es ging vielmehr um die Verfügbarkeit von Exemplaren bereits als autoritativ geltender Schriften[25], von Exemplaren, die für die Entscheidung über die Textgestalt und damit für die Frage der religiösen Autorität von entscheidender Bedeutung waren. Die Frage, wie weit der Kreis jener autoritativen Schriften zu ziehen sei, denen die rituelle Verunreinigungspotenz (unter den gegebenen Voraussetzungen) zugesprochen werden konnte, trat allerdings hinzu. Zwar spielen dabei die Propheten kaum mehr eine Rolle, die Hagiographen jedoch scheinen gerade in Verbindung mit dem „Händeverunreinigen" als ein besonderes rabbinisches Anliegen auf. Nach der Tempelzerstörung war das Grundproblem insofern gelöst, als der priesterlich beherrschte Heiligkeitsbereich des Tempels entfiel und nur mehr die Verfügungsgewalt in priesterlicher Hand eine Rolle spielen konnte. Diese war durch die Verfügung der rituellen Unverträglichkeit von Priesterhebe und „Buch" sogar noch wirksamer beeinflußbar als zuvor und durch die Verfügung, daß „alle Heiligen Schriften" (bloß) die Hände verunreinigen, überhaupt gegenstandslos gemacht. Damit lag der Weg frei für die autoritative Regelung und Standardisierung der Textgestalt im Sinne der rabbinischen Überlieferung und Auslegung. Ja, nun diente die Bestimmung vom Händeverunreinigen sogar dem Ziel einer Monopolisierung im Interesse der Rabbinen, nicht so sehr, weil die „heiligen" Schriftexemplare damit vor Profanierung geschützt waren (vgl. tJad II, 19), sondern eben durch die Möglichkeit, die Qualifizierung liturgisch tauglicher und damit textbestimmender Bibelexemplare an die rabbinische Autorität zu binden. So ist aus dem Gruppeninteresse ein Standesinteresse geworden, und die eingeschlagene Tendenz ging noch weiter, indem die Verfügbarkeit der schriftlichen Offenbarung (der Bibel) für den einzelnen gezielt zugunsten der „mündlichen Lehre" im Lehrhaus (*Bêt midraš*) eingeschränkt wurde (vgl. z. B. den Vorrang der Mischna in jSabb XVI, f. 15c und unten beim Kriterium „Lesen").

1.2.2. *„Verunreinigen der Hände"*

1.2.2.1. Voraussetzungen

(a) mJad III, 2 stellt fest: „alles, was Priesterhebe untauglich macht, verunreinigt die Hände". Im Unterschied zu den oben (1.2.1.) erwähnten Texten erscheinen hier die Hände nachgeordnet, was eine Diskrepanz im System der Reinheitsvorstellungen bedeutet. Nach der Regel könnte etwas zweitgradig Unreines nicht wieder zweitgradig Unreines verursachen, und falls die *kitbê haq-qodäš* („Heilige Schriften"), selbst ja zweitgradig und Priesterhebe untauglich machend, die Hände verunreinigen sollen, wäre (nach R. Josua in der erwähnten Mischna) anzunehmen, daß auch eine Hand die andere verunreinigt. Dieses systemgerechte und logische Argument wird aber von den Rabbinen nicht akzeptiert, sie weisen es mit einer dogmatischen Begründung ab, indem sie feststellen, daß man nicht von Tora-Regelungen aus über rabbinische Regelungen urteilt und umgekehrt[26]. Dabei ist ein Unterschied in der Terminologie wichtig: War in bezug auf die Priesterhebe von „der Buchrolle" die Rede, so hier, beim Händeverunreinigen, von den *kitbê haq-qodäš*, was einerseits alle heiligen Schriften, andererseits nur die Hagiographen bezeichnen kann, jedenfalls schwerlich in gleich alte Traditionsschichten zurückreicht. Die somit jüngste Regelung der Heiligkeit war offenbar von vornhinein mit dem Anliegen einer Erweiterung der rituellen Qualität der Händeverunreinigung auf Schriften außerhalb des Pentateuchs eng verquickt, so sehr, daß der einst dominante rituelle Gesichtspunkt z. T. zweitrangig wird. Dem entspricht die weitere Tendenz, aus der Regel, daß „alle *kitbê haq-quodäš* die Hände verunreinigen", in erster Linie ihre Hochschätzung zu begründen, wobei die systembedingte Diskrepanz gerade dafür als Beweis herangezogen wird. In diesem Sinne interpretiert die Gemara in jSabb XVI, f. 15d, und außerdem ist tSabb XIII, 6 zu vergleichen[27], wo dem *sefär* (der heiligen Buchrolle) bei der Rettung vor Feuer am Sabbat (dazu s. unten) noch deutlicher der Vorrang vor der heiligen Priesterhebe eingeräumt wird.

(b) Die Mischna stellt Jad IV, 5 explizit folgende Voraussetzungen für die Eigenschaft des Händeverunreinigens fest:

(1) Originalsprache der Texte
(2) „Assyrische" Schrift
(3) Leder(rolle) als Schreibmaterial
(4) Eine bestimmte Tintenart (*dᵉjô*)

Eine Reihe anderer rabbinischer Texte bestätigt und ergänzt diese Grundregel[28].

(c) Diese Vorschriften gelten mit geringen Modifikationen auch für die Textstücke in den Tefillin (Gebetsriemen) und in der Mezuza, so daß auch diese Gegenstände einen (abgestuften!) Grad an ritueller Heiligkeit aufweisen (vgl. Sof XIV, 20 u. ö.). Dabei konnte es in bezug auf die Frage, inwieweit dies nur für die Textstücke selbst zutrifft, noch Diskussionen geben (mJad III, 3; tJad II, 9), doch als Prinzip setzte sich durch, daß das Gesamtobjekt diesen Heiligkeitsgrad bzw. diese Verunreinigungspotenz erhält. Dasselbe gilt auch bezüglich der heiligen Schriftrollen, auch ihr Material samt Umhüllung und Behälter gilt im Sinne einer Gesamtheit als Hände verunreinigend (vgl. tJad II, 12).

(d) Folgerichtig verunreinigen auch Textstücke wie die Hallelpsalmen oder das *Šᵉmaʿ Jiśraʾel* (Dt 6, 4ff.; 11, 13–21; Num 15, 37–41) die Hände, falls sie nach den rituellen Schreibvorschriften geschrieben wurden, obschon – aus anderen Gründen – festgesetzt wurde, daß solche Teiltexte (für Schulzwecke) nicht (so) geschrieben werden sollen (tJad II, 11; vgl. Sof V, 11; bGiṭṭ 60a).

(e) Angesichts der Vorschrift Num 5, 23 konnte die Frage auftauchen, wie dieser rituell vorschriftsmäßig, d. h. „in Heiligkeit" geschriebene Text zu werten sei und was sich daraus für Konsequenzen ergeben (vgl. jSoṭa II, 4, 18a; Sifre Num § 16), wobei sich ein Ansatzpunkt für eine Polemik ergab, deren Zielrichtung in der Auslegung umstritten ist und noch zur Sprache kommen wird.

(f) Mischna Jad III, 5 und Tosefta Jad II, 10 bestimmen auch, daß die Heiligkeit einer solchen Schriftrolle (*sefär*) so lange erhalten bleibt, als in ihr noch ein Textminimum von 85 Buchstaben enthalten ist (wobei als Maß der Abschnitt Num 10, 35 f. genannt wird). Selbst ein Exemplar, das für den praktischen Gebrauch (s. unten zu „Lesen") nicht mehr tauglich ist, behält soweit seine Heiligkeit, was – s. unten – wieder eine besondere Behandlung, die „Geniza" bedingt. In beiden Texten wird dasselbe Maß von 85 Buchstaben sowohl in bezug auf den *sefär* (Buchrolle) wie in bezug auf eine *m^{e}gillah* (Rolle) angewendet, wobei mit letzterem offenbar ein Rollenteilstück gemeint ist (sonst: *j^{e}rî^{c}ah*). Beim *sefär* handelt es sich jedoch um ein abgeschabtes (Mischna) bzw. verschlissenes (Tosefta) Exemplar, bei der *m^{e}gillah* um ein erst mit der genannten minimalen Textmenge neu beschriebenes.

Die Tosefta stellt ferner fest, daß bei Hinzufügen weiterer Rollenteilstücke – ohne vorschriftsmäßig geschriebenen biblischen Text – die Heiligkeit auf die erste *m^{e}gillah* beschränkt bleibt, also nur diese die Hände verunreinigt[29], das Ganze in diesem Fall also kein rituell einheitlich heiliges Objekt darstellt.

(g) So weit wurde bereits deutlich, daß in bezug auf die Heiligkeit bzw. Verunreinigungspotenz einer Rolle insofern offene Fragen blieben, als gewisse Einzelteile nicht ohne weiteres mit eingeschlossen erscheinen müssen. Dies wurde nun speziell auch in bezug auf die schriftfreien Räume innerhalb der Rolle erörtert, wobei ein terminus technicus auftaucht, der unten noch gesondert behandelt werden muß, nämlich *gillajôn*. Das Wort, soviel sei hier vorweggenommen, bezeichnet im Singular stets entweder ein Einzelblatt oder den Rollenraum, in dem eine Schriftkolumne (*daf*) ihren Platz findet, von dieser Schriftkolumne abgesehen stellt demnach der *gillajôn* eben nicht beschrifteten Raum dar, und da die Heiligkeit ja im

Grund am Text und seiner Schreibweise hängt, war – wie oben in bezug auf angehängte Rollenteilstücke – die Frage am Platz, ob die „Blatt"-Räume insgesamt die Hände verunreinigen oder nur die Textteile in engstem Sinn. Ersteres wird mJad III, 4 bejaht, auch in bezug auf die unbeschriebenen Teile am Anfang und am Ende der Rolle, an denen noch die Rollstäbe zu befestigen sind, nur R. Jehuda meint in mJad III, 4, daß das Schlußblatt erst nach Anbringung des Rollstabs die Hände verunreinigt. Da das Wort *gillajôn* im Plural noch eine andere Bedeutung hatte und im Paralleltext bSabb 116a statt des Singulars der Plural eingedrungen ist, ergaben sich in spätamoräischer Zeit Verständnisschwierigkeiten.

1.2.2.2. Differenzierungen innerhalb der Heiligen Schrift

Bislang war in den Texten von „der Buchrolle", von „Buchrollen" oder „Heiligen Schriften" die Rede, aber nicht davon, was bei den letzteren alles im einzelnen dazuzuzählen ist, d. h. mit anderen Worten: Die sogenannte Kanonfrage spielte in diesem Zusammenhang zunächst überhaupt keine Rolle, sie trat in gewissem Maß hinzu, sobald der Ausdruck „*kitbê haq-qodäš*" statt *sefär* eingeführt war. Trifft die Annahme zu, daß es in der ältesten Überlieferung nur um die Pentateuchrolle und deren Verfügbarkeit ging, wird die Spannung deutlich, die sich in der Formulierung „alle Heiligen Schriften (*kitbê haq-qodäš*) verunreinigen die Hände" (mJad III, 5) verbirgt: Hier wird der Anspruch dieses Heiligkeitsgrades erweitert. Dies – jedoch ohne Definition – könnte heißen, daß darüber zunächst gar keine Diskussion nötig schien. Aber formgeschichtlich gesehen trifft dieses Argument nicht zu: Die vorweggenommene allgemeine Regel besagt nicht, daß sie älter ist als nachgeordnete Einzelaspekte. In mJad III, 5 und tJad II, 14 sowie in mEdujot V, 3 wird vielmehr deutlich, daß man im Blick auf bestimmte biblische Bücher bis ins 4. Jh. diskutierte, wobei man sich hüten muß, dies vorschnell als Diskussion über Kanonizität anzusehen, weil, wie zu betonen ist, dieser Begriff gar nicht vorhanden war. Die Diskussionen enthalten vielmehr folgende Gesichtspunkte und Argumente:

(a) Händeverunreinigen bzw. Nichtverunreinigen in bezug auf Cant und Koh, in mJad III, 5[30] ohne Angabe von Gründen, abgesehen von R. Akiba, der Cant (offenbar hyperbolisch) für hochheilig erklärt.

b) In der Tosefta Jad II, 14 begründet R. Simon b. Menasja die Verunreinigungspotenz für Cant mit dessen Inspiration („aus dem Heiligen Geist"), während für Koh angenommen wird, es handle sich bloß um „Weisheit Salomos". Diese Beurteilung fand keine Zustimmung, zeigt aber, daß unterschiedliche Kriterien bewußt waren. Desgleichen in bMeg 7a, wo auch die Bücher Ester und Rut in die Diskussion einbezogen werden und R. Samuel behauptet, Ester verunreinige zwar nicht die Hände, sei aber inspiriert. Auch seine Ansicht wird abgewiesen, weil man zu der späten Zeit ein solches Auseinanderdividieren der Kriterien nicht mehr für sinnvoll hielt und die Diskussion nur mehr unter dem Aspekt der Zugehörigkeit zum Kreis der heiligen Schriften allgemein (also im Sinne der Kanonizität) verstand, denn die rituellen Aspekte erschienen nun nicht mehr realitätsgerecht[31].

Die alte Diskussion ging jedoch um die Frage, welche der als autoritativ geltenden Schriften – unter der Voraussetzung rituell korrekter Schreibweise – die Qualität haben, die Hände zu verunreinigen. Die Formulierung „alle *kitbê haq-qodäš*" ist zudem ja doppeldeutig, kann sämtliche heilige Schriften oder auch nur die Hagiographen bezeichnen, und es liegt nahe, daß die Qualifizierung über die Pentateuchrolle hinaus stufenweise auf das Prophetencorpus und die „anderen Schriften" erfolgte, wie ja auch im Ergebnis eine gewisse Abstufung im Heiligkeitscharakter bestehen blieb. Die sog. 5 Megillot (Rut, Klagelieder, Kohelet, Canticum und Ester), in bBB 14b allerdings verteilt, stellen dabei in gewisser Hinsicht eine Gruppe für sich dar, wobei Rut und Klagelieder (Lam) insofern günstiger lagen, als sie in der Tradition z. T. mit dem Richterbuch und dem Buch Jeremia zusammengerechnet wurden. Offenbar war der kultisch-sakrale Charakter der Megillot vom Tempelkult her so schwach begründet, daß nach 70 n. Chr. Zweifel an ihrer rituellen Händeverunreinigungspotenz geäußert werden konnten.

Sofern man in die Jabne-Periode ein diesbezügliches Anliegen datieren darf, beschränkt es sich auf die Versicherung, daß alle autoritativen Schriften – in vorgeschriebener Anfertigung – die Qualität besitzen, die Hände zu verunreinigen.

(c) Abgesehen vom schon erwähnten Kriterium der Inspiration knüpft jSabb XVI, f. 15b–d eine Verbindung zu einem noch zu erörternden Kriterium, nämlich welche heiligen Schriften man am Sabbat vor einem Brand retten soll und welche nicht. Daraus ergibt sich, daß alle Exemplare, die die Hände verunreinigen, auch gerettet werden sollen. Auch dabei wird deutlich, daß die Diskussion nicht die sog. Kanonizität, sondern eine rituelle Qualität betrifft.

Es ist schwerlich zutreffend, daß die Diskussionen über die genannten 5 Megillot in irgendeiner Weise durch die Art und Weise christlicher Benützung bzw. Auslegung mitbestimmt wurde. Dies ist in bezug auf das Hohelied behauptet worden: Die allegorische Hoheliеddeutung der Kirche habe dieses biblische Buch in rabbinischen Augen z. T. verdächtig gemacht und zur Anzweiflung der Kanonizität geführt[32]. Wer so argumentiert, muß auch für die Diskussionen über die anderen Megillot entsprechende Begründungen nennen können, doch das erscheint wohl unmöglich[33]. Der einzige gemeinsame Nenner in dieser Diskussion ist der rituelle Aspekt und die liturgische Verankerung.

1.2.2.3. Problemfälle

(a) Es wurde bereits erwähnt, daß rituell vorschriftsmäßig geschriebene Bibelteile wie die Tefillin- und Mezuza-Texte „die Hände verunreinigen", ja sogar so geschriebene Übungstexte – obschon dies als Praxis untersagt war (tJad II, 11). Demgegenüber galt nach mJad II, 12 (C), vgl. tJad II, 12, daß Benediktionen, in denen relativ viel biblische Phrasen und natürlich auch Gottesprädikationen vorkommen, die Hände nicht verunreinigen (also auch bei ritueller Schreibweise nicht) und folgerichtig auch am Sabbat vor dem Brand nicht gerettet werden (tSabb XIII, 4; jSabb XV, 1f.15c; Sof XV, 4; bSabb 115b). Ein Buch, das nicht bereits als selbstverständlich biblisch galt, hatte somit keine Chance, die Qualität des „Händeverunreinigens“ zugesprochen zu bekommen.

(b) Die Exegeten gelangten darüber dennoch zu unterschiedlichen und gegensätzlichen Ansichten, weil die Bedeutung zweier Ausdrücke (*giljônîm* und *sifrê mînîm*) strittig war, die in einem folgenden Abschnitt (siehe 1.2.4.) erörtert werden.

(c) Nach dem Bisherigen ist zunächst ein Gesichtspunkt wichtig: Ein Problem ersten Ranges war gewiß, wie Bibelexemplare zu bewerten und zu behandeln sind, die nicht aus dem rabbinisch kontrollierten Bereich stammen. Angesichts des Kampfes, den die Rabbinen um die Verfügbarkeit und schließlich um die Kontrolle über den autoritativen Text geführt haben, ist in dieser Frage von vornhinein eine scharfe Frontstellung zu erwarten.

1.2.3. *Retten vor Brand am Sabbat und Verbrennen*

(a) Die Frage, was an einem Sabbat vor einem Brand (und anderen Gefahren) gerettet werden soll/darf, wird in der rabbinischen Literatur recht eingehend behandelt, doch für diesen Zusammenhang kommt es einzig auf Bücher an.

Die Basis der Halaka bildet mSabb XVI, 1:

Aa) Alle heiligen Schriften *(kitbê haq-qodäš)*
rettet man vor dem Brand (am Sabbat)
b) ob man in ihnen liest oder ob man in ihnen nicht liest.
ca) Selbst wenn sie in irgendeiner (anderen) Sprache geschrieben sind,
cb) unterliegen sie der Geniza
da) Und warum liest man nicht in ihnen? –
db) Wegen der Vernachlässigung des *Bêt Midraš* (Lehrhauses)!
Baa) Man rettet den Buchrollenbehälter samt der Buchrolle
ab) und den Tefillinbehälter samt den Tefillin,
ac) selbst wenn Geldstücke darin sind.
Caa) Wohin rettet man sie? . . . etc.

Daraus ist für die hier zu behandelnde Frage nur von Interesse, daß auf alle Fälle zu retten ist, was (s. oben) die Hände verunreinigt (Aa; Ba), darüber hinaus aber auch Übersetzungen (ev. Transkriptionen) biblischer Texte, weil diese bei Gebrauchsuntauglichkeit in ritueller Weise zu „verbergen“ sind (dazu s. unten). Dabei ist wieder die Doppeldeutigkeit von *kitbê haq-qodäš* zu beachten: Es ist durchaus möglich, daß man bei der Festsetzung der Regel eigentlich die Gleichwertung der Hagiographenexemplare im Auge hatte, deren rituelle Qualität ja auch in bezug auf das Händeverunreinigen betont werden mußte. Doch dieses Anliegen erschien bald als gegenstandslos. Wie stark dieser rituelle Aspekt im Lauf der Zeit zurücktrat, zeigt ein Passus aus der Jelammedenu-Überlieferung, erhalten im Midrasch Tanchuma *Jtrw* XVI[34]. Man rettet demnach heilige Schriften vor dem Brand am Sabbat wegen *k^e^bôd hat-tôrah* (der Ehre der Tora), also um Hochschätzung der heiligen Schriften zu demonstrieren, „denn wenn (man) sie verbrennen (läßt), scheinen sie wertlos zu sein“.

(b) Auch die Tosefta enthält – nach einem Passus über das Lesen von *kitbê haq-qodäš* (s. u.) in XIII, 1 – in tSabb XIII, 2ff. teilweise denselben Stoff. XIII, 2–3 bestimmt, daß man Bibelübersetzungen (ev. Transkriptionen!) retten muß, weil sie (im Fall der Unbrauchbarkeit) der Genizapflicht unterliegen. In XIII, 4 wird festgestellt, daß auch jene Bibeltexte zu retten sind, die nicht mit der vorgeschriebenen Tintenart geschrieben wurden – denn auch diese unterliegen der Genizapflicht. Und dazu wird noch hinzugefügt, daß Benediktionen trotz ihrer vielen biblischen Phrasen und Gottesnamen nicht gerettet werden, sondern an Ort und Stelle verbrennen sollen.

XIII, 5 enthält eine noch zu besprechende (1.2.4.) Komposition, und XIII, 6 betont den Vorrang des *sefär* vor der heiligen Priesterhebe.

(c) Der jTalmud bringt Sabb XVI, 1 f. 15b zunächst den Mischnastoff, dazu eine Diskussion über das Verhältnis zwischen „Hände verunreinigen“ und „Retten am Sabbat“: Daraus ergibt sich, daß man zwar alle Bibelexemplare retten muß, die die Hände verunreinigen, nicht aber alle Bibelexemplare die Hände verunreinigen, die man retten muß – wie eben Bibelübersetzungen, die der Geniza bedürfen. Und f. 15b–c folgt eine Erweiterung des diesbezüglichen Toseftastoffes, indem die – im System der Reinheitsvorstellungen doch auffällige – Hochschätzung heiliger Schriften (selbst in Übersetzung) in ihrem Verhältnis zu der rabbinischen Praxis erörtert wird, mit der auch sonst bezeugten Ansicht Rabban Simon b. Gamliels, daß im Grunde zwar nur die Übertragung ins Griechische statthaft sei, aber dennoch alle Übersetzungen zu retten seien, wobei unter Umständen auch hier z. T. ungewiß ist, ob man zunächst nicht an Transkriptionen gedacht hat. Darauf folgt f. 15c nach einem Sammelstück über Hagiographenlesen und den Vorrang der mündlichen Lehre die Feststellung, daß man Benediktionen nicht rettet, illustriert durch eine Erzählung. Nach zwei Traditionen zur Frage der Wertung von Haggada-Büchern, provoziert durch das Thema „Lesen", folgt die Komposition in tSabb XIII, 5 über die *giljônîm* und *sifrê mînîm* (siehe 1.2.4.), vor deren Teil E aber auf f. 15c–d der Passus über das Retten der Rollenbehälter. Auf f. 15d wird noch einmal das Thema des Verhältnisses zwischen der Heiligkeit der Priesterhebe und der rabbinisch gebotenen Behandlung heiliger Bücher angesprochen, und darauf erst kommt der Schlußteil E von tSabb XIII, 5, jedoch in anderer Textgestalt:

Wie man sie vor dem Brand rettet,
so rettet man sie auch vor einer Räuberschar, vor einem Fluß, vor einem Einsturz und vor jedem anderen Ding, das Verderb bewirkt.

(d) Die umfangreiche Behandlung der gesammelten Traditionen im bTalmud 115a etc. wird unten noch gesondert erörtert.

(e) Im Traktat Soferim enthält XV, 2 den Mischnastoff. XVII, 1 trifft die bemerkenswerte Feststellung, daß man sogar Niederschriften mündlicher Lehre – selbst Haggada-Bücher, die eigentlich nicht geschrieben werden sollten, am Sabbat vor dem Brand rettet, eine Konsequenz der Hochschätzung der mündlichen Lehre, die über das Kriterium „Lesen" (s. u.) in die Diskussion über das „Retten" eingedrungen ist, und den extremsten Standpunkt markiert – doch aus später, nachtalmudischer Zeit, wie auch in den ›*Hᵃlakôt gᵉdôlôt*‹, *Hilkôt Šabbat* XVI, aufbauend auf Erörterungen wie in bGiṭṭ 60a; bḤag 3b; NumR XIV, 4.

(f) Von besonderer Tragweite war natürlich, wie Bibelexemplare zu werten und zu behandeln sind, die nicht aus dem rabbinisch kontrollierten Bereich stammen, sei es, daß rituell korrekt angefertigte

Exemplare durch den Handel in andere Hände geraten, sei es, daß sie sogar im nicht rabbinisch kontrollierten Bereich hergestellt worden waren. In bezug auf diese weiteren Kriterien – Besitz und Herstellung – ist hier zunächst nur die Grundregel von Belang, wie sie z. B. bGiṭṭ 45b formuliert ist. Sie lautet zusammengefaßt:

Aa) War der Schreiber ein Min, ist das Exemplar zu verbrennen,
b) war der Schreiber ein Nichtjude (Götzendiener), ist das Exemplar
ba) nach einer Ansicht Geniza-pflichtig,
bb) nach andrer Ansicht zu verbrennen.
Ba) War der Besitzer (aber nicht Schreiber) ein Min, ist das Exemplar Geniza-pflichtig,
b) war der Besitzer ein Nichtjude, so ist es
ba) nach einer Ansicht Geniza-pflichtig,
bb) nach andrer Ansicht jedoch das Lesen statthaft.

(g) Diese scharfe Beurteilung der *sifrê mînîm* kommt auch tḤull II, 20 zum Ausdruck, wo de facto jeder Kontakt mit Minim unterbunden wird, angefangen in bezug auf Nahrungsmittel, sodann bezüglich „ihrer Bücher“, die „wie Zauberbücher“ zu werten sind, und ihre Nachkommen, die als *mamz*ᵉ*rîm* (aus verbotener Verbindung stammend) gelten. Schroffer als mit „Zauberbücher“ konnte man biblische Buchexemplare von *mînîm* nicht mehr aburteilen. Es handelt sich ja hier nicht mehr um die Frage, ob man solche Exemplare bei einem Brand am Sabbat verbrennen lassen soll, sondern um Verbrennen überhaupt.

Dazu mußte in der Forschung selbstverständlich die Frage aufgeworfen werden, ob mit diesen *mînîm* hier etwa Christen gemeint waren, und manche Autoren nahmen dies ohne Einschränkungen an[35], andere mit dem Vorbehalt[36], daß *mînîm* nicht nur Christen bezeichnen kann. Von der bisher erörterten Quellenbasis aus ist eine Entscheidung darüber noch nicht zu fällen.

(h) Von besonderem Interesse für den wichtigen Text tSabb XIII, 5 und par. (s. unten 1.2.4.) sind Überlieferungen, die in Num.R. IX, 36 zu Num 5, 23 und in Midrasch Sifre Num § 16 erhalten sind. Sie zeigen, daß die Aussage in Teil D von tSabb XIII, 5, dort R. Ismael zugeschrieben, dem Ursprung nach mit der (ja auch dort zitierten) Stelle Num 5, 23 und ihrer Auslegungstradition zusammengehört. Wie bereits K. G. Kuhn[37] nachgewiesen hat, liegt der Stoff in Sifre Num § 16 in der ältesten uns erhaltenen Fassung vor. Es geht darum, daß der Priester den Fluchtext nach Num 5, 23 auf einen *sefär* schreibt, und zwar abwischbar, wobei auch die – für hier nur zweitrangig relevanten – rituellen Schreibvorschriften Erwähnung finden:

Aaa) Man schreibt weder auf die Tafel *(luᵃh)*
noch auf den Papyrus *(nᵉjar)*
noch auf den *diftᵉraʾ*[38]
ab) sondern auf eine Rolle *(mᵉgillah)*,
ac) denn es heißt: *bas-sefär*.
ba) Und man schreibt nicht mit *qômôs* und nicht mit *qanqantûm*
bb) sondern mit Tinte *(dᵉjô)*,
bc) denn es heißt: „und tilgt es aus in das Bitterwasser"
bd) – eine Schrift, die tilgbar ist.
Ba) Gilt nicht der Schluß vom Leichteren auf das Schwerere:
ba) Wenn,
bb) um Frieden zu stiften zwischen einem Mann und seiner Frau,
bc) Gott gesagt hat:
ca) Der *sefär*,
cb) der in Heiligkeit geschrieben wurde,
cc) soll auf dem (soll in das) Wasser getilgtwerden,
da) (so gilt in bezug auf) die *sifrê mînîm*,
db) die Feindschaft und Haß und Eifer und Streitigkeiten stiften,
dc) um so mehr,
e) daß sie aus der Welt ausgetilgt werden.
Ca) R. Ismael sagte:
b) *Sifrê mînîm* – wie behandelt man sie?
c) Man schneidet die Gottesnamen aus
d) und verbrennt das Übrige.
Da) R. Akiba sagte:
b) Man verbrennt sie völlig,
c) denn sie sind nicht in Heiligkeit geschrieben.

Während Teil A (mSoṭa II, 4) für Num 5, 23 die Regeln für die Anfertigung rituell heiliger Schriften anwendet (wobei *sefär* als Leder-Buchrolle interpretiert wird) und somit feststellt, daß sogar dieser Text „in Heiligkeit" geschrieben werden mußte, obwohl er zum Abwaschen bestimmt war, knüpft dann Teil B den *qal-wa-ḥômär* –

Schluß (vom Leichteren auf das Schwerere), daß die *sifrê mînîm* um so mehr vernichtet gehören. Daß es sich bei *sifrê mînîm* um biblische Schriften handeln muß, geht aus der ganzen Argumentation zwingend hervor, auch aus den folgenden Teilen. Teil C schreibt dem R. Ismael die Aussage zu, die tSabb XIII, 5 B dem R. Jose ha-Galili in den Mund gelegt wird. Teil D dem R. Akiba sachlich denselben Standpunkt, der tSabb XIII, 5 C dem vielzitierten Christenfeind R. Tarfon zukommt. Wer angesichts dieses Sachverhalts der Überlieferung und Zuschreibung den Mut hat, aus solchen Texten biographische Schlüsse zu ziehen, muß auf kritische Fragen gefaßt sein, zumal Num. R. IX, 36 der Stoff nur anonym überliefert ist. Und selbst wenn man auf die Zuschreibung zu den einzelnen Personen kein entscheidendes Gewicht legt, aber dennoch die erwähnten Rabbinennamen zur Datierung verwendet, also die Entstehung in das erste Drittel des 2. Jh. ansetzt, wirkt dies nicht überzeugend: Es kann zwar zutreffen, aber ebenso kann die – variierende! – Nennung der Rabbinennamen der Tendenz entspringen, die Überlieferung möglichst weit zurückzuführen.

Dazu kommt, daß der *qal-wa-ḥômär* – Schluß aus Num 5, 23 eine beliebte Formel darstellt, die auf unterschiedliche Gegenstände angewandt zu werden pflegte (vgl. jSoṭa I, 4f. 16d; bSukka 53b/bMakk 11a; bNed 66b; bḤull 141a), daß also festgeprägte Schulsprache vorliegt. Somit ist alles in allem auch Sifre Num § 16 nicht die älteste Überlieferungsgestalt überhaupt, sondern nur eine im Vergleich zu tSabb XIII, 5 ältere.

Sachlich ist hervorzuheben, daß auch hier die Diskussion nicht an die Frage der erlaubten und unerlaubten Sabbattätigkeiten gebunden ist. Auch tSabb XIII, 5 B (R. Jose) sprengt das Thema, weshalb der Redaktor gezwungen war, zur Klarstellung „an Werktagen" einzufügen! Hier geht es um die Vernichtung von Minim-Bibelexemplaren überhaupt, Symptom eines erbitterten Kampfes der Rabbinen um ihr Monopol der Bibeltextkontrolle, die angesichts der aggressiv-polemischen Exegese der Minim (s. darüber im folgenden passim) noch ganz besonderes Gewicht hatte.

1.2.4. *giljônîm und sifrê mînîm*

1.2.4.1. Das Problem

(a) Die Tosefta – nicht die Mischna! – enthält tJad II, 13 folgenden Passus:

A Die *giljônîm* und *sifrê ham-mînîm* verunreinigen nicht die Hände.
B Die Bücher *Ben-Sîra'*
und alle die Bücher, die von damals an verfaßt worden sind,
verunreinigen nicht die Hände.

Die Interpretation der beiden nicht übersetzten Bezeichnungen ist äußerst umstritten. Selten wurden dabei Sachzusammenhänge und Kontexte beachtet, die einzige methodologisch ernsthafte Behandlung des Problems stammt von K. G. Kuhn[39]. Für *giljônîm* geht ein Teil der Erklärer von der bereits erwähnten Bedeutung aus, die für den Singular *gillajôn* in gewissem Sinne zutrifft: die unbeschriebenen Flächen der Buchrollen, daher übersetzen diese hier „Bücherränder"[40] oder Rollen(blätter)[41]. Auch an Randglossen dachte man[42]. Andere hingegen sahen in *giljônîm* entweder auch oder überhaupt nur eine hebraisierte Form des griechischen Wortes *euangélion* (Evangelium)[43], wobei man sich jedoch weniger auf den Toseftatext stützt als auf die Verarbeitung dieser Tradition im Kontext von bSabb 115b–116b, wo in der Tat an den Stellen, die in den älteren Fassungen von *gillajôn* im Singular reden (also „Blatt"/Rollenfläche für Kolumne samt Rändern), der Plural *giljônîm* auftaucht und darüber hinaus eine weitere Diskussion anschließt (s. unten).

Der Abschnitt B im Mischnatext führt ein zweites Thema ein: Der Kreis der Texte, die bei rituell vorschriftsmäßiger Schreibweise „die Hände verunreinigen", wird nach der Abfassungszeit begrenzt – ein weiteres Kriterium für Wertung und Behandlung biblischer Bücher (s. u.). Es ist weder formalliterarisch noch sachlich gerechtfertigt, das Thema von B auch in den Abschnitt A einzutragen, wie die Tosefta selbst im folgenden Passus zeigt. Es ist auch methodologisch fragwürdig, von der umfangreichen späten babylonischen Komposition und Diskussion verschiedenartiger Traditionen in bSabb

115–116 auszugehen. Damit ist freilich auch ein Urteil über die Übersetzung „Bücherränder" gefällt, zumal die folgende Toseftastelle Sabb XIII, 5 in Teil A diese einfache Bedeutung „Bücherränder" ausschließt. Daher schlug K. G. Kuhn in Anlehnung an die Schlußfolgerung in bSabb 116a die Bedeutung „(abgeschnittene) Bücherränder" vor[44]. Doch zunächst der Toseftatext:

(b) tSabb XIII, 5 (vgl. 1.2.3. h)[45]

Aa) Die *giljônîm* und *sifrê mînîm*:
b) Man rettet sie nicht vor dem Brand
c) sondern (läßt) sie verbrennen an ihrem Ort,
d) sie samt ihren Gottesnamen.
B R. Jose ha-Galili[46] sagte:
a) Am Werktag schneidet man die Gottesnamen aus
b) und ‚verbirgt sie' (rituell)
c) und den Rest läßt man verbrennen.
C Es sagte R. Tarfon:[47]
aa) Meine Söhne will ich einbüßen[48], wenn ich nicht für den Fall,
ab) daß sie mir in die Hände geraten,
ac) sie verbrenne,
ad) sie samt ihren Gottesnamen!
ba) Verfolgte mich ein Verfolger,
bb) würde ich (zwar) einen Götzentempel betreten,
aber nicht ihre Häuser;
ca) denn die Götzendiener kennen ihn (Gott) nicht und leugnen ihn,
cb) jene aber kennen ihn und leugnen ihn.
da) Und über sie sagt die Schrift (Jes 57, 8):
db) Hinter die Tür und den Türpfosten hast du dein Denkzeichen gesetzt. . . (vgl. die Fortsetzung! Der Vorwurf lautet auf religiöse Untreue, Abfall zum Götzendienst)[49].
D Es sagte R. Ismael:[50]
aa) Wenn,
um Frieden zu stiften zwischen einem Mann und seiner Frau,
Gott gesagt hat:
ab) „Mein Name, der in Heiligkeit geschrieben wurde,
soll auf dem Wasser ausgetilgt werden"[51],
ba) so gilt in bezug auf die *sifrê mînîm*,
bb) die da Feindschaft und Eifer und Wettstreit
bc) zwischen Israel und ihrem Vater im Himmel[52] stiften,

c) um so mehr,
d) daß sie ausgetilgt werden samt ihren Gottesnamen.
ea) Und über sie sagt die Schrift (Ps 139, 21f.)
eb) „Sollte ich nicht hassen, Herr, die dich hassen, und deine Gegner verabscheuen? Mit vollendetem Haß hasse ich sie, zum Feind sind sie mir geworden"![53]

E Und wie man sie nicht vor dem Brand rettet,
so rettet man sie weder vor Einsturzgefahr noch vor Wasser noch vor jedweder Sache, die sie verderben könnte.

Diese kunstvolle 5teilige Komposition in der Tosefta begegnet bSabb 116a und Jalquṭ Shim^coni II, 488 (zu Jes 57, 8) mit belanglosen Varianten ebenfalls. In jSabb XVI, 15c liegt die Sache etwas anders: Nach dem Zitatanfang (in der Tosefta Aa) wird die Meinungsdifferenz wegen der Gottesnamen festgestellt: „Es gibt welche, die lehren: Man schneidet die Gottesnamen heraus und verbrennt sie (die Exemplare), und es gibt welche, die lehren: Man verbrennt sie samt ihren Gottesnamen." Darauf folgt das Stück C in fast identischem Wortlaut, doch das in der Tosefta dem R. Ismael zugeschriebene Stück D wird hier als anonyme Auslegungsüberlieferung zitiert: *zäh midraš dar^ešû* – „diese Auslegung trug man vor", und der Schluß lautet „. . . ist es nicht gerechtfertigt, daß sie samt ihrem Gottesnamen verbrennen?" Das Stück E folgt hier in jTalmud erst nach einigen anderen. Damit ist klar, daß die Tosefta Einzelüberlieferungen zusammengestellt hat – und diese durchaus nicht in ältester faßbarer Gestalt.

In bTalmud ist das Ganze als Zitat in einen umfassenderen Kontext eingebaut, der noch gesondert zu behandeln sein wird, und in der Regel hat man die Tosefta-Komposition von dort her gedeutet, was keineswegs gerechtfertigt ist. Konkret heißt dies: Man deutete von der Voraussetzung aus, daß der Kontext von bSabb 116a–b gegen die Evangelien polemisiert, sah daher auch in den *giljônîm* hier „Evangelien"[54] und vielfach in den *sifrê mînîm* zumindest häretische Literatur, oft auch christliche Literatur[55]; z. T. auf das Judenchristentum zugespitzt[56]. So kam R. Tarfon, der dann auch gleich gern mit Tryphon, dem Dialogpartner des Justinus Martyr, identifiziert wurde[57], in den Ruf eines besonders grimmigen Christenfeindes[58]. Nun hat diese Deutung in der mittelalterlichen jüdischen Talmudexegese in christlichen Ländern z. T. eine Stütze, jedoch nicht uneingeschränkt, denn gerade *Raschi*[59] beurteilte in bezug auf das Begriffspaar *giljônîm* und *sifrê mînîm* den Sachverhalt recht zutreffend. Das babylonische Schulhaupt (von Pumbedita), Haj b. Scherira Gaon (gest. 1038) – erklärte lang vor Raschi die Babli-Stelle bSabb 116a wie folgt[60]:

„Die *sifrê mînîm* sind die Tora-Rollen, welche *mînîm* geschrieben haben, aber nicht ihre Bücher, die sie selber verfaßt haben. Und die Erklärung der hier erwähnten *giljônîm* ist: Die Schreibrollen (*g^ewîlîn*) für die *sifrê mînîm*, auf denen (noch) nichts geschrieben steht...“, letzteres mit Berufung auf den Satz im Talmud, bSabb 116a, daß die *sifrê mînîm* wie (leere) *giljônîm* einzuschätzen sind, also völlig irrelevant für die Frage, was am Sabbat zu retten sei. Danach fährt Haj fort: „Aber unsere *giljônîm* rettet man vor dem Feuer“! Es ist also die auffällige Tatsache zu konstatieren, daß die mittelalterliche jüdische Talmudexegese in christlichen Ländern zwar z. T. die Deutung auf Evangelien und christliche Literatur vertrat, die die meisten modernen (jüdischen wie nichtjüdischen) Autoren bevorzugen, ein unter islamischer Herrschaft lebender Gelehrter wie Haj Gaon, in Kontinuität babylonischer Schultradition stehend, bei bSabb 116a aber nicht einmal daran dachte! Raschi wie Haj stützen sich auf eine in bSabb 116a erzielte Kompromißlösung. Doch Hajs weitergehende Erklärung kann sachlich nicht befriedigen. Das Ziel der Argumentation Hajs ist ein recht praktisch-realistisches: Die Möglichkeit, am Sabbat vor einem Brand nicht nur heilige Bibelexemplare retten zu dürfen, sondern sogar unbeschriebene (nicht von *mînîm* stammende) Buchrollen – ein bekanntlich sehr wertvolles Material. Wie Raschi bleibt Haj Gaon halakisch im Bereich des wirklich relevanten Gegenstandes: der Behandlung heiliger Bibelexemplare, während die Deutung auf christliche Literatur den Rahmen der halakischen Diskussion sprengt, nicht kontextgerecht ist. Für die Deutung auf christliche Literatur wäre zudem wenigstens ein gewisses Maß an Anhaltspunkten in dem unter byzantinisch-christlicher Herrschaft fertig redigierten jTalmud zu erwarten – aber gerade dies ist ja nicht der Fall.

Die methodologisch umsichtigste Analyse für *giljônîm* hat, wie erwähnt, 1960 K. G. Kuhn vorgelegt (siehe Anm. 39). Er ging philologisch von Sprachgebrauch und sachlichem Kontext aus und konstatierte für *gillajôn* die Bedeutung „(unbeschriebener) Rand von Schriftrollen". Zwar nahm er wie die meisten an, daß in bSabb 116a die *giljônîm* infolge der Hinzufügung anderer Traditionen als Evangelien verstanden wurden, lehnte es aber ab, die Toseftastellen von dorther zu interpretieren. Er akzeptierte daher für diese die ebenfalls in bSabb 116a angeführte Lösung, wonach die *giljônîm* in tJad II, 13 und tSabb XIII, 5 A „abgeschnittene Ränder" von Schriftrollen darstellen, womit er ebenfalls im Bereich der halakischen Thematik des Kontexts blieb. Gleichwohl wirkt auch Kuhns Deutung unbefriedigend. Neben dem zweifellos ungemein wichtigen Thema der *sifrê mînîm* nehmen sich abgeschnittene Rollenränder als Thema doch recht belanglos aus. Dies um so mehr, als in bSabb 116a für den Fall, daß man nicht die Evangeliendeutung voraussagt, den *giljônîm* eine etwa ebenso große negative Bedeutung zukommt wie den *sifrê mînîm*. Es dürfte also schon etwas Aufregenderes gemeint gewesen sein als bloß leere, abgeschnittene Lederstücke, denn den Rabbinen ging es ja doch in erster Linie um die Kontrolle über den Text. Kuhns Erklärung der *„sifrê mînîm"* trifft (s. u.) nur teilweise zu, weil er für amoräische Zeit bereits durchweg die Bedeutung „christliche Literatur" annahm. Neben den bisher erwähnten Deutungen auf Buchränder, abgeschnittene Buchränder, Buchrollen und Evangelien wurde noch an gnostisch-magische Tafeln bzw. Zeichen der Ophiten und an Zauberbücher gedacht[61] oder an Buchrollen allgemein[62]. Auch syrischer Sprachgebrauch wurde bemüht, wobei man z. T. Apokalypsen[63], z. T. auch wieder christliche volumina im Hinterkopf hatte[64]. Welche dieser Vermutungen philologisch überhaupt tragbar ist, muß geprüft werden. Vom sachlich-halakischen Kontext der beiden Toseftastellen aus ist allerdings nach dem bisher Dargelegten ein vorläufiges Urteil möglich:

Die Frage der „Verunreinigung der Hände" ist nur für bestimmte, rituell vorschriftsmäßige Bibelexemplare relevant, die korrespondierende Frage der gebotenen Rettung vor Brand am Sabbat nur für biblische Texte, nicht aber für nichtbiblische Literatur. Wenn die jüdisch-mittelalterliche Auslegung im christlichen Bereich diesen halakischen Kontext – im Gegensatz zu Haj Gaon – sprengte, dann zu polemischen Zwecken. Freilich erklärt ein Blick auf die folgenden Texte c–e, warum dennoch eine so weitreichende Unsicherheit in der wissenschaftlichen Interpretation einreißen konnte.

(c) bHullin 60b wird dem R. Simon b. Laqisch (Pal., Mitte 3. Jh.) ein Ausspruch zugeschrieben, wonach allerlei Bibelstellen (*miqra'ôt*) es zu verdienen scheinen, verbrannt zu werden „wie *sifrê mînîm*", oder nach anderer Lesart, wie „*sifrê mjrs*" – und doch vollgültige biblische Inhalte sind, z. B. Dt 2, 23. Was die *sifrê mjrs* sind, ist aus der Stelle nicht zu erheben, zumal die Lesart unsicher ist[65].

Wer hier an Bücher Homers denkt[66], gerät in Widerspruch zu anderen Aussagen (s. unten), die darüber günstiger zu urteilen scheinen (jSanh X, 1f. 28a); *sifrê mînîm* hingegen paßt von der Sache her voll und ganz, denn sie soll man ja verbrennen. Andernfalls mußte hinter *sifrê mjrs* etwas stehen, was den *sifrê mînîm* mehr oder minder gleichkommt, also biblische Schriften oder mit dem Anspruch biblischer Autorität präsentierte Schriften bezeichnen – und zwar aus einer antirabbinischen Gruppe. In diesem Fall wären beide Lesarten sachlich in etwa gleichbedeutend. Ob eine solche antirabbinische Gruppe mit Judenchristen identifiziert werden kann, ist von hier aus nicht zu entscheiden[67].

(d) mJad IV, 6

Aaa) Die *Ṣaddûqîm* (Sadduzäer?) sagen:
ab) Wir werfen euch vor, *Perûšîm* (Pharisäer?),
ac) daß ihr sagt:
ba) Die *kitbê haq-qodäš* (Heiligen Schriften/Hagiographen) verunreinigen die Hände,
bb) aber die *sifrê HMRS*[68] verunreinigen nicht die Hände.
Ba) Da sagte R. Jochanan b. Zakkaj:
b) Haben wir (sic!) den *Perûšîm* (Pharisäern?) nichts vorzuwerfen als dies allein?
c) Siehe, sie sagen doch[69]:
da) Gebeine eines Esels sind (rituell) rein,
db) aber die Gebeine Jochanans des Hohenpriesters (Johannes Hyrkanus) sind unrein.
ea) Sie sagten zu ihm:

eb) Ihrer Hochschätzung entsprechend verhält sich ihre (rituelle) Unreinheit,

ec) damit nicht jemand die Gebeine seines Vaters oder seiner Mutter zu Löffeln verarbeitet.

fa) Er (Jochanan b. Zakkaj) sagte zu ihnen (den *Ṣaddûqîm*):

fb) Auch bei *kitbê haq-qodäš* (den heiligen Schriften/Hagiographen) verhält sich ihrer Hochschätzung entsprechend ihre (rituelle) Unreinheit.

fc) Aber die *sifrê HMJRS*,
die nicht hochgeschätzt sind,
verunreinigen die Hände nicht.

Literarisch-formgeschichtlich gesehen liegt eine relativ spät strukturierte Überlieferung nach einem bestimmten polemischen Muster vor, wobei Gesamtstruktur und Einzelinhalte zeitlich recht weit auseinanderliegen können[70]. Weder die Erwähnung von *Ṣaddûqîm* und *P^erûšîm* noch der Name Jochanan b. Zakkajs trägt daher Entscheidendes zur Datierung bei. Dennoch enthält der Passus mehrere auffällige Merkmale, die auf älteres Material schließen lassen. Jochanan b. Zakkaj erscheint, wenn man ea/b die *P^erûšîm* sprechen läßt, in der Position eines Dritten zwischen *Ṣaddûqîm* und *P^erûšîm*, es sei denn, man eliminiert den Plural der 1. Person „wir" in Bb durch Textkorrektur oder mit Hilfe einer philologischen Erklärung[71]. Historisch betrachtet besteht dazu jedoch kein zwingender Anlaß. Jochanan b. Zakkaj[72] ist auch nach sonstigen Überlieferungen keineswegs ohne weiteres als einer der *P^erûšîm* anzusehen, sondern vertrat eine eigene Richtung[73], die allerdings – wie schließlich hier im Text – den „Pharisäern" auf jeden Fall näherstand als den „Sadduzäern". Demnach wäre die These, daß die *kitbê haq-qodäš* die Hände verunreinigen, im Ursprung auf den Einfluß der *P^erûšîm* zurückzuführen, was sich durchaus in die bisherigen Beobachtungen einfügt.

Die Erklärung, die hier für die Unreinheit geboten wird, nämlich die Entsprechung zwischen Hochschätzung und Unreinheit, ist eindeutig spät und setzt offensichtlich voraus, daß aus der Systematik der Heiligkeits- und Reinheitsvorstellungen selbst kein Beweis zu erbringen ist. Auf diese Systematik stützt sich aber Jochanan b.

Zakkajs Vorwurf an die *P^e^rûšîm*, zwischen den Gebeinen eines Esels (rituell unreines Tier) und eines Menschen in bezug auf die rituelle Verunreinigungspotenz einen derartigen Unterschied zu machen, der Kritik herausforderte. Wenn dabei freilich ein (hasmonäischer) Hohepriester angeführt wird, dann schon im Interesse der ironisierenden Gesamtabsicht und im Blick auf die Argumentation mit der Hochschätzung. Denn selbstverständlich galt die Kritik nicht der Auffassung, daß Gebeine von Menschen verunreinigen, sondern der Auffassung, daß Eselsknochen überhaupt nicht unrein machen. Gerade in bezug auf solche Fragen gab es früh kontroverse Standpunkte, wie die Tempelrolle von Qumran beweist, deren Herausgeber Y. Yadin auf einen Sachzusammenhang mit dieser Mischnastelle verwies[74]. Die Mischna zählt in mToh I, 4 und in mḤull IX, 1 eine Reihe von Bestandteilen bereits verwester Kadaver auf, die nicht mehr im Sinne eines Kadavers verunreinigen. Damit deutet sie in erleichternder Weise die unklare Bestimmung Lev 11, 24–28, wo in v. 24 „und jeder, der von ihrem Kadaver aufhebt" und in v. 26 „und jeder, der sie berührt"[75] zu kontroversen Auslegungen Anlaß gab. Die streng priesterlich orientierte Tempelrolle, die Kol. 50, 4–7 bei der Totenunreinheitsregelung die Berührung eines menschlichen Gebeins oder Grabes anführt, nennt Kol. 51, 4 f. im Zusammenhang mit Kadavern unreiner Tiere eine auffallend ähnliche Reihe von Kadaverbestandteilen, deren Berührung sehr wohl unrein macht: „Und jeder, der da aufhebt von ihrem Gebein oder von ihrem Kadaver, Haut, Fleisch und Krallen, der wasche seine Kleider und bade in Wasser. Und nachdem die Sonne untergegangen, ist er (wieder) rein."

Daraus ergibt sich für mJad IV, 6, Teil c, daß das Subjekt die *P^e^rûšîm* sind, die Jochanan b. Zakkaj zitiert, und daß Teil ea) eben diese *P^e^rûšîm* ihre Praxis begründen, mit dem reinheitssystematisch unsinnigen, aber für die Argumentation der Gesamtkomposition dienlichen Hinweis auf die Entsprechung zwischen Hochschätzung und Unreinheit. R. Jochanan greift diese Begründung auf und wendet sie – zugunsten der *P^e^rûšîm* – auf die *kitbê haq-qodäš* an. Das Ganze hat gar nicht mehr konkrete Reinheitsvorstellungen zum Hauptgegenstand, sondern alte Reminiszenzen dienen dazu, ein schematisch strukturiertes polemisches Formular inhaltlich zu füllen und das Bild von R. Jochanan b. Zakkaj in legendärer Weise zu verbrämen (wie auch sonst oft).

Die in Teil B a–b eingebaute Tradition ist offensichtlich alt – wahrscheinlich älter als das Konzept des Händeverunreinigens durch heilige Schriften und das Problem ihres Verhältnisses zu den *sifrê hmjrs*. Die viel jüngere Gesamtkomposition trägt also nichts zur Klärung ihrer einzelnen Teile bei.

Die Tosefta hat in tJad II, 19 zu alledem nur folgendes:

a) Es sagte ihnen Rabban Jochanan b. Zakkaj:
b) Bei *kitbê haq-qodäš*
   entspricht ihre Hochschätzung ihrer Unreinheit,
c) damit man aus ihnen nicht Decken für das Vieh macht.

Daß die Regel von der Verunreinigung der Hände durch heilige Schriften nur dem Schutz gegen solche profanierende Verwendung und ähnlichem dienen sollte, ist späte Reflektion aus einer Zeit, da die praktische Bedeutung des Priesterhebe-Untauglichmachens und auch des Händeverunreinigens verblaßt war.

Der Hauptstreitpunkt in der Auslegung des Mischnatextes ist nun aber, was *sifrê hmjrs* bedeuten. Zwei Möglichkeiten stehen im Vordergrund:

(1) Es sind die Bücher Homers gemeint[76],

(2) es sind biblische Schriftexemplare einer bestimmten Gruppe oder Institution.

Die Textüberlieferung erlaubt kein eindeutiges Urteil, denn sie ist z. T. durch andere Stellen mitbestimmt, in denen die Deutung auf Homer entweder naheliegt oder zumindest üblich war (s. u.). Vom Sachzusammenhang her wäre am ehesten *sifrê mînîm* zu erwarten, genauso auch im oben (Abschnitt h) genannten Text bḤull 60b, denn von diesen wird ja – nach den erwähnten Zeugnissen – eindeutig gesagt, daß sie weder die Hände verunreinigen noch vor dem Brand am Sabbat gerettet werden sollen, ja sogar überhaupt verbrannt werden müssen. Nun werden *Ṣaddûqîm* natürlich nicht von *sifrê mînîm* gesprochen haben, wenn sie nichtrabbinisch anerkannte Bibelexemplare meinten. Die Möglichkeit, daß sich hinter *sifrê*

HMJRS in mJad IV, 6 eine nichtrabbinische Bezeichnung für Bibelexemplare bestimmter Herkunft verbirgt, ist daher durchaus möglich. Die in priesterlicher Tradition stehenden *Ṣaddûqîm* konnten sehr wohl für ihre Texte in Anspruch nehmen, daß sie aus der Tempeltradition stammen, womit die rabbinische Autorität in empfindlicher Weise relativiert wurde. Vertritt man die Deutung auf Homerschriften, dann muß der Sachkontext als gesprengt betrachtet werden und der Sinn der *Ṣaddûqîm*-Frage wird zur (allerdings nicht reinheitssystemgerechten) Ironie, indem nicht mehr der Heiligkeitsgrad, sondern nur mehr die Unreinheit zur Debatte gestellt wird: Wenn sogar Heilige Schriften die Hände verunreinigen, warum dann nicht auch die völlig profanen Schriften des Homer?[77] Die rationalisierende Antwort mit dem Verweis auf die Entsprechung zwischen Hochschätzung und Unreinheit würde dazu passen, auch die Gegenüberstellung von Gebeinen eines Esels und eines Hohenpriesters entspricht durchaus einem ironischen Stil. Es ist keineswegs ausgeschlossen, daß beide Deutungen ihre relative Berechtigung haben, indem in der älteren Tradition der Gegensatz zwischen den Bibelexemplaren zweier Gruppen zur Debatte stand, im Rahmen der Gesamtkomposition von mJad IV, 6 – die ja einem serienmäßigen polemischen Muster entspricht – diese ironisierende Absicht am Werke war, weil man bereits von anderen Stellen her die Deutung als „Bücher Homers“ kannte. Der ganze Schlußteil von mJadajim macht ja einen späten, nachtragartigen Eindruck, und Stück IV, 6 scheint nur dank einer Stichwortverbindung zu IV, 5 hinzugeraten zu sein, wonach – wie bereits erwähnt – biblische Texte nur in ihrer Originalsprache, in „assyrischer Schrift“, auf Lederrollen und mit Tinte geschrieben die Qualität des Händeverunreinigens erhalten können, und infolge der stereotypen Struktur hat IV, 6 und IV, 7 noch anderes gleich strukturiertes Material nach sich gezogen. Und wenn dann IV, 8 noch etwas über einen galiläischen *Ṣaddûqî* bzw. *Mîn* folgt, indem die Schreibweise einerseits der Scheidungsurkunde, andererseits des Bibeltextes im Blick auf das Verhältnis zwischen den Namen Moses oder Gottes und des (nichtjüdischen) Herrschers debattiert wird, erweist sich zwar der Gegensatz *Ṣaddûqîm* : *P*^e^*rûšîm* oder *Mînîm* : Rabbinen als dominanter formaler Faktor bei der Redaktion, aber eine klare Entscheidung darüber, wie der Endredaktor des Kapitels IV „*sifrê HMJRS*“ gelesen oder gedeutet hat, ist dennoch kaum möglich.

In keiner Weise überzeugend ist eine dritte Deutung, die weder vom Sachzusammenhang noch textlich noch überlieferungsgeschichtlich zu begründen ist: Nach ihr sind hier hinter den *sifrê HMJRS* christliche (nicht dem AT zugehörige) Schriften zu vermuten.[78] Denkbar wären noch eher Bibelexemplare aus einer christlichen Gruppe – aber wozu dann die *Ṣaddûqîm*-Frage?

1.2.4.2. Die vorgeschriebene Rollenform der Bücher[79]

Bekanntlich besteht die rabbinische und auch die spätere jüdische Tradition jedenfalls für den liturgischen Gebrauch strikt auf der Rollenform der biblischen Bücher[80], und im Hebräischen der Antike bezeichnet *sefär* eben in erster Linie „Buchrolle“ und dies im Sinne von Lederrolle, und das Leder soll auch noch von einem „reinen“, d. h. zum Genuß erlaubten Tier stammen[81]. Dazu kommen noch spezielle Vorschriften[82], die mit der Materialfrage (verschiedene Lederarten und Schreibmittel) und dem Schriftbild zusammenhängen (Kolumnengröße, Freiräume, Rollenausmaß), Vorschriften, von deren Befolgung die Tauglichkeit für den liturgischen Gebrauch abhängt. Nun ist die Buchrolle im östlichen Mittelmeerraum, im griechischsprachigen Bereich[83], noch bis ins 5. Jh. die vorherrschende Buchform gewesen[84], so daß zumindest das rabbinische Insistieren auf der Rollenform nicht einfach aus einem Gegensatz zum Heidentum erklärbar ist. Nicht so leicht zu beantworten ist jedoch, wie das griechischsprachige Diasporajudentum sich verhalten hat, jedenfalls im Blick auf Rom und Ägypten sind frühe Abweichungen denkbar, und zwar nicht nur in bezug auf die Bedeutung des Papyrus in Ägypten[85] allein[86], sondern auch im Blick auf die Codexform. Vorerst deutet freilich nichts darauf hin, daß gerade hellenistische Juden in dieser Hinsicht eine so auffallende Praxis vertraten, daß die Rabbinen derart deutliche Gegenbestimmungen zu formulieren gezwungen gewesen wären. Hingegen ist ein anderer Umstand unübersehbar: Die christlichen heiligen Schriften – auch des AT – aus Ägypten (ca. Mitte 2. Jh.) weisen in einem verblüffenden Gegensatz zur heidnischen Praxis der griechischsprachigen Welt die Codexform auf[87]. Man darf daraus gewiß nicht vorschnell auf die rabbinischen Quellen schließen, doch eines scheint plausibel: Da das Hauptgebiet der jüdisch-christlichen Auseinandersetzung naturgemäß im Bereich der griechisch-römischen Diaspora lag, ist eine Rückwirkung auf die rabbinische Überlieferung im Lauf der Zeit kaum auszuschließen – nur darf man diese Prozesse nicht allesamt zu früh ansetzen wollen, auch darf man die Christen nicht isoliert sehen, denn die stattliche Zahl gnostischer Codices aus Nag Hammadi zeigt, daß die Codexform in einem breiteren Spektrum religiöser Bewegungen früh en vogue war. Immerhin dürfte ein Zusammenhang mit den Bemühungen des 2. Jh. bestehen, mit Hilfe neuer griechischer Übersetzungen die Textgestalt und Interpretation der pharisäisch-rabbinischen Tradition auch in der Diaspora durchzusetzen. Dies war zunächst sicher eine innerjüdische Auseinandersetzung, die aber zugleich als Abgrenzung zu anderen Gruppen – sicher nicht zuletzt zum Christentum hin – wirksam war. In der Diaspora könnte zudem die Feststellung liturgisch tauglicher Bücher von größerer Bedeutung im Blick auf Randgruppen gewesen sein als in geschlossenen jüdischen aramäischsprachigen Siedlungsbereichen Palästinas und Babyloniens, zumal da noch die Kriterien der Schrift und Sprache (s. u.) gesonderte Probleme darstellten. Obwohl dieser ganze Fragenkomplex in bezug auf das jüdisch-christliche Verhältnis noch einer eingehenden Untersuchung bedarf, ist er für die weiteren Abschnitte im Auge zu behalten, vor allem für die vielumstrittene Interpretation des Wortes *gillajôn* (s. u.). Nun wird die Problematik insofern noch komplizierter, als die Frage auch gegenüber heiligen Schriften zu stellen ist, die in aramäischsprachigen judenchristlichen Gemeinden verwendet oder angefertigt wurden. Nachrichten darüber fehlen, doch wird auch hier die Lage nicht einheitlich gewesen sein, denn die Judenchristen rekrutierten sich schwerlich allein aus einer einzigen jüdischen Richtung. Im Blick auf judenchristliche Evangelien[88] hat man zwar gelegentlich angenommen, sie hätten in solchen Kontexten eine Rolle gespielt, doch scheint dabei in keinem Fall die Frage gestellt worden zu sein, ob und ab wann ein judenchristliches „Evangelium" in einem vergleichbaren Sinn als liturgische „Heilige Schrift" in Analogie zu Tora, Propheten und Schriften angefertigt und verwendet worden ist[89], ob und wann eine derartig hochgradige Autorität und rituelle „Heiligkeit" einem „Evangelium" in einer christlichen Gemeinschaft zugeschrieben wurde. Sinnvoller ist es, auch die buchtechnischen Vorschriften als Mittel im Kampf um das rabbinische Monopol der Textgestaltkontrolle der Bibel einzuschätzen und somit davon auszugehen, daß es biblische Buchformen gab, die von den Rabbinen energisch abgelehnt wurden.

1.2.4.3. Die Einteilung der Bibel in Buchrollen

Für den liturgischen Gebrauch wirkte sich auf die Einteilung der Bibel in Buchrollen vor allem die geschichtlich gewachsene, abgestufte Dreiteilung in Tora, Propheten und Schriften bestimmend aus. Die Abstufung, deren Basis der vorrangige Offenbarungscharakter und älteste Heiligkeitsgrad des *Sefär Tôrah* darstellt, kommt auch in den Vorschriften für die Gestaltung des Schriftbildes, nämlich für die Ausmaße der Freiräume zum Ausdruck, ferner in der Handhabung. Die rabbinische Überlieferung diskutiert recht eingehend, inwiefern auch Sammelrollen oder Einzelschriftrollen zulässig sind[90], wobei allerdings jeweils zwischen liturgischem Gebrauch und Schulgebrauch bzw. individueller Verwendung zu unterscheiden ist. So war man in bezug auf eine Zusammenfassung aller drei Bibelteile in einer Rolle z. T. widersprüchlicher Ansicht, im Blick auf eine Zusammenfassung von Propheten und Hagiographen ergaben sich aber kaum Bedenken. Der umgekehrte Fall, daß für die einzelnen biblischen Schriften Einzelrollen hergestellt wurden, war offensichtlich – schon aus praktischen Gründen – alltäglich. Dies gilt auch in bezug auf die 5 Bücher der Tora, die wohl von alters her auch gesondert als *Ḥûmmašîm* geschrieben, aber für den liturgischen Gebrauch nicht mit einer Torarolle gleichgewertet wurden, weshalb auch abweichende Herstellungsvorschriften Platz greifen[91]. Interessant ist die Aufzählung in (der bereits 1.2.1.e zitierten Stelle) tKel BM V, 8, wonach heilige Schriften, die den Tempelbereich verlassen, die Hände verunreinigen: *Sefär ᶜEzraᵓ* (Tora), Propheten, *Ḥûmmašîm*, und „andere Buchrollen“. Für den Alltag ist kennzeichnend, wie bGiṭṭ 35a–b ein Psalmen-, ein Hiob- und ein Proverbienexemplar erwähnt werden, für den Schulbetrieb bAZ 19a, wo nach der Auslegung eines Hagiographenstücks noch einmal ein Proverbien- und danach ein Psalmenexemplar verlangt werden. Hier gab es also zwischen liturgischer und privater Verwendung einen ziemlich weiten Spielraum, natürlich unter der entscheidenden Voraussetzung, daß alle diese Exemplare unter der rabbinischen Textgestaltkontrolle angefertigt wurden. Sofern man mit Bibelexemplaren nichtrabbinischer Herkunft konfrontiert wurde, dürfte es sich am ehesten um Exemplare von biblischen Einzelschriften gehandelt haben[92].

1.2.4.4. Teiltexte biblischer Schriften

Weit problematischer war offensichtlich die Praxis, aus biblischen Büchern nur begrenzte Textstücke herauszuschreiben, denn damit war die Integrität des Textganzen verletzt und mit der Auswahl auch ein Auswahlprinzip zu vermuten.

Die einzigen Ausnahmen, die die Rabbinen gestatteten, waren die Bibeltexte für die Tefillin und Mezuzot, für die ebenfalls die Schreibvorschriften für biblische Bücher bis auf geringe Varianten gelten und die daher ebenfalls mit ihrem Zubehör „die Hände verunreinigen“. Schreibt man die Tefillin-Texte (auf diese Weise) für Leseübungszwecke, verunreinigen sie zwar auch die Hände, doch statthaft ist diese Verwendung nicht, und das gilt auch für die Hallelpsalmen (tJad II, 11; bGiṭṭ 60a). Auch eine Rolle, die nur die Perikopen der Prophetenlesungen enthält, hielt man für liturgischen Gebrauch für untauglich (bGiṭṭ 60b), mit der Begründung, daß es ungehörig sei, so (auszugsweise) zu schreiben. Das Problem der Schülerübungstexte scheint nach bGiṭṭ 60a recht aktuell gewesen zu sein, wahrscheinlich weil solche Tafeln oder Blätter leicht kontextwidrig (gegen die rabbinische Auslegungstradition) aufgefaßt und v. a. sehr leicht in die Hände Unbefugter geraten konnten. Der letzte Gesichtspunkt verdient besondere Beachtung, denn die „Nachfrage" neugieriger Nichtjuden bzw. religiös aktiver Häretiker war allem Anschein nach ausgesprochen selektiv. Dies ist sowohl durch die erhaltenen Beispiele für Minim-Exegesen, für exegetische Dispute zwischen Nichtjuden und Rabbinen, für die gnostische Anwendung des AT, und bis zu einem gewissen Grad auch für die Bedürfnisse des christlichen Schriftbeweisverfahrens evident. Wieweit regelrechte literarische Testimoniensammlungen (s. Anm. 12) solchen Zwecken dienten, sei dahingestellt, sicher ist, daß derartig „interessante" biblische Partien so weitgehend miteinander assoziiert wurden, daß die Tendenz zu literarisch fixierten Testimonien fühlbar wird.

Buchtechnisch gesehen heißt dies, daß die eigentliche Gefahr für die Rabbinen weniger in Gestalt kompletter (wenn auch in der Textgestalt fragwürdiger) Bibelschriftrollen *(sifrê mînîm)* entgegentrat als in Form kleinerer buchtechnischer Einheiten, wie sie im alltäglichen profanen Gebrauch waren. Somit verdienen die dafür bekannten Bezeichnungen im Rahmen dieser Fragestellung besondere Aufmerksamkeit.

Vorweg sei aber zur Illustration noch auf ein berühmtes Beispiel für einen Teil-Bibeltext verwiesen: der sog. Papyrus Nash[93], ein Papyrusblatt mit einem Dekalogmischtext aus Ex 20 und Dt 5 sowie dem *Šᵉmaᶜ*-Text aus Dt 6, 4ff. Er stammt wohl aus vorchristlicher Zeit, jedenfalls vermag er vier Gesichtspunkte der rabbinischen Bedenken zu illustrieren: die eigentümliche Textgestalt, die leichte Handhabung und damit auch Weitergabe, die Materialfrage und möglicherweise ein brauchtumsmäßig-liturgisches Spezificum, die Zuordnung des Dekalogs zu den *Šᵉmaᶜ*-Texten (darüber 4.2.6.2.). Nichts rechtfertigt die Vermutung, daß dieses Stück christlicher Herkunft ist[94]. Die Rabbinen hätten ein solches Schriftstück schwerlich zu den *sifrê mînîm* gezählt, denn ein *sefär* ist es nicht, aber ohne jeden Zweifel hätten sie – nach den bisher erhobenen Maßstäben – diesen Papyrus (ebenso wie *sifrê mînîm*) zur Verbrennung empfohlen. Der Schluß, daß sie dergleichen unter *giljônîm* eingereiht hätten, ist von der Sache her zwingend. Es gilt daher zu prüfen, welche biblischen Bezeichnungen und welche Fremdwörter im sachlich relevanten Umkreis dieser Thematik etwas zur terminologischen Klärung und Erklärung von *giljônîm* beitragen können.

1.2.4.5. *m^{e}gillah* und seine griechischen Äquivalente

(a) Im biblisch-hebräischen Wortschatz steht dem rätselhaften *gillajôn/giljônîm* das Wort *m^{e}gillah* am nächsten – jedenfalls nach antikem Sprachempfinden. Am häufigsten begegnet es in Jer 36 (14×), davon in v. 2.4 in der Verbindung *m^{e}gillat sefär*, wohl die volle Bezeichnung der Sache, und wenn man für *sefär* die Bedeutung Lederbuchrolle voraussetzt, wäre *m^{e}gillat-sefär* ein Lederbuchrollen-Teilstück oder eine kleinere Lederrolle für Schriftzwecke. Diesem Sprachgebrauch entspricht auch die schon (1.2.2.1.f) behandelte Stelle mJad III, 5, wo *sefär* (Gesamtrolle) und *m^{e}gillah* unterschieden werden: Letzteres als ein kleineres Stück, das als erstes Rollenteilstück dienen kann, sofern weitere Stücke *(j^{e}rî^{c}ôt)* angenäht werden.

Aufschlußreich ist auch Dt.R. VIII, 3, wo die Abstufung des Leseunterrichts so angegeben wird: „Anfangs sagt man ihm vor, zuerst liest er in einer *m^{e}gillah,* danach im *sefär* (= *sefär tôrah!*), danach in den Propheten und danach in den Hagiographen . . .“ Da das auszugsweise Niederschreiben biblischer Texte zu Lernzwecken verpönt war, dürfte unter *m^{e}gillah* hier eine biblische Einzelbuchrolle oder eine Rolle mit nichtbiblischen Texten zu verstehen sein.

So betrachtet ist auch die Terminologie in mSoṭa II, 4; Sifre Num § 16 par.; Num.R. IX, 36 (1.2.3.g) bewußt abgestuft. Der biblische Text Num 5, 23 schreibt vor, die Soṭah-Flüche auf einen *sefär* zu schreiben (Lederrolle), die Erklärung betont: nicht auf eine Tafel, nicht auf Papier, nicht auf *diftera*ᵓ (dazu s. u.), sondern auf eine *m^{e}gillah*, was qualitativ-materialiter dem *sefär* gleichkommt, nicht unbedingt aber quantitativ.

Ähnlich Sifre Dt § 160 (1.2.1.d) in bezug auf die „Tora“, die der König (sich) abschreiben (lassen) soll: Nicht auf die Tafel, nicht auf das Papier (*n^e jar*), sondern auf die *m^e gillah*, „denn es heißt: *bas-sefär*“[95].

In anderen biblischen Büchern begegnet *m^e gillah* noch Ez 3, 1.2.3 und (aram.) Esra 6, 2, auch Sach 5, 1 (doch s. u.), die Verbindung *m^e gillat sefär* in Ez 2, 9–10 und Ps 40, 8. Für Jer 36 (LXX: 43), Ez 2, 9–3, 3 und Ps 40, 8 ist zu beachten, daß es sich um einen Offenbarungsinhalt handelt, Spätere also in einer solchen *m^e gillah* etwas wie Heilige Schrift sehen konnten, und daher ist eine entsprechende Übersetzung oder Interpretation zu erwarten.

Sach 5, 1 stellt ein Problem für sich dar, denn entgegen der geläufigen Auffassung, daß die visionäre fliegende *mglh* eine Schriftrolle sein soll, auf welcher eventuell sogar der danach erwähnte Fluch aufgezeichnet war[96], vertrat man schon früh auch die Meinung, es handle sich nur um ein Bild für den folgenden Fluch, nicht um ein Schriftstück. So hat die sog. LXX für das hebräische *mglh* (im MT) *drépanon* – „Sichel“ (hebr. *mgl*),[97] und selbst *mglh* muß ja kein Schriftstück sein. Beachtlich ist das Ausmaß von 20 × 10 Ellen, ein stattlicher fliegender Teppich, der drohend – als Bild für den Fluch – über dem Land schwebt. Die Proportion 2 : 1 dürfte eine reale Basis haben, offenbar stellte man sich so eine *m^e gillah* vor – aber dann ist es weniger eine Buchrolle als ein – freilich rollbares – Blatt. Diese – alte – Bedeutung macht es völlig verständlich, daß man *m^e gillat sefär* verwendete, falls man die Bedeutung „Schriftrolle“ sicherstellen wollte. Aber da *sefär* selber nicht mehr eindeutig „Lederschriftrolle“ bedeutete, diente dieselbe Verbindung zur Sicherstellung des *sefär* als einer Rolle. Man muß also damit rechnen, daß dieselben Bezeichnungen teils das Material, teils die Form und manchmal beides zusammen definieren können. Die alten Übersetzer und Interpreten standen vor diesem verwirrenden Sachverhalt. Die aramäischen Übersetzungen (Targumim) taten sich relativ leicht, denn *m^e gillah* brauchten sie im Grunde nicht zu übersetzen, ebensowenig *m^e gillat sefär*. Ausgesprochen problematisch war hingegen die Übersetzung ins Griechische, das über einen breiteren schreibtechnischen Wortschatz verfügte, der einem differenzierten Befund in material- und formenmäßiger Hinsicht entsprach, im Lauf der Zeit daher auch auf den hebräisch-aramäischen Wortschatz einwirkte und gerade dadurch wieder neue Übersetzungsprobleme schuf, weil einerseits die älteren Übersetzungen nicht mehr in jeder Hinsicht der neuen sprachlichen Situation entsprachen, inzwischen sich auch Technik und Werturteile geändert hatten und mit Lehn- und Fremdwörtern neue Bezeichnungen zur Verfügung standen. Diese Vorgänge waren jedoch Teil der Begegnung mit der heidnischen Kultur und der Verwaltungstechnik fremder Herrschaft und insofern auch religiös hochaktuell.

(b) Die Textzeugen der sog. ›Septuaginta‹ (LXX) bieten in Jer 36 (LXX:43) für hebr. *m^{e}gillah* vorwiegend griechisch *chartíon* (selten *chártēs*), für *m^{e}gillat sefär* in v. 2.4 *chartíon biblioy* (einmal umgekehrt). Schon ein erster Blick auf die Varianten in der großen kritischen Textausgabe von J. Ziegler[98] zeigt jedoch, daß diese Wortwahl nicht unproblematisch erschien. *chartíon/chártēs* war sowohl dem Material wie der Form nach in erster Linie Papyrus (oder Papier aus anderen Rohstoffen). Formal kommt der Begriff dem hebr. *m^{e}gillah* nur insofern nahe, als es ebenfalls das quantitativ kleinere – und sogar kleinste – Format bezeichnen kann, also ein Blatt (im NT vgl. II Joh 12). Der Papyrus Nash wäre z. B. so etwas. In eben dem Sinne ging in talmudischer Zeit das griechische Wort auch in den hebr./aram. Wortschatz ein (als *karṭîs* oder *qarṭîs*), in erster Linie auf Grund des Einflusses der Verwaltungssprache (vgl. auch III Makk 4, 20). So nahe diese geläufigste Bezeichnung für Schreibmaterial (und zugleich Format) auch für die Übersetzer lag, so fragwürdig mußte sie erscheinen, sobald man sich darüber Gedanken machte, daß in Jer 36 doch im Grunde eine prophetische Offenbarung gemeint ist und somit „Heilige Schrift“ vorliegt. Die Bedenken mußten in dem Maß wachsen, als man bereits mehr oder minder feste Regeln für die Anfertigung heiliger Schriftexemplare kannte, die ja gerade den Unterschied zum gemeinen Schriftwerk sicherstellen sollten.

Wie bedeutsam diese Frage für das Problem der *giljônîm* ist, wird sofort deutlich, wenn man feststellt, daß das griech. Wort (als *chártēs*) in der griech. Bibel nur mehr Jes 8, 1 als alternative Lesart zu *tómos* – für *gillajôn!* – vorkommt, man *gillajôn* und *m^{e}gillah* also als Synonyme betrachtete, wobei *chártēs* ein größeres Format und somit noch eher die Rollenform implizieren kann als *chartíon*, jedoch keineswegs zwingend.

Von den LXX-Varianten zu Jer 36 tritt am häufigsten das neutrale *biblíon* in Erscheinung, die bequemste Lösung des Problems. Eigentlich verhält sich *biblíon* zu *bíblos* wie *m^e^gillah* zu *sefär*, soweit es das Format betrifft: es ist eine kleinere Rolle, aber der Bedeutungsunterschied (der auch das Verhältnis Teil : Ganzes einer literarischen Einheit betreffen konnte) schliff sich weithin ab, es dominierte schließlich die Bedeutung „Buch" ohne Rücksicht auf Material oder Form, und *biblíon* setzte sich sogar in vielen Bereichen gegenüber *bíblos* durch. So übersetzt die LXX hebr. *sefär* weitaus häufiger mit *biblíon*.

Für *m^e^gillat sefär* in Jer 36, 2.4 freilich bedeutete diese Wortwahl, daß man für *m^e^gillah* ein andres Wort finden mußte, wenn man eine Tautologie vermeiden wollte. Die Umkehrung in der Lesart *biblíon chartíoy* 36, 2 mag der Absicht entsprungen sein, die Rollenform festzulegen, denn *chartíon biblíoy* wäre in erster Linie ein Stück Schreibmaterial, das als Blatt, auch als kleine Rolle oder als Rollenteilstück dienen kann. Deutlicher, wenn auch noch nicht eindeutig, bringt die Lesart *tómos* zu v. 2 die Rollenform zum Ausdruck, die Symmachus auch v. 4 hat und die als LXX-Lesart auch Esr 6, 23 und Jes 8, 1 (für *gillajôn!*) auftaucht. Wirklich eindeutig als Rolle wird *m^e^gillah* aber erst durch griech. *kephalís* (Lesart in v. 2.4.6.22) bestimmt. Eben *kephalís* (neben dem ebenfalls eindeutig „Rolle" bezeichnenden *eilēma*, Lesart in v. 2.14) bezeugen nun die erhaltenen Nachrichten und Handschriften in v. 2.4.14 für die Übersetzung des Aquila[99] aus dem frühen 2. Jh. n. Chr. Dieser, bereits in der rabbinischen Tradition stehend und bemüht, den rabbinisch festgestellten Standardtext wie dessen rabbinische Interpretation für den griechischen Gebrauch der Bibel durchzusetzen[100], legte also sichtlich Wert darauf, daß die *m^e^gillah* in Jer 36 eine Buch*rolle* war.

Die Vulgata setzt für *m^e^gillah* hier stets *volumen*, für *m^e^gillat sefär* „*volumen libri*", eine einheitliche und klare Lösung, die sich von der griechischen Vielfalt deutlich abhebt, wohl auf Grund des Hebräischen.

(c) Im Buch Ezechiel[101] hat die LXX-Überlieferung in 2, 9 für

m^e*gillat sefär* einhellig *kephalís biblíoy*, Buchrolle. Symmachus unterscheidet sich davon nur durch die Wortwahl (z. T. ist *eílēton*, z. T. *teûchos* bezeugt), und für m^e*gillah* in 3, 1.2.3 steht ebenfalls *kephalís*. Die Vulgata übersetzt 2, 9 mit *involutus liber*, in 3, 1–3 mit *volumen*.

(d) Ps 40 (39), 8 hat die LXX ebenfalls *kephalís biblíoy*, Aquila (soweit bezeugt) zwar *eílēma*, aber beides heißt eindeutig Buchrolle. Die Auslegungstradition [102] identifizierte diese Rolle nämlich mit der Tora, wie auch das Targum expressis verbis übersetzt: *bimgillat sifra*ᵓ *d*^{eᵓ}*ôrajta*ᵓ („in der Buchrolle der Tora"). Die Vulgata hingegen bietet *in capite libri*.

(e) Es bleibt Sach 5, 1, dessen Deutung (s. o. unter a) an sich schon unterschiedlich ausfallen kann. Die LXX-Tradition hat hier, wie schon bemerkt, *drépanon* (Sichel) [103], doch Aquila und Theodotion haben *diphthéra*. Das heißt aber wohl, daß er nicht die oben (Anm. 97) erwähnte rabbinische Gleichsetzung mit Ez 2, 9ff. vertrat, sondern in dieser m^e*gillah* kein (biblisches) Schriftwerk sah, nur eine große „Haut" als Symbol für den über dem Land schwebenden Fluch; allenfalls ein fliegendes Blatt, bestimmt keine Rolle. Auf jeden Fall zeigt die bisher festgestellte Wortwahl Aquilas, daß er seine Korrekturen gegenüber der LXX-Tradition durchaus im Rahmen der dargestellten „Buch-Problematik" getroffen hat. Mit dem *diphthéra* von Sach 5, 1 ist nun ein weiterer Bezug zu Jes 8, 1 gegeben, denn dort übersetzte Aquila nach einigen Textzeugen ähnlich. Zuvor aber ein Blick auf die Vulgata: Sie hat *volumen volans*, also wieder wie üblich m^e*gillah* wiedergebend [104], in v. 3 voraussetzend, daß der Fluch auf diesem *volumen* verzeichnet war.

1.2.4.6. *gillajôn* in Jes 8, 1 und Jes 3, 23

(a) In buchtechnischer Hinsicht ist Jes 8, 1 der einzige biblische Beleg für *gillajôn*, dessen antike Wortbedeutung daher auch in erster Linie von dieser Stelle, ihrer Übersetzung und Interpretation her zu erschließen ist. Dem gegenüber hat die moderne Lexikographie, die sich an den im arabisch-jüdischen Mittelalter entdeckten Wortwurzeln orientiert, nur nachgeordnete Bedeutung, d. h.: Die Wurzel *GLH* wird zwar heute in den Lexika philologisch korrekt vorausgesetzt[105], aber dies war in der Antike noch nicht bewußt, und oben wurde bereits deutlich, daß man *m^e^gillah* und *gillajôn* damals als Synonyme verstehen konnte, beiden also die Bedeutung zuschrieb, die man heute von der Wortwurzel *GLL* herleiten würde. Historisch-lexikographisch gesehen ist die Bedeutungsbestimmung nach GLH also irreführend, ein Umstand, den Lexikographen und Kommentatoren zu wenig beachtet haben. Man deutete daher „Nimm dir einen *gillajôn gadôl*" meist im Sinne des Targum Jonatan, das *sab lak lu^a^ḥ rab* („Nimm dir eine große Tafel") bietet. Die z. T. vorgeschlagene moderne Textkorrektur von *gadôl* zu *gôral*[106] kann für hier außer Betracht bleiben, doch ein Hinweis auf den zweiten biblischen Beleg für *gillajôn,* Jes 3, 23 (und zwar im Plural *giljônîm*), ist am Platz, weil auch dort von der Wurzel *GLH* aus gedeutet wird[107]. Erreicht man von *GLH* her die Bedeutung „durchsichtige" („enthüllende") Gewänder[108], so wäre als Alternative ein Wickeltuch aus einem Stück anzunehmen, und von entsprechend feiner, den Faltenwurf fördernder Materialqualität. Die LXX-Übersetzung mit *býssina,* Byssos-Tücher, trägt dem durchaus Rechnung (vgl. Aristeas 320; Apc. Joh. 19, 8), die Peschitta übersetzt mit „Kleider".

Die Vulgata hingegen folgt mit *speculum* einer auch jüdisch bezeugten Tradition, die mit *mḥzjtʾ* des Targums an Spiegel dachte (so auch Raschi z. St.). Daraus darf man schließen, daß *gillajôn* so wie *m^e^gillah* in erster Linie von der Handhabung her verstanden wurde, die wir heute mit der Wortwurzel *GLL* verbinden: „wälzen, drehen, rollen, wickeln", wobei man aber im Unterschied zu *m^e^gillah* (ausgenommen gewisse Deutungen von Sach 5, 1) nicht in erster Linie an ein Schreibmaterial dachte, sondern an ein relativ großes Stück, eben auch Textil, doch von einer die Handhabung (Rollen, Wickeln, Falten) besonders erleichternden, feinen Beschaffenheit.

(b) Handelt es sich bei dem Schriftstück von Jes 8, 1 um etwas „Heiliges" oder um etwas Profanes? Der Passus „und schreibe darauf mit menschlichem Griffel" konnte für das letztere angeführt werden, wenngleich auch dafür die Deutungen unterschiedlich ausfielen. Jedenfalls bestand hinsichtlich der gestellten Frage – im Unterschied zu Stellen wie in Jer 36 oder Ez 2, 9 ff. – eine Unsicherheit. Die LXX-Überlieferung[109] verrät mit *labè seautō tómon (chártoy) kainoȳ megáloy* eine gewisse Irritation, und diese scheint für die späteren griechischen Übersetzer noch wirksamer gewesen zu sein. Für Aquila ist *diphthérōma* und als Variante[110] *kephalís* bezeugt, für Symmachus *teûchos,* für Theodotion *kephalís*. Sieht man von *diphthérōma* ab, betonen die übrigen gewählten Ausdrücke mehr oder minder die Rollenform, während die LXX mit *tómos (chártoy) kainoȳ* diesbezüglich nicht so eindeutig festlegbar ist. Nur die teilweise Eliminierung des doch wohl ursprünglichen *chártoy* weist darauf hin, daß man von Papyrus nichts mehr wissen wollte. *tómos* begegnet, wie oben bemerkt, in der LXX nur noch Esr 6, 23 (A) für aram. *m^e^gillah* als buchtechnischer Ausdruck, und zwar für ein Archivschriftwerk. Das Wort heißt Papyrusblatt oder Papyrusrolle, war nicht sonderlich verbreitet[111], gerade auch im jüdisch-hellenistischen Schrifttum nicht, fehlt auch im NT völlig, gewann aber im patristischen Sprachgebrauch eine größere und recht differenzierte Bedeutung[112]. In Jes 8, 1 dürfte der Übersetzer, der *tómos (chártoy)* verwendete, angesichts der wenigen Worte, die darauf geschrieben werden sollten, an ein Blatt (Papyrus) gedacht haben. Aber gerade diese Pointierung erregte später Bedenken (vgl. oben 1.2.4.5. zu *chartíon/chártēs*).

(c) Die Tendenz zur Betonung der Rollenform ist wohl auf die Annahme zurückzuführen, daß auch hier in Jes 8, 1 eine „heilige Schrift" gemeint ist, daher konnte das nicht eindeutige *tómos* auch ohne *chártoy* nicht mehr zufriedenstellen. Dies hatte freilich noch andere Gründe. Mit dem reicheren patristischen Sprachgebrauch geht zeitlich auch eine Verwendung von *tómos* als Lehnwort im Hebräischen/Aramäischen parallel, wobei die Schreibweise wechselt (*ṭwmws/ṭjmws*)[113]. Die rabbinischen Belege zeigen ebenso wie jene für *pinqas* (griech. *pínax*), daß die Vermittlung über die Verwaltungssprache erfolgte und kaum über literarische Schriftexemplare. Illustrativ ist z. B. tBQ IX, 31 (par. Sifra, ᵓ*mwr* XX, 4; Jalq. Shim. I, 658), wo erwähnt werden: (1) *n^e^jar* (Papier/Papyrus), (2) *pinqas* (Tafel, Notizblatt, Notizbuch), (3) ᶜ*ôrôt* (Leder bzw. Häute, fehlt in den Parallelen), und (4) *ṭômôs šäl š^eṭarôt* (Urkundenbündel; die Lesart *ṭjmsmrwt* in Sifra ist wohl nur daraus verschrieben).

Dem entspricht in einer Erzählung tSabb XIII, 4 (bSabb 115b), daß R. Ismael einst einen Mann beobachtete, der Benediktionen aufschrieb, was, wie oben (1.2.2.3.a) festgestellt, nicht gutgeheißen wurde. Als der Mann merkte, daß er beobachtet wurde, steckte er einen *ṭômôs b^erakôt* (ein Benediktionenbündel) rasch in einen Eimer. Im Hebräischen gab es dafür das Wort *takrîk*, das in der jSabb XVI, 1 f. 15c erhaltenen Parallele zu der erwähnten Geschichte anstelle von *ṭômôs* steht (das Verbum *krk* heißt zusammenwickeln). Auch *takrîk* wird v. a. in Verbindung mit Urkunden erwähnt, z. B. mBM I, 8, und dazu enthält bBM 20a–b eine ausführliche Beschreibung dafür, wie man solche Bündel auf zweierlei Weise zusammenfügte. Im übrigen bezeichnete man mit *ṭômôs* v. a. auch Register und Verzeichnisse im Sinne der Verwaltung (vgl. Gen.R. 25, 1; jHor III, 7, f. 48a; Lev.R. V, 4). Es ist begreiflich, daß dieser terminus technicus nicht gern mit Heiligen Schriften in Verbindung gebracht wurde. Aus dem gleichen Grund hat man *pinqas* dafür vermieden, das zur Bezeichnung aller möglichen profanen Schriftwerke diente (und z. T., bei mehreren Tafeln, der Codexform nahekam)[114].

(d) Die syrische Übersetzung (Peschitta) entschied sich mit *gljwn*ʾ ebenso wie die Vulgata mit *librum grandem* für die Deutung als Synonym von *m^egillah*.

(e) Nur zur Illustration seien einige spätere Deutungen zu *gillajôn* in Jes 8, 1 erwähnt. Raschi (gest. 1105) erklärt es mit *m^egillah*, und ihm folgte wohl 1911 J. Hirsch[115] („eine große Rolle"). Spanisch-südfranzösische Exegeten und Hebraisten[116] wie Jona ibn Ǧanah (1. Hälfte 11. Jh.), Salomo b. Abraham Parchon (12. Jh., Spanien/Italien und David b. Josef Qimchi (Narbonne, gest. 1235) erklärten vorzugsweise mit *ʾiggärät* (Briefbogen), Jehuda b. Samuel ibn Bilʿam (Toledo, spätes 11. Jh.) mit „ein großes Blatt". Alles in allem eine erhebliche Bandbreite, wobei bemerkenswerterweise die Targumerklärung mit *lu^aḥ* (Tafel) keine Rolle spielt. Sie dürfte – von dem Problem der Datierung einmal abgesehen – bereits durch die negative Konnotation von *gillajôn* im Sinne der antichristlichen Polemik (Evangelien) bestimmt worden sein, wollte vielleicht vermeiden, daß mit diesem biblischen Beleg für *gillajôn* der Gedanke an „Evangelien" provoziert wurde, zumal Jes 7, 20–8, 3 im palästinischen Perikopenzyklus die Haftara zum Tora-Abschnitt Lev 13, 29 ff. gewesen war. Doch der umsichtig sammelnde Isaak b. Jehuda Abrabanel (gest. 1508) erwähnt neben *ᵓiggärät miq-qᵉlaf* („Briefbogen aus Leder") noch die Targumdeutung. Josef b. Abba Mari ibn Kaspi in „*ᵓᵃdanê käsäf*" (ed. J. Last, Oxford 1911/12, S. 96) erklärte zur Stelle: „(Symbolhandlung) . . . zu nehmen eine Schrift entweder aus Pergament oder gegerbtem Fell, das gerollt war und daher *gillajôn* genannt wurde oder *mᵉgillah* . . .". Allem Anschein nach kamen die mittelalterlichen Exegeten der Wortbedeutung näher als die meisten modernen, wie auch sonst der mittelalterliche Sprachgebrauch von *gillajôn* geeignet ist, nützliche Hinweise zu geben[117].

1.2.4.7. Griechisch *diphthéra/diphthérōma* und hebräisch/aramäisch *diftᵉraᵓ*

(a) Das griechische Wort *diphthéra* bezeichnet eine Tierhaut bzw. ein Stück Leder allgemein und speziell für Schriftzwecke. Die LXX-Tradition verwendet dieses Wort nur in Ex 39, 34 (griech.: 20): *diphthères dérmata* für *mksh ᶜwrt* (Decke aus Fellen). In diesem Sinne übernahm Josephus den Ausdruck im selben biblischen Zusammenhang ant III, 132 f. und auch Philo von Alexandrien verwendet das Wort nur einmal im Sinne von Fell (als Schutz für den Menschen: De opif. mundi 84), das NT enthält das Wort überhaupt nicht. Soweit ist die Bedeutung also: „ein Stück bearbeitetes Fell, Tierhaut".

(b) Von ganz besonderem Gewicht ist angesichts so spärlicher Bezeugung der Beleg im sog. Aristeasbrief § 176 f., der fast gleichlautend auch von Josephus in ant XII, 89 f. übernommen wurde. Hier wird geschildert, wie die hebräischen Vorlagen für die griechische Toraübersetzung aus Jerusalem nach Alexandrien gebracht wurden. Die Gesandtschaft kam mit Geschenken „und den hervorragenden *diphthérais,* auf denen die Gesetzgebung in Goldschrift mit jüdischen Buchstaben geschrieben war, wunderbar gearbeitete feinste

Haut (*hymḗn*), und ihre Zusammenfügung nicht wahrnehmbar durchgeführt. Als der König die Männer sah, begann er sie über die Bücher (*biblia*) zu befragen. 177 Als sie die Hüllen (*eneilḗmata*) weggenommen und die feinen Häute (*hyména*) ausgerollt hatten, verharrte er längere Zeit davor ... 179 Er befahl, die *teýchē* wieder in Ordnung (*eis táxin*) zu bringen ..."

In § 310 wird von den verlesenen *teýchē* der Übersetzungsexemplare gesprochen. Ein Vergleich der neuesten deutschsprachigen Übersetzung von N. Meisner[118] und letzten englischen von M. Hadas[119] mit dem griechischen Original zeigt, daß beide von normalen Buchrollen ausgehen. Sie übersetzen *diphthérai* mit „Pergamente" bzw. "parchments", *hymḗn* ersterer ebenfalls mit „Pergament", letzterer zuerst mit "material", dann "parchments" § 177 Anfang fügen beide das Wort „Rollen" bzw. "rolls" ein, *tà teýchē* übersetzt Meisner einmal mit „Bücher", in § 310 mit „Rollen", Hadas mit "rolls". Die griechische Terminologie ist nicht so eindeutig, daß man normale Buchrollen als selbstverständlich annehmen darf. S. Liebermann hat denn auch hier Codices vermutet[120], doch bleiben auch dabei Zweifel. Der Ausdruck teŷchos hilft nicht weiter, er bezeichnet vor allem „Gerät", dann auch „Buchbehälter" und erst von daher „Buch"[121]. Das Wort fehlt in der LXX, bei Philo und im NT und erhält erst in der patristischen Literatur breitere Verwendung für „Buch" (auch für das NT). Noch seltener ist *hymḗn* in dem hier gebrauchten Sinn (als Wort ebenfalls weder in der LXX noch im NT noch bei Philo). Daß mit *hymḗn* die ungewöhnlich feine Qualität der *diphthérai* gekennzeichnet werden soll, ist zwar klar, aber die Formulierungen klingen doch so, als wäre zugleich etwas über ein besonderes Format ausgesagt.

Die angebliche Goldschrift betraf vielleicht nur die Gottesnamen, denn in Alexandrien soll nach Sof I, 10 ein Exemplar mit goldenem Gottesnamen aufgetaucht sein, wofür angeblich die rabbinischen Weisen die Geniza (rituelles „Verbergen", Gebrauchsentzug) anordneten. Die im Aristeasbrief beschriebenen Jerusalemer Vorlagen wären also rabbinisch nicht mehr als Musterexemplare anerkannt worden. Dabei spielt neben der Goldschrift der Begriff *diphthéra* noch eine besondere Rolle (vgl. unter e Ende).

(c) Josephus bietet nun in ant III, 270. 272 einen weiteren, höchst überraschenden Beleg, er bezeichnet das Schreibmaterial für den Soṭa-Text Num 5, 23 nämlich als *diphthéra* (s. weiter unter e).

(d) Die Bezeichnung des Josephus steht nun scheinbar in striktem Widerspruch zu mSoṭa II, 4 (vgl. oben 1.2.3.h), wo geboten wird, diesen Text nicht auf eine Tafel (*luᵃḥ*), auf Papier (*nᵉjar*) oder auf *diftᵉraʾ* zu schreiben, „sondern auf die *mᵉgillah*" (womit offensichtlich bereits Lederrolle gemeint ist). In Anlehnung an bMeg 17b verdeutlicht der MHG zu Num 5, 23 noch mit „*ham-mᵉgillah šäl sefär*".

Die erwähnte rabbinische Vorschrift entspricht jener, die für heilige Schriftexemplare (welche „die Hände verunreinigen") gilt. mMeg II, 2 stellt in bezug auf die Esterrolle fest, daß man sie mit Tinte (*dᵉjô*) in „assyrischer Schrift" schreibt, aber nicht auf *nᵉjar* oder *diftᵉraʾ*, sondern auf einem *sefär*. Und in mGiṭṭ II, 4 wird in bezug auf Scheidungsurkunden von R. Jehuda b. Batyra bemerkt, daß *han-nᵉjar ham-maḥûq* (eine Papierart) und *had-diftᵉraʾ* wegen leichter Fälschbarkeit unbrauchbar seien, doch fand er dafür keine Zustimmung. Könnte man in bezug auf die erstgenannten Stellen meinen, es ginge nicht nur um das Material, sondern auch um eine Form, so scheint die letzte Stelle dagegen zu sprechen, doch ist ja nicht ausgeführt, auf welche Weise gefälscht werden kann. Die geläufige Ansicht geht davon aus, daß *diftᵉraʾ* ein minderwertiges Schreibmaterial darstellt. Die Tosefta enthält Meg II, 6 zwar eine Parallele, aber der Ausdruck *diftᵉraʾ* fehlt, es wird nur *ʿôr* (Fell, Leder) erwähnt, auf das man mit Tinte (*dᵉjô*) schreiben soll. Und höchst seltsam ist, daß in der Gemara des jTalmud zu keiner der erwähnten Stellen das Wort *diftᵉraʾ* diskutiert wird. Dies geschieht erst im bTalmud. Er enthält einen gleichlautenden Passus in bSabb 79a, bGiṭṭ 22a (jedoch verschiedenen Tradenten zugeschrieben), wo drei Tierhautarten unterschieden werden, die dritte sei *diftᵉraʾ*, zwar gesalzen und gestäubt, aber nicht mit Galläpfeln behandelt. Der Teil über *diftᵉraʾ* wird (anonym) auch in bMeg 18b/19a angeführt, gefolgt von einer Definition für *nᵉjar* als *mḥqʾ*, und dazu paßt Sof I, 5: „Man schreibt nicht auf *diftᵉraʾ* und nicht auf *nᵉjar hmḥwq*" [122] (vgl. mGiṭṭ II, 4). Bezeichnet *diftᵉraʾ* eine nicht vollständig bearbeitete Tierhaut, dann ist das Verbot für rituelle Schreibzwecke einleuchtend. Aber eine amoräische Erklärung, die im bTalmud noch dazu mit so schwankender Zuschreibung tradiert wird, muß nicht unbedingt für alle frühen tannaitischen Quellen zutreffen. Hatte dort *dift*^{e}*ra*^{ɔ} abgesehen von einer materialbezeichnenden auch gerade eine formatbezeichnende Bedeutung? In dem Fall wäre *dift*^{e}*ra*^{ɔ} tannaitisch v. a. ein Stück Schreibleder, unter Umständen durchaus von feiner Qualität (wie etwa im Aristeasbrief), aber von einem Format, das man nicht für ein Buchrollenformat halten konnte.

(e) Josephus (s. oben unter c) hat möglicherweise nur das griechische Wort gekannt, denn vielleicht gab es zu seiner Zeit das Lehnwort *dift*^{e}*ra*^{ɔ} im Hebräischen/Aramäischen noch gar nicht. Auch war zu seiner Zeit die Festlegung der rabbinischen Schreibvorschriften noch im Gang – als Mittel im Kampf um das Textmonopol –, und es ist anzunehmen, daß diese Schreibvorschriften auch nicht sofort auf Num 5, 23 übertragen wurden, sondern erst im Lauf der Auslegungen zu dieser Stelle. Josephus ging es wohl nur darum, das Schreibmaterial als Leder festzulegen, da das Griechische ansonsten eigentlich nur Begriffe kannte, die in erster Linie mit Papier/Papyrus verbunden waren. Wenn er z. B. nicht, wie noch die LXX-Tradition in zahlreichen Fällen (s. 1.2.4.5.b), *chartíon/chártēs* wählte, dann durchaus im Einklang mit der rabbinischen Deutung von *sefär* in Num 5, 23 als Leder. Aber er bezeugt noch nicht die Festlegung auf *m*^{e}*gillah* im Sinne von Rolle, die erst durch die Übertragung der Bibel-Schreibvorschriften auf Num 5, 23 aktuell wurde, in denen ein Gegensatz zwischen *dift*^{e}*ra*^{ɔ} und *m*^{e}*gillah* hinsichtlich des Formats bzw. der Buchform vorausgesetzt wird, wie die folgenden Belege zeigen.

(f) Es gibt in der Tat Belege dafür, daß *dift*^{e}*ra*^{ɔ} ein Schrift-Stück bezeichnen konnte, wobei offenbar ein gewisses Format vorauszusetzen ist, wodurch es sich z. B. deutlich von *pinqas* (Tafel) unterschied. Illustrativ ist die Notiz im Baumeistergleichnis von Gen.R. I, 1, wonach bei der Bauausführung *dptr*^{ɔ}*wt* und *pnqs*^{ɔ}*wt* eingesehen werden – Pläne und Bauanleitungen, letztere in Form des *pinqas* (Tafel, mehrere zusammen ergeben ein codexartiges Gebilde). Für die *dift*^{e}*ra*^{ɔ}*ôt*, die Baupläne, sind großformatige Häute vorauszusetzen. Solche großformatigen Schreibfolien waren auch aus dem Verwaltungsbereich für umfangreichere, aber noch übersichtlich zu gestaltende Verzeichnisse bekannt. Der Midrasch Pes.R.XI (Friedmann 43b) enthält ein Königsgleichnis, in dem von einem *dift^{e}ra^ɔ* die Rede ist, das die Namen aller Helden des Königs enthält, und analog dazu wird für den himmlischen Hofstaat Gottes vorausgesetzt, daß es *dift^{e}ra^{ɔ}ôt* gibt, auf denen die Taten der Menschen verzeichnet werden (Pes.R.VIII, Friedmann 29a).

Im Midrasch Tanch.B. *w^{ɔ}r^ɔ* II (vgl. Tanch V; Jalq.Shim. I, 172 bzw. 175) wird vom Pharao vom Exodus bemerkt, er habe ein *dift^{e}ra^ɔ* der Götter holen und verlesen lassen, um sich zu vergewissern, wer der von Mose erwähnte Gott der Hebräer sei. Am interessantesten ist jedoch ein Passus in jPe^{ɔ}a II, 6 f. 17a mit fast wörtlicher Entsprechung in jHag I, 8, f. 76d. Hier wird die mündliche Tora als Vorzug Israels vor den Völkern gepriesen. Ohne mündliche Tora wäre Israels Unterscheidung von den Völkern fraglich, denn es ergäbe sich folgende Situation:

> „Diese ziehen ihre Buchrollen (*sifrêhäm*) hervor
> und jene ziehen ihre Buchrollen hervor,
> diese ziehen *dift^{e}rêhän* hervor,
> und jene ziehen *dift^{e}rêhän* hervor."

Man hat in diesem Passus und in seinem Kontext, der die mündliche Tora als spezielles Kennzeichen der Erwählung Israels herausstellt, eine Abwehr des christlichen Anspruchs gesehen, (wahres) Israel zu sein[123], die *s^{e}farîm* und *dift^{e}rîm* wären also die Heiligen Schriften des Alten Testaments. Dies mag ab einer bestimmten Zeit so verstanden worden sein, für hier ist nur das Nebeneinander von *s^{e}farîm* und *dift^{e}rîm* von Interesse, beides im Sinne von Schriften, mit deren Vorweis der jeweilige Vorrang bewiesen werden soll. Das muß nicht heißen, daß es speziell, auch bei den „Völkern", um das AT geht, bei diesen können es heidnische „heilige Schriften" sein, denn es geht in der Diskussion weniger um den Inhalt als um die Möglichkeit, den Besitz von Offenbarungsschriften nachweisen zu können – und das können formal alle. Jedenfalls sind hier zwei Buchformen bezeugt. Handelt es sich um Rolle und Codex? Diese Deutung liegt zwar recht nahe, weil sie auch zu Sof II, 6 paßt (wie von Gelehrten wiederholt festgestellt wurde), wo *dwftr* und *gillajôn* gegenübergestellt werden, letzteres bezeichnet hier offensichtlich „Rolle" (vgl. oben Raschi zu Jes 8, 1!)[124]. Es spiegelt aber mittelalterlichen Sprachgebrauch und mittelalterliche Praxis, als es schon längst neben den Bibelrollen (für den liturgischen Gebrauch) Codices für den Normalgebrauch gab. Für die tannaitischen *dift*e*ra*ͻ-Stellen ist eher von den hier unter e) erwähnten übrigen Belegen auszugehen, wonach *dift*e*ra*ͻ ein großformatiges Lederstück für Schriftzwecke ist, das sich besonders für übersichtliche Darstellungen (wie Bauzeichnungen und Verzeichnisse) eignet. Ein solches Schriftstück war praktischer zu handhaben als eine ganze Schriftrolle oder eine Anzahl kleinerer Charta-Exemplare, etwa gar als Papyrusbündel (*ṭômôs*/*takrîk*). Hat es also auch Bibeltexte in *dift*e*ra*ͻ-Form gegeben? Die Frage ist nach all dem schwerlich mit Nein zu beantworten. Trifft dies zu, dann war das tannaitische *dift*e*ra*ͻ-Verbot nicht materialbedingt, sondern formatbedingt.

Möglicherweise setzt auch der Aristeasbrief § 176f. keine Buchrollen im Normalsinn voraus, aber auch noch keinen Codex, sondern großformatige Einzelrollen, denn es ist doch auffällig, daß nicht gleich von fünf Torarollen (hebr. später *ḥûmmašîm*) die Rede ist.

(g) Die bisherigen Ausführungen ermöglichen es, einen weiteren Beleg für das Nebeneinander von biblischen Buchrollen und *dift*e*ra*ͻ-Exemplaren in Erwägung zu ziehen: II Tim 4, 13. Der Briefschreiber bittet darum, ihm „auch die Bücher (*biblía*), vor allem aber *tàs membránas*" zu bringen. Hier taucht in der griechischen Buchterminologie ein Lehnwort aus dem Lateinischen auf, das bedeutungsmäßig exakt *diphthéra* entspricht[125]. Freilich ist keineswegs gewiß, welche Buchrollen und Membranen damit gemeint sind[126], doch scheint die Deutung auf AT-Buchrollen naheliegend, so daß offenbleibt, was auf den Membranen stand: alttestamentliche oder neutestamentliche Texte[127]? Letztere dürfte man doch eher auf Papyrus geschrieben haben. Und wenn der Briefschreiber sich besonders die Membranen wünscht, dann vielleicht doch, weil diese im Unterschied zu den Buchrollen eine leichtere Handhabung ermöglichten, vor allem konnten sie einzeln gehandhabt werden – ein Vorteil, der aber jedem verdächtig sein mußte, der auf die Integrität des Bibeltextes mehr Wert legte als auf leichte Handhabung.

(h) Die späten griechischen Bibelübersetzungen hatten sowohl bei *m^egillah* (1.2.4.5.b–e) wie *gillajôn* (1.2.4.6.b) deutliche Korrekturen gegenüber der LXX-Tradition erkennen lassen. So wurde in Sach 5, 1 von Aquila und Theodotion *diphthéra* für hebr. *m^egillah* verwendet, weil man offenbar eher an eine „Decke" als an ein Schriftwerk dachte, also von der Grundbedeutung „Tierhaut" her bestimmt war. Jes 8, 1 allerdings wählte Aquila das ähnliche *diphthérōma* für *gillajôn*, statt *tómos* bzw. *tómos chártoy* der LXX. Dies entspricht dem festgestellten tannaitischen Gebrauch von *dift^era*ʾ im Sinne einer Schreibfolie aus Leder und insofern auch dem Sprachgebrauch des Josephus in ant III, 270. 272. Wenn diese späten griechischen Übersetzer *diphthéra*/*diphthérōma* an anderen Stellen, wo es eindeutig um „heilige Schrift" geht (Jer 36), mieden, dann doch wohl, weil sie mit dem Wort nicht nur eine Materialvorstellung (Leder), sondern auch ein Format bzw. eine Buchform assoziierten, das im Widerspruch zu *sefär*/*m^egillah* im Sinne von „(Leder-)Rolle" stand.

(i) Schließlich sei auf eine eigentümliche Notiz bei Shahrastani verwiesen. Er behauptet zu Beginn seiner Beschreibung des Judentums (aufgrund der Sure 87), daß die Offenbarung zunächst nicht als Buch, sondern dem Abraham und Mose als „Blätter" übergeben wurde[128], und diese Blätter erwähnt er in späterem Zusammenhang noch einmal ausdrücklich[129]. Erst die Tora verdiene den Namen „Buch".

1.2.4.8. *gillajôn* im *sefär*

(a) Da *gillajôn* von den antiken Übersetzern teils als ein rollbares bzw. faltbares Stück vorzugsweise aus Tierhaut (Leder), teils als Synonym zu *m^egillah* und somit insbesondere als Schriftstück verstanden wurde, ist es insofern mit griechisch *diphthéra* gleichbedeutend. Von dieser Tatsache aus ist auch der rabbinische Sprachgebrauch kritisch zu beleuchten, zunächst der Gebrauch im Singular.

mJad III, 4 ist dafür eine Schlüsselstelle:

Aa)	*gljwn šbspr*	*gljwn* in der (Tora-)Buchrolle:
b)	*šmlmᶜln wšmlmṭn*	was oberhalb und was unterhalb (des Schriftbildes),
c)	*šbtḥlh wšbswp*	was am Anfang und was am Ende,
d)	*mṭmᵓjn ᵓt hjdjn*	verunreinigen (!) die Hände.
Ba)	Rabbi Jehuda sagt:	
b)	*šbswp ᵓjnw mṭmᵓ*	was am Ende ist, verunreinigt nicht,
c)	*ᶜd šjᶜlh lw ᶜmwd*	bevor er an ihm einen Rollstab angebracht hat.

Dazu bringt die Tosefta in Jad II, 11A den in der Mischnatradition offensichtlich ausgefallenen zweiten Teil der Ansicht des R. Jehuda:

Ca)	*hgljwn*	Das (!) *gljwn*
b)	*šbtḥlt hspr*	welches am Anfang der (Tora-)Buchrolle
c)	*wkdj hqjp*	und (das) zum Einrollen –
d)	*kwln mṭmᵓjn ᵓt hjdjjm*	sie verunreinigen alle die Hände.

Im Stück A ist von der Syntax her keineswegs einleuchtend, daß *gljwn* (im Singular!) das Subjekt des Partizipiums im Plural in d ist. Offenbar ist Aa als Überschrift zu verstehen und daher mit Doppelpunkt abzuschließen, mit *gillajôn* kann entweder die gesamte Rolle in materialmäßigem Sinne (das Rollenleder) oder ein „Blatt“, d. h. der Rollenteil (für eine Schriftkolumne, für Anfangs- bzw. Endteil mit den Rollstäben) gemeint sein.

Ab–c stellt dann eine Aufzählung dar, die korrekt mit dem Plural konstruiert wird. Konsequenterweise wird im Teil B, wo R. Jehuda vom Endblatt spricht, der Singular verwendet, aber in Teil C (tJad II, 11), wo R. Jehuda das Anfangsblatt und in Cc noch das Einrollblatt erwähnt (das nach ihm im Unterschied zum Schlußblatt auch ohne Rollstab die Hände verunreinigt) und alles mit *kwln* zusammenfaßt, gebraucht er wieder den Plural[130].

Die üblichen Deutungen gehen jedoch von der Grundbedeutung *GLH* (aufdecken, entblößen) aus und interpretieren *gillajôn* als schriftleeren Raum, als „Rand“[131], “blank spaces”[132], “the margins”[133], wobei *šä-* in Abc als Relativpronomen auf *gillajôn* zurückbezogen und folgerichtig der Plural in Ad singularisch oder *gillajôn* pluralisch übersetzt werden muß. Aber wieso verwendete man dann nicht gleich den Plural? In der Tat hat bSabb 116a (s. unten), wo ebenfalls von der Bedeutung *GLH* her interpretiert wird, folgerichtig den Plural *giljônîm* – allerdings im Widerspruch zum sonstigen Sprachgebrauch.

(b) bAZ 17b–18a enthält eine Märtyrerlegende über Chanina/Chananja b. Teradion (frühes 2. Jh.), den die Römer angeblich in seine Torarolle eingewickelt verbrannt haben. Die hier erhaltene Fassung erzählt f.18a, daß er seinen Schülern zurief: *gljwn niśrafîn w*^{eʾ}*ôtijôt pôr*^{e}*ḥôt*: „Das *gillajôn* verbrennt (aber Plural!), aber die Buchstaben fliegen davon!" Doch es ist hier eher *g*^{e}*wîlîn* zu lesen („Lederstücke"), was zum Plural *niśrafîn* paßt. Die Fassung im Traktat Semachot VIII, 12 hat an der Stelle: „Siehe, die Schriften (d. h. das Geschriebene) fliegen in die Luft, und das Feuer verbrennt nur das Leder (^{c}*ôr*) allein."

(c) Aufschlußreich ist nun, daß in Texten, die von den vorgeschriebenen Freiräumen in der Rolle handeln, diese nicht als *gillajôn* bzw. *giljônîm* bezeichnet werden. In jMeg I, 11 f.71d fehlt das Wort *gillajôn* überhaupt. Die Freiräume selbst werden als *räwaḥ* bezeichnet, dies auch in bMen 30a–32a und 34b sowie in Sof II, 2–6. Wenn daher bMen 30a diese Freiräumeregeln mit *šj*^{c}*wr gljwn* beginnen, sind diese Wörter wieder als Überschrift zu verstehen und mit Doppelpunkt abzuschließen: „*Gillajôn*-Ausmaß: . . ." Gemeint ist die Relation zwischen Schriftbild und Rollenausmaß, die durch die Angabe der Zwischenraum(*räwaḥ*)-Ausmaße detailliert angegeben wird. Es ist begreiflich, daß von dieser Verwendung her die Deutung als „Leerräume in Schriftrollen" nahelag, doch lexikographisch ist sie nur in dem Maß zu erwähnen, als diese Deutung dann tatsächlich zu einem entsprechenden Sprachgebrauch geführt hat. Im übrigen hat der Dichter Eleazar ha-Qillir (6./7. Jh. in Palästina) – von der Bedeutung *GLH* her – eine neue, eigenwillige Bedeutung kreiert: *gillajôn* im Sinne von *galût* (Exil)[134], doch ohne Nachwirkung.

1.2.4.9. *giljônîm* neben *sᵉfarîm* (außer bSabb 115–116)

Das Ergebnis der Untersuchungen im Abschnitt 1.2.4.7. (v. a. in den Teilen f und g) zeigt, daß für *diftᵉraʾ* auch die Bedeutung Schrift-Stück (aus Leder) üblich war und diese auch im Plural – wie die Membranen II Tim 4, 13 – neben Buchrollen Erwähnung finden. Dies entspricht haargenau dem Nebeneinander von *giljônîm* und *sifrê mînîm* in den bisher behandelten Texten (1.2.4.1.). Sowohl das Thema „Verunreinigen der Hände" wie das Thema „Retten am Sabbat" hat einzig und allein im Rahmen der Wertung und Behandlung biblischer (d. h. alttestamentlicher) Texte einen Sinn, die in ihrer materialmäßigen Beschaffenheit und in ihrer Schreibart mit den rabbinisch autorisierten Bibelexemplaren konkurrieren konnten, also Anlaß gaben, für Zeugen der authentischen Textgestalt genommen zu werden.

Nur einmal tritt in diesem Zusammenhang die Frage auf, ob über die allgemein als biblisch geltenden Schriften hinaus noch ein Buch „die Hände verunreinigt", nämlich Ben Sira (1.2.4.1.), aber (s. u.) das war eben fast ein biblisches Buch. Die Komposition in mJad IV, 6 hingegen, in denen die *sifrê hmjrs* erwähnt werden (1.2.4.1.d), hatte eine andere Zweckbestimmung und fällt nicht ernsthaft in diese Fragestellung. Ebenso wie in solchen Zusammenhängen die *sifrê mînîm* als biblische Schriftrollen der *mînîm* anzusehen sind, müssen wohl auch die neben ihnen genannten *giljônîm* als Bibeltexte gedeutet werden, freilich nicht als Buchrollen, sondern in Form von Einzelfolien (im Sinne des Gebrauchs von *diftᵉraʾôt/diftᵉrîm* neben Buchrollen). Der vorhin (1.2.4.8.) behandelte Gebrauch des Singulars *gillajôn* ist daher von dem hier – neben *sᵉfarîm* – feststellbaren Gebrauch des Plurals zu unterscheiden, hier handelt es sich kaum um unbeschriftete Lederbuchrollen, wie Haj Gaon (1.2.4.1.b) auf Grund von bSabb 116a meinte, sondern um beschriebene. Und es sind in den Texten, die vom Retten am Sabbat handeln oder im Anschluß an Num 5, 23 gegen *sifrê mînîm* polemisieren, eben immer diese letzteren, die auch abgesehen vom Sabbat zur Verbrennung empfohlen werden, nie die *giljônîm*! Daraus darf man mit einiger Sicherheit schließen, daß *giljônîm* nicht nur bei Minim im Gebrauch standen, sondern ziemlich gebräuchlich waren. Die Rabbinen hatten gegen diese Bibelform die Rollenform als für autoritative Schriftexemplare allein zulässig erklärt, was am ehesten mit der Sorge um die Integrität des Textes zu erklären ist. Die *giljônîm* müssen so starke Bedenken ausgelöst haben, daß man ihnen – energischer urteilend als hinsichtlich (unerlaubt geschriebener!) Bibelteiltexte – jedwede Heiligkeit absprach. bSabb 116a–b (s. u.) gibt vielleicht Hinweise auf die Gründe.

Bleibt die Frage, wieso man für solche Bibelexemplare den Ausdruck *giljônîm* gebraucht hat und nicht das Lehnwort *dift^{e}raʾôt/dift^{e}rîm*. Wahrscheinlich war auch hier ausschlaggebend, daß das Lehnwort v. a. über die Verwaltungssprache bekanntgeworden war und daher für biblische Schriftwerke nicht passend schien. Das Problem der *giljônîm* scheint sich übrigens in dem Maß verflüchtigt zu haben, als im Übergang zum Mittelalter auch für Bibeltexte im Privatgebrauch die Codexform üblich wurde, und mit dieser gebundenen Buchform war die Integrität des Textes ja gewahrt.

Die Bedeutung „Evangelien" ist nach alledem mit Sicherheit auszuschließen.

1.2.4.10. Der Kontext von bSabb 116a–b

(a) Die Erörterungen zum Stoff der Mischna Sabb XVI, 1 reichen im bTalmud von f. 115a bis f. 117b und gliedern sich in z. T. sehr charakteristisch strukturierte Einheiten. In diese wurden Traditionen eingebaut, die in der Schuldiskussion bzw. bei der Redaktion der größeren Einheiten und des Ganzen für die Argumentation von Belang schienen. Die Gesamtkomposition gehört bestimmt nicht zu den frühen Bestandteilen der babylonischen Gemara, der Abstand zwischen frühen tannaitischen Überlieferungen und dieser Endredaktion beträgt Jahrhunderte, und in diesem Zeitraum hatten sich sowohl sachliche Voraussetzungen wie Sprachgebrauch mehr oder minder gewandelt. (Ähnliches wurde bereits konkret am Wort *dift^{e}raʾ* beobachtet.) Die Gesamtkomposition gliedert sich in folgende Hauptteile:

I. (1) f. 115a: Zitat der Mischna XVI, 1 A (vgl. oben 1.2.3.a):
a) „Alle heiligen Schriften *(kitbê haq-qodäš)*
rettet man vor dem Brand,
b) ob man in ihnen liest oder ob man in ihnen nicht liest.
ca) Selbst wenn sie in irgendeiner (anderen) Sprache geschrieben sind,
cb) unterliegen sie der Geniza.
da) Und warum liest man nicht in ihnen? –
db) Wegen der Vernachlässigung des Lehrhauses.

A(2) Die Gemara greift zunächst die Frage der Übersetzungen (c) auf, aus denen man nach einer Aussage (s. unten) auch „liest" und die deshalb zu retten seien. Dies gilt aber auch für jene Bücher, die man nicht „liest" (Zl. b, im Sabbatgottesdienst), nämlich die Hagiographen, denn sie alle unterliegen ja der Genizapflicht (= rituelles Verbergen bei Gebrauchsuntauglichkeit). Daran schließt sich eine Erzählung über ein Hiob-Targum in Tiberias, verbunden mit einer weiteren über Rabban Gamliel, der ein Hiob-Targum am Tempelberg „verborgen" haben soll (vgl. tSabb XIII, 2–3).

(3) Die Gemara setzt die Erörterung der Übersetzungen und Transkriptionen fort. Das Ergebnis lautet, daß alles zu retten ist, was der Geniza-Pflicht unterliegt.

B(4) Auf f. 115b wird die Frage der Benediktionen und Amulette (s. oben 1.2.2.3.a) eingeschaltet, verbunden mit der bereits (s. 1.2.4.6.c zu *ṭômôs*) erwähnten Geschichte über den ertappten Benediktionenschreiber.

C(5) Rettet man Exemplare, die nicht mit der vorgeschriebenen Tinte *(d^ejô)* geschrieben wurden (vgl. tSabb XIII, 4)?

D(6) Rettet man ein schadhaftes Exemplar, indem nicht mehr als 85 Buchstaben (wie der Abschnitt Num 10, 35 f.) erhalten sind (vgl. mJad III, 5; tJad II, 10)?
– Im Blick auf enthaltene Gottesnamen,
– im Verhältnis zu Übersetzungen,
– in geschlossener Textform oder als Einzelbuchstaben,
– in Form von Einzelwörtern?

(7) f. 115b/116a: Num 10, 35 f. als eigenes „Buch" in der Tora, seine Schreibweise und sein Platz im Text.

E(8) f. 116a: Die *giljônîm* des *sefär tôrah*: s. unten 1.2.4.11.
(9) Die *giljônîm* und *sifrê mînîm:* s. unten 1.2.4.12.
(10) Die *sifrê d^eBê ᵓBJDN* (Stichwortverbindung!): s. unten 1.2.4.13.
(11) *ᵓWN – gillajôn* und *ᶜWN – gillajôn*: s. unten 1.2.4.14.
(12) f. 116a/116b: Rabban Gamliel, Imma Schalom und der „Philosoph": s. unten 1.2.4.15.

F(13) f. 116b: „Und warum liest man nicht in ihnen“ (Mischna Zl. d)?
II. f. 116b/117b: Mischna XVI, 1B und Gemara dazu.

Für den hier zu behandelnden Zusammenhang ist lediglich Teil I von Interesse, der sich in 13 (durchgezählte) Überlieferungs-Einheiten gliedert, die sich wieder auf 6 mit Großbuchstaben (A–F) gekennzeichnete Themen verteilen. Die vorweg zitierte Mischna dient zwar als Basis und Stoff-Ordnungsprinzip, doch die Diskussion greift in starkem Maß Tosefta-Überlieferungen auf.

Im Teil E (Einheiten 8–12) wird das Thema *giljônîm* und *sifrê mînîm* behandelt, jedoch mit einer wichtigen Voraussetzung: Man verstand den Plural *giljônîm* – wo er neben *sifrê mînîm* auftritt – bereits im Sinne der Stellen, die die Heiligkeit des *gillajôn* im *sefär* (mJad III, 4; tJad II, 11) behandeln, also im Grund als unbeschriebene Rollenteile. Mit der Vermengung der beiden Bedeutungen (Rollenmaterial/Blatt einerseits, eine Buchform andrerseits) entstand jedoch die Schwierigkeit, *giljônîm* vor *sifrê mînîm* sinnvoll zu interpretieren.

In Einheit 9 bot der Passus der Tosefta-Überlieferung von tSabb XIII, 5 Ende (s. oben 1.2.4.1.b), hebräisch mit dem Wort *mᵓbdn* (sie verderbend) schließend, die Stichwortverbindung für den Anschluß der Einheit 10 über das Problem der Bücher des *ᵓbjdn*-Hauses, womit klargestellt ist, daß damit dem Kontext nach biblische Bücher gemeint waren, wobei offenbleibt, ob sich dort Buchrollen oder *giljônîm* (Einzelfolien) befanden. Die Einheiten 11 und 12 handeln aber wieder von den *giljônîm* – und diese beiden Einheiten bilden den Brennpunkt der wissenschaftlichen Diskussion über die Frage, ob im Talmud die Evangelien genannt werden. Von der Kontextanalyse her wäre auch hier mit biblischen (d. h. atl.) Büchern zu rechnen, obgleich die Lektüre der Einheiten für sich den Gedanken an Evangelien geradezu suggeriert. Die Untersuchung muß daher im folgenden prüfen, ob die kontextgemäße Deutung auf biblische (atl.) Bücher dem Sinn der Einzeleinheiten gerecht wird oder ob die Deutung auf „Evangelien“ in den Einzeleinheiten so zwingend ist, daß der Widerspruch zum Kontext in Kauf genommen werden muß – wobei sich natürlich als weitere Frage ergäbe, wie dann der Kontext überlieferungs- und redaktionsgeschichtlich zustande kommen konnte. Denn will man der Redaktion nicht Inkonsequenz und Widersprüchlichkeit unterstellen, wäre man ja gezwungen, entweder nachträgliche Textänderungen im einzelnen oder Einschübe ganzer Einheiten zu vermuten.

(b) Zum Vergleich ein Abriß der palästinischen Gemara: Im jTalmud XVI, 1 f. 15b–c sieht die Einteilung des (hier erheblich weniger umfangreichen) Stoffes so aus:

I. (1) Zitat mSabb XVI, 1A Anfang: „Alle *kitbê haq-qodäš* . . .“

A(2) „Ob man in ihnen liest oder ob man in ihnen nicht liest“ wird darauf gedeutet, ob es in ihnen Schreibfehler gibt oder nicht (bei 2–3 pro Seite korrigierbar, bei 4 „liest“ man im Exemplar nicht).

(3) Der Passus „Und warum liest man nicht in ihnen? – Wegen der Vernachlässigung des Lehrhauses!“ – wird auf den Unterschied zwischen Tora und Propheten (aus denen die synagogale Schriftlesung erfolgt) einerseits, und die Hagiographen (aus denen keine synagogale Schriftlesung erfolgt) andrerseits, gedeutet.

(4) „. . . rettet man nicht (am Sabbat) vor dem Brand:
Wer Händeverunreinigen annimmt, sagt auch, daß man retten muß,
wer nicht Händeverunreinigen annimmt, sagt auch, daß man sie nicht vor dem Brand rettet.“

(5) R. Simon betonte das Gewicht der rabbinischen Verordnung (betreffend der Verunreinigung der Hände durch *kitbê haq-qodäš*), und R. Simon b. Gamliel bestätigte dies, indem er, wiewohl er eigentlich nur Griechisch als Übersetzungssprache für zulässig hielt, doch alle Übersetzungen vor dem Brand zu retten empfahl.

(6) Die Geschichte von Rabban Gamliel und dem Hiob-Targum am Tempelberg.

(7) „Obschon man sagte: ‚Man liest nicht in den *kitbê haq-qodäš* (= Hagiographen) außer vom Mincha-Gottesdienst (des Sabbats) an‘, so studiert man sie doch und legt sie aus; braucht man etwas, so nimmt man (ein Exemplar) und nimmt Einblick.“

(8) Geschichte über eine Gruppe von Rabbinen, die am Vorabend des 9. Ab, der auf einen Sabbat fiel, nach dem Mincha-Gottesdienst die Klagelieder Jeremiae lasen, nicht fertig wurden und am nächsten Tag fortfahren wollten. Auf Grund eines anschlie-

ßenden Unfalls wird die Frage aufgeworfen, ob man sich etwa falsch verhalten habe.

(9) „Man liest nicht in den Hagiographen (am Sabbat) außer vom Mincha-Gottesdienst an" –
Wo ein Lehrhaus ist, nicht, wo keins ist, ja?
R. Nechemja: Wegen der profanen Urkunden!
Gemeint ist: Die Mischna (mündliche Lehre) hat Vorrang vor der Schrift *(miqra᾿)*!

(10) Weitere Aussagen über den Vorrang der mündlichen Lehre bzw. des Lehrbetriebes.

B(11) Benediktionen rettet man nicht, dazu die Geschichte vom ertappten Benediktionenschreiber.

C(12) Über den fragwürdigen Wert von Haggada-Büchern und deren willkürlichen Bibeltextdeutungen.

D(13) „Die *giljônîm* und *sifrê mînîm*":
Siehe oben 1.2.3.c (par. zu tSabb XIII, 5, s. oben 1.2.4.1.b), ohne Erläuterungen zu *giljônîm*.

II. mSabb XVI, 1B mit Gemara.

Schon ein flüchtiger Vergleich zeigt, daß hier das Hauptinteresse auf der Frage liegt, wie der Mischnapassus über das Lesen bzw. Nichtlesen aufzufassen ist. Das Ergebnis der Diskussion läuft darauf hinaus, daß ein individuelles „Lesen" von Hagiographen am Sabbat jedenfalls vor dem Mincha-Gebet unerwünscht ist, weil man sich nach Möglichkeit im Lehrhaus der mündlichen Lehre widmen soll, wie überhaupt die mündliche Lehre gegenüber der Bibel hervorgehoben wird. Dabei wird zugleich der rabbinische Standesanspruch fühlbar, der sich auch gegen Haggada-Bücher wendet, erbauliche Bibelauslegungen, die man unter den Rabbinen mit einem gewissen Mißtrauen betrachtete und deren Aufzeichnung in Büchern dazu noch angetan war, Leute vom Lehrhausbesuch abzuhalten – noch schlimmer als das Hagiographenlesen in der Lehrbetriebszeit! Das Thema der *giljônîm* und *sifrê mînîm* ist (Einheit 13) an den Schluß gestellt. Im bTalmud hingegen dominiert das Thema *gillajôn/giljônîm* und *sifrê mînîm,* das Thema der Hagiographenlektüre folgt erst im Teil F. Dieses Verhältnis zwischen jTalmud und bTalmud im Blick auf Stoff, thematischer Zuspitzung und Anordnung spricht nicht dafür, daß die Auseinandersetzung mit dem Christentum für die Gesichtspunkte der Redaktion im jTalmud eine Rolle gespielt hat. Sollte es bei der Redaktion des bTalmud – im Partherreich! – dann der Fall gewesen sein?

1.2.4.11. bSabb 116a: *gillajôn* und *giljônîm*

aa) Es wurde die Frage aufgeworfen:
ab) Die *giljônîm* der Tora-Rolle *(sefär tôrah)* –
 rettet man sie vor dem Brand (am Sabbat)
 oder rettet man sie nicht vor dem Brand?
b) Komm und höre:
ba) Eine Tora-Rolle, die verschlissen ist –
baa) wenn in ihr 85 Buchstaben zu finden sind
 wie der Abschnitt
 „Und es geschah beim Aufbruch der Lade" (Num 10, 35f.),
 so rettet man (sie),
bab) wenn nicht –
 so rettet man (sie) nicht –
bba) Aber warum?
bbb) Folgerst du dies etwa von seinem *gillajôn* her? –
bc) Mit einem verschlissenen (Exemplar) verhält es sich anders!
c) Komm und höre:
caa) Eine Tora-Rolle, die abgeschabt ist –
caaa) wenn in ihr noch 85 Buchstaben zu finden sind
 wie der Abschnitt:
 „Und es geschah beim Aufbruch der Lade" (Num 10, 35f.),
 so rettet man (sie),
caab) wenn nicht,
 so rettet man (sie) nicht.
caba) Aber warum?
cabb) Folgerst du etwa dies von seinem *gillajôn* her?
cba) Das Schriftbild betreffend steht es für mich nicht in Frage:
cbaa) wenn es heilig ist,
 dann ist es infolge der Schrift, daß es heilig ist;
cbab) ist die Schrift fort,
 dann ist auch seine Heiligkeit fort.
cbba) Aber was für mich in Frage steht, ist:
cbbb) was oben und was unten ist,

was zwischen den Abschnitten ist,
was zwischen den Kolumnen ist,
was am Anfang der Buchrolle und am Ende der Buchrolle ist.

cbc) Und folgerst du etwa dies (die Pflicht zu retten) von dem her?

cc) Im Fall, daß einer sie abgeschnitten und beiseite gelegt hat!

d) Komm und höre:

da) Die *giljônîm* (Plural!)
die oben und die unten,
die zwischen den Abschnitten,
die zwischen den Kolumnen,
die am Anfang der Buchrolle,
die am Ende der Buchrolle sind –
verunreinigen die Hände!

db) Vielleicht verhält es sich im Fall,
daß sie sich in der Tora-Rolle befinden,
anders?

e) Komm und höre:

ea) Die *giljônîm* und *sifrê mînîm* –
man rettet sie nicht vor dem Brand
sondern (läßt) sie verbrennen an ihrem Ort,
sie samt ihren Gottesnamen.

eb) Sind das nicht *giljônîm* (schriftlose Flächen) der Tora-Rolle?

ec) Nein, (sondern) *giljônîm* (schriftlose Flächen) der *sifrê mînîm*!

eda) Da man die *sifrê mînîm* selber nicht rettet,

edb) stehen *giljônîm* (noch) in Frage?

eea) Vielmehr wollte er sagen:

eeb) Die *sifrê mînîm*, sie sind wie *giljônîm*!

Sobald man *giljônîm* vor *sifrê mînîm* ebenfalls als nichtbeschriebene Flächen in Buchrollen auffaßte, *gillajôn* also mit *räwaḥ* gleichsetzte, war nicht mehr einzusehen, warum sie überhaupt genannt wurden.

Die kunstvoll strukturierte Diskussion setzt in a) diese Verwirrung voraus, indem statt *gillajôn* im *sefär* (s. oben 1.2.4.8.) in den Plural und dieser zu *sefär* (*tôrah*) noch dazu in ein Genitivverhältnis gesetzt erscheint. Folglich war zu klären, welche Möglichkeit es überhaupt gab, unbeschriebene Flächen von Torarollen zur Debatte zu stellen.

Abschnitt b) knüpft an die Formulierung in tJad II, 10 an, wo von

„verschlissen" (*blh*) die Rede ist. Die Frage der Heiligkeit kann doch nicht vom unbeschriebenen *gillajôn* aus beurteilt werden – aber die Diskussion wird vorläufig mit dem Hinweis abgeschlossen, daß ein Exemplar, das „verschlissen" ist, anderen Kriterien unterliegt.

Abschnitt c) wiederholt in caa) das Spiel in Anlehnung an die Formulierung in mJad III, 5: „ein *sefär,* der abgeschabt (*nimḥaq*) ist", worunter man nun also etwas anderes verstand. Aber auch dabei ergibt sich kein Fortschritt außer der fragenden Feststellung, daß doch nicht das *gillajôn* ausschlaggebend sein kann. Diese Argumentation wird in cb) verdeutlicht, indem nun vom Schriftbild selbst aus argumentiert wird: Das Beschriebene ist zweifellos heilig bzw. es „verunreinigt die Hände", aber was ist mit dem jeweiligen Freiraum (ansonsten mit *räwaḥ* bezeichnet!)? Die Zwickmühle ist ja, daß einerseits tradiert ist, daß die Rolle auch in ihren unbeschriebenen Teilen die Hände verunreinigt, also vor dem Brand am Sabbat auch gerettet werden sollte, andrerseits expressis verbis tradiert ist, daß *giljônîm* und *sifrê mînîm* nicht gerettet werden sollen. Die Antwort in cc) ist genial: Im letzteren Fall handelt es sich um abgeschnittene unbeschriebene Rollenteile. Diese Interpretation hat Schule gemacht, nicht nur im Mittelalter, sondern auch in der Moderne, es sei nur auf K. G. Kuhn (s. oben 1.2.4.1. und Anm. 44) zurückverwiesen, der sich voll auf diese Bedeutung stützte. Daß sie aber weder lexikographisch noch sachlich für die älteren Überlieferungen zutreffen kann, ist im Verlauf der Untersuchung deutlich geworden, sie ist daher auf diese Stelle im bTalmud und von ihr abhängige spätere Autoren zu beschränken.

Abschnitt d) wendet nun mit der Tradition ein, daß die unbeschriebenen Rollenteile doch auch „die Hände verunreinigen", und die Antwort in db) setzt als Ausweg voraus, daß abgeschnittene *giljônîm* im Unterschied zu denen in der Buchrolle eben nicht mehr „die Hände verunreinigen". Das Argument klingt logisch, dennoch wäre dagegen einiges einzuwenden. Freilich, der Redaktor wollte die Diskussion nicht mehr weiterspinnen, sondern einen letzten – aber ziemlich gewaltsamen – Lösungsvorschlag bringen, und dieser folgt im Abschnitt e):

Die Formulierung „*giljônîm* und *sifrê mînîm*" soll demnach nur besagen, daß die *sifrê mînîm* genau so zu bewerten sind wie *giljônîm*, wie unbeschriebenes Schreibmaterial, daß sie also für eine Rettungsaktion angesichts einer Brandgefahr am Sabbat wie leere Schreibrollen überhaupt nicht berücksichtigt zu werden brauchen. Und es wurde bereits erwähnt (1.2.4.1.a), daß Haj Gaon eben auf Grund dieser letzten „Lösung" zu dem Schluß gelangte, daß man *giljônîm* (= unbeschriebene Rollen) der *mînîm* zwar verbrennen lassen muß, eigene unbeschriebene Rollen aber ebenso wie heilige Schriftexemplare retten darf (so muß man hier wohl formulieren); was einen evidenten Vorteil ergibt, an den der Redaktor in bTalmud bestimmt noch nicht gedacht hat.

Eines ist aus dem Bisherigen mit Sicherheit zu erschließen: Der Redaktor hat bei *giljônîm* schwerlich an „Evangelien" gedacht, und zwar mit Recht[135], es gab dazu keinen Anlaß, sofern man nicht von einer bestimmten Auslegung der Abschnitte 11–12 im bTalmud (s. unten) zurückinterpretiert.

Hinsichtlich der Bedeutung von *gillajôn/giljônîm* bezeugt bSabb 116a eine erhebliche Unsicherheit, in bezug auf die *sifrê mînîm* ist jedoch kein Wandel – weder im Sprachgebrauch noch in der Sache – zu beobachten: es sind hier immer noch biblische Schriftrollen der *mînîm*, nicht etwa andere religiöse Schriften der *mînîm*, wie K. G. Kuhn auf Grund einer unhaltbaren These (*mînîm* seien zu der Zeit keine jüdischen Häretiker mehr gewesen, sondern Andersgläubige, v. a. Christen) gemeint hat[136]. Zwar hat man im Mittelalter die *sifrê mînîm* hier im Interesse antichristlicher Polemik auch so gedeutet[137], aber noch Raschi (gest. ca. 1105), der sich sonst antichristliche Seitenhiebe nicht gern entgehen ließ, erklärt hier, daß es sich bei den *mînîm* um Götzendiener handelt, die sich *TN"K* (Tora, Propheten, Hagiographen) geschrieben haben – und zwar „in assyrischer Schrift und hebräischer Sprache" – selbstverständlich, denn sonst wäre eine Diskussion über „Hände verunreinigen" ja gar nicht erforderlich gewesen!

1.2.4.12. bSabb 116a: *giljônîm* und *sifrê mînîm*

Bis auf einige Abweichungen[138] folgt hier im Kontext (s. oben 1.2.4.10.) als Einheit 9 die Komposition, die als tSabb XIII, 5 bereits behandelt worden ist (s. oben 1.2.4.1.b). Das Ergebnis war dort, daß von Evangelien keine Rede sein kann. Aber die Tatsache, daß man tSabb XIII, 5 gerade von dieser Parallele in bSabb 116a her auf Evangelien deuten zu können meinte, verlangt hier nochmals eine Erklärung, und diese ist nur in der üblichen Auffassung von den im Kontext folgenden Überlieferungseinheiten 11–12 zu finden, nach der dort ohne Zweifel von den Evangelien die Rede ist. Eigentümlicherweise (oder bezeichnenderweise) beachtete man dabei überhaupt nicht den Unterschied zwischen *giljônîm* und *sifrê mînîm* in den bisher besprochenen Texten, auch nicht in der Komposition tSabb XIII, 5 bzw. hier in der Überlieferungseinheit 9 des Kontexts: Der Grimm richtet sich in jedem Fall gegen die *sifrê mînîm*, nicht speziell gegen *giljônîm*, und auch die Überlieferungseinheit 10 handelt im Grund eher noch von *sifrê mînîm*. Man interpretierte jedoch die Einheit 9 (= tSabb XIII, 5) so, als ginge es vor allem gegen die *giljônîm*, und da man in ihnen „Evangelien" sah, verstand man weithin auch die *sifrê mînîm* als christliche Literatur – und erst mit Hilfe dieser verwaschenen Interpretationsweise war es möglich, überhaupt von den Einheiten 11–12 her zu deuten. Dies mit dem höchst zweifelhaften Ergebnis, daß man dann auch mit den *giljônîm* in den vorangehenden Überlieferungseinheiten trotz deren klarer Struktur nichts Kontextgemäßes mehr anzufangen wußte, sie entweder auch auf Evangelien beziehen oder einen Wandel der Bedeutung im Kontext unterstellen mußte. Bei alldem wurde nicht vom Text (in seinem Zusammenhang) her argumentiert, sondern von einem – freilich naheliegenden – vorgefaßten Urteil aus, und die Zugehörigkeit zu Christentum oder Judentum spielte dabei eine völlig nebensächliche Rolle: Die communis opinio beherrschte und beherrscht in diesem Punkt derart die Szene, daß kaum jemals Zweifel geäußert wurden, jedenfalls nicht in bezug auf die Einheiten 11–12.

1.2.4.13. Die Bücher des *ᵓbjdn*-Hauses

(a) bSabb 116a:

Nachdem der vorangehende Passus im Kontext mit *mᵓbdn* schließt, ergab sich eine Gelegenheit, per Stichwortverbindung eine Überlieferung einzubauen, deren sichere Deutung leider kaum mehr möglich ist:

aa) Josef b. Chanin [139] erbat sich von R. Abbahu (Pal. um 300) die Auskunft:
aba) „Die *sifrê dᵉBê ᵓbjdn* (Schriftrollen des *ᵓbjdn*-Hauses) –
abb) rettet man sie vor dem Brand (am Sabbat)
oder rettet man (sie) nicht?"
ac) „Ja und Nein" –
und er blieb unschlüssig [140].
ba) Rab (= Abba Arika, Pal./Bab. 1. Hälfte 3. Jh.) ging nicht zum *Bê ᵓbjdn*
und schon gar nicht zum *Bê nṣrpj*
bb) Samuel (ging) nicht zum *Bê nṣrpj*,
aber zum *Bê ᵓbjdn* ging er.
caa) Man sagte zu Raba (Bab. 4. Jh.) [141]:
cab) „Aus welchem Grund bist du nicht zum *Bê ᵓbjdn* gekommen?"
cba) Er sagte zu ihnen:
cbb) „Ein bestimmter Palmbaum steht im Weg und es fällt mir schwer!"
cc) „Wir reißen ihn aus!" [142]
cd) „Sein Ort wäre für mich (dennoch) beschwerlich!"
daa) Mar b. Josef sagte:
dab) „Ich bin einer von ihnen,
und fürchte mich nicht!"
db) Einmal ging er (hin), da brachten sie ihn in Gefahr.

Wieder liegt eine redaktionelle Komposition vor, die ältere Überlieferungen vereinigt. Die Nähe zu den folgenden angeblichen „Evangelien"-Abschnitten (Einheiten 11–12) hat allerdings dazu geführt, daß man auch hier Bezüge auf das Christentum vermutete, und zwar nicht nur in älterer Fachliteratur [143], sondern auch in modernen Publikationen [144]. Wobei man z. T. versuchte, aus *ᵓbjdn* einen Anklang an Ebioniten und aus *nṣrpj* einen solchen an Nazaräer/Nazoräer herauszuhören [145], ja letzteres wurde auch als absichtlich verschleiernde Verschreibung aus *nṣrjj* interpretiert [146]. Eine

Stütze für die Gleichsetzung von *Bê ᵓbjdn* mit einer ebionitischen Institution meinte man in bBQ 117a zu finden[147], wo *Bê ᵓbjwnj* als Ortsname vorkommt. Aber der Zusammenhang läßt nicht den geringsten Hinweis darauf erkennen, daß es sich um eine Ebionitensiedlung gehandelt haben soll. R. T. Herfords Annahme, ursprünglich sei *Bê ᵓbjdn* Bezeichnung für das Odeon gewesen[148], kommt dem Sachverhalt wahrscheinlich weit näher als seine dann (eigentlich wider besseres Wissen) doch vollzogene Deutung auf eine christliche Versammlungsstätte. Die beiden übrigen Belege für *Bê ᵓbjdn* weisen nämlich eindeutig auf eine nichtjüdisch-heidnische Einrichtung.

(b) In bSabb 152a wird im Zusammenhang mit einer an Koh 12, 1 ff. anknüpfenden Ausführung über die Beschwerden des Alters unter anderem erzählt, der Kaiser habe R. Josua b. Chananja zur Rede gestellt: „Aus welchem Grund bist du nicht ins *Bê ᵓbjdn* gekommen?" Josua antwortet im Metaphernstil Kohelets (seine Altersgebrechen vorschützend):

> Er sagte zu ihm:
> „Den Schneeberg umgeben Eismassen,
> seine Hunde bellen nicht (mehr)
> seine Müller mahlen nicht (mehr)"
> Im Bê Rab sagen sie (dazu noch):
> „Was ich nicht verloren (*ᵓbjdnᵓ*) habe,
> suche ich."

Gemeint sind: schneeweißes Haar, Versagen der Stimme, Zahnausfall und tiefgebeugter Gang.

Hier handelt es sich um eine typisch stilisierte Diskussion zwischen dem „Kaiser" und dem bekannten Romreisenden Josua b. Chananja (um 100 n. Chr.), ohne direkten historischen Quellenwert, aber immerhin insofern aufschlußreich, als die Institution des *Bê ᵓbjdn* etwas mit hellenistisch-römischer Kulturpolitik zu tun gehabt haben muß. Der Zusatz aus der Schule Rab (3. Jh.) zeigt, daß man den Namen der Institution gezielt-polemisch mit dem hebräischen Wort *ᵓbd* (verlieren, zugrunde gehen; Pi ᶜel: zugrunde richten) in Verbindung zu bringen pflegte (wie ja auch bSabb 116a per Stichwort-Anschluß an *mᵓbdn*). Dies läßt darauf schließen, daß der ursprüngliche Lautbestand der Bezeichnung jenem von *ᵓbd* ähnlich war.

(c) Dieser Zusammenhang mit Kulturpolitik scheint noch deutlicher in bAZ 17a durch, wo bereits der Kontext[149] eine enge Beziehung zwischen *mînût* und (römischer) Obrigkeit bezeugt. Das Motiv vom Vorwurf, nicht das *Bê ᵓbjdn* besucht zu haben, begegnet hier im Rahmen einer typisch stilisierten Märtyrerlegende über Eleazar b. Perata und Chananja/Chanina b. Teradion, und zwar gegen den ersten der beiden. Seine Antwort: „Ich bin alt geworden und fürchte mich, daß ihr mich mit euren Füßen niedertretet." Daraus ist schwerlich zu schließen, daß es sich um eine in die Zeit Hadrians datierbare Institution handelt[150], denn solche Legenden sind erst im Lauf der Zeit in dieser schematischen Weise geprägt worden, aber noch weniger ist an christliche Disputationsstätten zu denken[151]. Es könnte sich sehr wohl um eine öffentliche Einrichtung gehandelt haben, an der die jüdische Ortsbevölkerung im Rahmen ihrer Pflichten beteiligt war, wo man ihre Vertreter erwartete, wo gesellschaftlicher Verkehr üblich war und wo sich eben auch eine Bibliothek befand. In einem solchen Fall wäre es begreiflich, daß dort nicht nur *mînîm* ihre Exemplare der Bibel hinterlegen konnten, sondern auch die Rabbinen dazu aufgefordert wurden[152]. Es war dann freilich äußerst schwierig, die Frage zu beantworten, die nach bSabb 116a (Stück a) an R. Abbahu (in Caesarea!) gestellt wurde: Soll man die (biblischen) Schriftrollen des *Bê ᵓbjdn* vor einem Brand am Sabbat retten oder nicht? Gäbe es nur diesen Hinweis auf Caesarea allein, könnte man an die Bibliothek des Origenes denken, aber das paßt nicht zu den übrigen Belegen. Wahrscheinlich ist diese Institution mit der Polis-Organisation verbunden und daher für Juden überall dort von Bedeutung gewesen, wo hellenistische Städte mit entsprechenden, an den städtischen Pflichten beteiligten jüdischen Minderheiten existierten. Da die Rabbinen – anders als die Minim – den Kontakt mit der kulturellen und politischen Umwelt nach Möglichkeit vermieden, war für sie beim Besuch des *Bê ᵓbjdn* eine gewisse Hemmschwelle zu überwinden. Während in Babylonien Samuel nichts allzu Bedenkliches dabei fand, konnte Rab sich nicht zum Besuch entschließen.

(d) Nun deuten andere Texte (bAZ 48a; bEr 80a) darauf hin, daß *Bê nṣrpj* etwas mit religiösen Festgelagen zu tun hatte. Offenbar war der *Bê ᵓbjdn* eine Institution mit für jüdische Augen weniger penetrant götzendienerischem Charakter, aber eben – von der Bibliothek einmal abgesehen – auch ein Ort der Unterhaltung[153]. Eine Interpretation vom Persischen her dürfte für *Bê ᵓbjdn* angesichts der palästinischen Belege kaum zutreffen[154]. Das *Bê nṣrpj* hingegen scheint nur für Babylonien bezeugt zu sein. An Nazaräer und deren Herrenmahl oder Agape zu denken[155], weil bAZ 48a bzw. bEr 80a von Dattelwein die Rede ist, dürfte verfehlt sein[156].

Wie immer es sich verhalten mag, irgendein Bezug auf Christentum läßt sich nicht nachweisen. Raschi meinte zu bSabb 152a, die *sifrê deBê ᵓbjdn* wären „Schriftrollen, die sich die *Ṣaddûqîm* (Lesart: *mînîm*) geschrieben haben, um mit Israel zu disputieren, und der Ort, an dem sie disputierten, hieß *Bê ᵓbjdn*"; zu bSabb 116a jedoch spricht er von *gallaḥim* (Mönchen/Priestern), und das *Bê nṣrpj* erklärt er als „Götzendienst". In gaonäischen Quellen wird vermutet, daß es sich um öffentliche philosophisch-religiöse Diskussionsstätten handelte, was einleuchtet[157], obwohl natürlich der zeitgenössische Sachverhalt abgefärbt haben könnte, denn in islamischer Zeit gab es solche Treffpunkte nachgewiesenermaßen.

1.2.5. *Das ᶜᵃwôn- gillajôn*

1.2.5.1. *ᵓwn-gillajôn* und *ᶜwn-gillajôn*

Als Überlieferungseinheit 11 im Kontext von bSabb XVI (s. oben 1.2.4.10.) folgt im Rahmen des Themas E (*giljônîm* und *sifrê mînîm*) eine knappe, durch das Stichwort *gljwn* in diesen Kontext geratene Passage, die in früheren Drucken wegen der Zensur ausgelassen wurde:

a) R. Meir (Pal., Mitte 2. Jh.)[158] nannte es: *ᵓwn gillajôn*;
b) R. Jochanan (Pal., gest. ca. 280) nannte es *ᶜwn gillajôn*.

Die Textüberlieferung schwankt: *ᵓwn* (Unheil) und *ᶜwn* (Verschuldung, Sünde) erscheinen z. T. ausgetauscht[159]. Vom hebräischen Sprachgebrauch her muß zunächst festgestellt werden, daß ᵓ*wn gljwn* und ᶜ*wn gljwn* sog. Status-constructus-Verbindungen darstellen. Während für ᵓ*wn*, das biblisch wie nachbiblisch recht selten belegt ist, kaum eine vergleichbare Verbindung aufzufinden ist, wird ᶜ*wn* im Status constructus zu verschiedenen Gegenständen im Sinne von „Verschuldung in bezug auf" verwendet; z. B. konkret: ᶜᵃ*wôn-biṭṭûl tôrah* (Verschuldung in bezug auf Vernachlässigung der Tora), ᶜᵃ*wôn mᵉzûzah* (Verschuldung in bezug auf das Mezuzah-Gebot), ᶜᵃ*wôn-ṣîṣît* (Verschuldung in bezug auf das Gebot der Kleiderquasten), ᶜᵃ*wôn-ḥallah* (Verschuldung in bezug auf das Teighebe-Gebot), ᶜᵃ*wôn-nᵉdarîm* (Verschuldung in bezug auf Gelübde) etc. So besteht philologisch kein Zweifel daran, daß ᶜᵃ*wôn-gillajôn* – und dementsprechend ᵓ*awän-gillajôn* nicht Schuld oder Unheil bezeichnen, die von einem *gillajôn* ausgehen, sondern ein *gillajôn* betreffen, denn sonst müßte die Wortstellung umgekehrt sein: *giljôn-*ᵓ*awän, giljôn-*ᶜ*awôn* (Unheils-*gillajôn*, Sünden-*gillajôn*)! Aber genau die letztere, grammatikalisch unhaltbare Deutung und Übersetzung ist die allgemein übliche, weil man gar nicht vom Hebräischen ausgeht, sondern von vornhinein unterstellt, daß es sich eigentlich nur um hebräisch formulierte Entstellungen für griechisch *eyaggélion* (Evangelium) handelt, um ein boshaftes polemisches Wortspiel [160], das bestens zu den in der zweitletzten Überlieferungseinheit (9) erhaltenen grimmigen Aussagen des (hier) R. Tarfon und (hier) R. Ismael gegen die *sifrê mînîm* passe [161], unter denen man von daher eben, wie erwähnt, oft ebenfalls christliche Schriften vermutete. Daß zwischen den Tarfon- und Ismaelpassagen (in 9) und dem Passus hier die Einheit 10 über die Bücher des ᵓ*bjdn*-Hauses steht, scheint wenig Kopfzerbrechen bereitet zu haben, manche dachten einfach auch dabei an christliche Bücher (s. o.). Der Konsens in der Sekundärliteratur ist – ob bei jüdischen oder christlichen Autoren – so gut wie vollständig, auch bei jenen, die *giljônîm* sonst nicht auf Evangelien deuten [162]. Diese communis opinio, laut welcher „Unheils-*gillajôn*" und „Sünden-*gillajôn*" die boshaft beabsichtigte Bedeutung der lautlich annäherungsweisen Wiedergabe von *eyaggélion* wäre, stützt sich nicht bloß auf den scheinbar evidenten lautlichen Eindruck, sondern auch auf die Tatsache, daß die jüdische antichristliche Polemik der nachtalmudischen Zeit nahezu konsequent eben diese Interpretation bezeugt. Dies jedenfalls im christlichen Machtbereich, denn leider sind die alten jüdischen Talmuderklärungen in arabischer Sprache noch zu wenig erschlossen, um einen ausreichenden Vergleich ziehen zu können. Das erste sicher datierbare Zeugnis findet sich bei Amulo von Lyon (gest. 852), der das Schimpfwort als *Havongalion* wiedergibt[163]. Schwieriger zu datieren ist die Notiz am Ende des Buches Josippon (im MS Oxford d 11)[164], nach der „auch der Evangelist (*mᵉbaśśer*) Matthäus . . . ein Buch *ᶜwn gljwn* in hebräischer Sprache für Hebräer geschrieben hat". Raschi (gest. 1105) erklärt zur Stelle im Talmud: „R. Meir nannte es – die *sifrê ham-mînîm* – *ᵓwn-gljwn*, entsprechend dem, daß sie (die Christen) es (altfranzösisch!) *ᵓwngjlᵓ* nennen".

Natan b. Jechiel (Italien, ca. 1035–1110) erklärte in seinem talmudischen Wörterbuch ›Arûk‹: „*ᵓawän* („Unheil"), das auf Papier (*nᵉjar*) geschrieben ist, welches (nur) Papier ist"[165]. Auf ihn verwies Abraham ben Azriel in seinem ›*Sefär ᶜᵃrûgat hab-bosäm*‹[166], in der Erklärung zu einem nicht sicher zuschreibbaren Gedicht (Anfang: *Šnnw lšwnm*)[167], wo gegen Islam und Christentum polemisiert wird und unter anderem vom *śgjwn ᶜwn gjljwn* (Irrtum des *ᶜᵃwôn gillajôn* = Evangeliums) die Rede ist. Und Bachja b. Ascher (Spanien 13. Jh.) bemerkt in seinem Kommentar zu Dt 7, 26[168], daß Spott an sich zwar unerlaubt, Spott über Götzendienst jedoch erlaubt sei, und führt als Beispiel unter anderem an: „. . . den Namen ihres Buches, bei dem sie schwören, in der persischen Sprache *ᵓnglj*, welches Woge und Höhe bedeutet, nennt man *ᵓwn gljwn* oder *ᶜwn gljwn*, dessen Sinn *ᶜᵃwôn mᵉgillah* oder *ᵓawän-mᵉgillah* ist".

Da die wenigsten Autoren daran zweifeln, daß der historische R. Meir mit *ᵓwn gljwn* das Evangelium als Buch gemeint hat, müssen sie diese Stelle als einen der frühesten Belege für einen derartigen Gebrauch von „Evangelium" betrachten[169]. Doch ein solcher Beleg auf Grund einer derartigen Zuschreibung ist recht fragwürdig (vgl. Anm. 158). Falls überhaupt an „Evangelium" zu denken ist, dann schwerlich für eine Zeit vor einem ausreichend bezeugten christlichen Sprachgebrauch!

Aber so eindeutig der Bezug auf das „Evangelium" auf den ersten Blick auch sein mag, so wenig paßt er im Grunde zum Text im Kontext. Geht man zudem noch vom Hebräischen aus und interpretiert die beiden Status-constructus-Verbindungen *ᵓwn-gljwn* und *ᶜwn-gljwn* normal, ergibt sich ein durchaus passabler und kontextgerechter Sinn: Diese Überlieferungseinheit, die mit den vorangehenden keine ursprüngliche Einheit bildet, bezog sich offenbar auf *gillajôn/giljônîm* im Sinne der verpönten biblischen Buchform der Einzel-Membranen, die dem Anliegen der rabbinischen Textgestalt-Kontrolle so gar nicht entsprach, aber bei Häretikern – und auch bei Christen – anscheinend recht beliebt waren. Man sprach also in bezug auf solche Bibeltexte von Verschuldung in bezug auf *gillajôn* – wie man halakisch von Vergehen gegen andere halakische Sachverhalte (z. B. *ᶜᵃwôn mᵉzûzah*) sprach. Es geht wohl nach wie vor so wie im gesamten Kontext um biblische (atl.) Texte, und welcher Art die Gefahren waren, die man rabbinischerseits in einem *gillajôn* mit biblischem Text fürchtete, soll offenbar die folgende Überlieferungseinheit, die Erzählung über Imma Schalom und den Philosophen, illustrieren.

Es bleibt die nicht zu beantwortende Frage, ab wann sich mit den beiden Begriffen *ᵓwn gljwn* und *ᶜwn gljwn* der Gedanke an ein Wortspiel mit „Evangelium" verband. Daß dies bereits für den Redaktor der babylonischen Gemara zu mSabb XVI, 1 eine Rolle spielte, läßt sich nicht nachweisen, doch könnte er ja mit dem Gedanken zumindest gespielt haben. Dann hatte er freilich schwerlich das griechische Wort im Sinn, sondern eine syrische Entsprechung. Sobald *gillajôn/giljônîm* als problematische Buchform biblischer Texte nicht mehr aktuell und daher die alte Terminologie undurchsichtig geworden war, lag der Weg zur neuen Deutung jedenfalls frei. Es mußte ja dann nach einer Deutung gesucht werden. Wo immer jemand dem Begriff „Evangelium" begegnete, bot sich ihm also bSabb 116a – und vielleicht schon zuvor im Zusammenhang mit der Einzeltradition über *ᵓwn/ᶜwn gljwn* – das Wortspiel geradezu an. Eine solche Deutung kümmerte sich nicht um den Kontext, sie ist ja nicht exegetischer, sondern polemischer Natur, und sie konnte sogar die Textgestalt der folgenden Erzählung beeinflussen, da die neue Deutung so großen Gefallen fand und kontroverstheologisch-polemisch als so geeignet empfunden wurde. Doch hängt die ältere Bedeutung von *ʾwn/ʿwn-gljwn* hier wahrscheinlich doch vor allem von dem Sinn der folgenden Überlieferungseinheit ab. Daher ist dieser knappe und rätselhafte Passus im Licht des Ergebnisses (in 1.2.5.4.) der nächsten Analyse zu lesen.

1.2.5.2. Imma Schalom, Rabban Gamliel (II.) und der Philosoph (bSabb 116a–b)

(a) Übersetzung[170]

Aaa) Imma Schalom, die Ehefrau des R. Eliezer,
war die Schwester des Rabban Gamliel.

ab) In dessen Nachbarschaft ein gewisser Philosoph war,
(116b) der im Ruf stand, daß er keine Bestechung annehme.

b) Sie[171] wollten sich über ihn lustig machen:

Ba) Sie brachte ihm (vorweg) eine Lampe aus Gold[172]

b) und dann ging[en] sie vor ihn hin (zu Gericht).
Sie sagte zu ihm:
„Ich fordere, daß mir an den (hinterlassenen) Besitzungen meines Vaterhauses[173] ein Anteil gegeben wird!"

c) Er sagte zu ihnen:
„Teilt!"[174]

d) Er (R. Gamliel) sprach zu ihm:
„Für uns[175] steht es geschrieben:

I Wo ein Sohn vorhanden ist *(bimqôm baraʾ)*
erbt die Tochter nicht *(bartaʾ laʾ tirût)*"

e) Er (der Philosoph) sprach zu ihm:

ea) „Seit dem Tag,
da ihr aus eurem Land weggeführt worden seid,
ist die Tora (= das Gesetz)[176] des Mose aufgehoben
und ein *ʿwn gljwn*(?)[177] / ein anderes Gesetz(?)[178] / ein anderes Buch(?)[179] gegeben,

eb) und darin steht geschrieben:

II Sohn und Tochter erben gleichermaßen"

Ca) Am (nächsten) Morgen kam er (Gamliel) wieder und brachte ihm (zuvor) einen libyschen Esel[180].

b) Da(rnach) sagte er (der Philosoph) zu ihnen:

ba) „Ich habe hinabgelesen bis zum Ende[181] des *ʿwn gljwn*(?)[182] / Buches(?)[183]

bb) und da steht geschrieben:

III Ich [*ʿwn gljwn*][184] bin nicht,
um (etwas) wegzunehmen von der Tora des Mose,
gekommen, und nicht,[185] um etwas hinzuzufügen
zur Tora des Mose, bin ich gekommen!

bc) Und da (in der Tora) steht geschrieben:

IV Wo ein Sohn vorhanden ist
erbt die Tochter nicht"

c) Sie sagte zu ihm:
„Laß dein Licht leuchten wie die Lampe!"

d) Da sprach zu ihr Rabban Gamliel:
„Der Esel ist gekommen und hat die Lampe umgestoßen!"

(b) Struktur und Charakter der Erzählung

A Ausgangssituation
a) Personen der Handlung
aa) Imma Schalom und ihr Bruder Rabban Gamliel;
ab) ein angeblich unbestechlicher Philosoph;
b) Absicht der Geschwister

B Erster Prozeß
a) Bestechungsgabe der Schwester (Goldene Lampe)
b) Scheinklage der Frau auf Erbteilung
c) Richterspruch zugunsten der Frau
d) Einwand des Bruders mit
Zitat I (= IV)
e) Abweisung des Einwandes:
ea) Neue Rechtslage und
eb) neue Rechtsbasis mit
Zitat II

C Zweiter Prozeß
a) Bestechungsgabe des Bruders (Libyscher Esel)
b) Revidiertes Urteil
ba) auf Basis der vollständig gelesenen neuen Rechtsgrundlage und
bb) Zitat III mit
bc) Rekurs auf Tora per
Zitat IV (= I)
c) Einwand der Schwester (Erinnerung an Ba)
in Form eines Sprichworts
d) Feststellung des Bruders (unter bezug auf Ca)
in Form eines Sprichworts

Der eigentliche Kern der Erzählung besteht in den Teilen B–C, den Prozeßbeschreibungen: Ein Geschwisterpaar sucht die Entscheidung eines „Philosophen" als Richter in der Frage, ob der Schwester neben dem Bruder ein Erbanteil gebührt. Ein „Philosoph" ist in der talmudischen Literatur so gut wie stets eindeutig ein gebildeter Heide. Ein rabbinischer Richter hätte der Absicht der Erzählung gar nicht dienen können, denn nach jüdischem Recht war die Rechtslage (s. unten) ja völlig klar: Töchter erben nur, falls keine männlichen Nachkommen des Erblassers vorhanden sind. Anders im römischen Recht. Wie aber entscheidet ein nichtjüdischer Richter im Fall, daß ein jüdisches Geschwisterpaar mit einer derartigen Forderung der Frau vor ihn (also nicht vor ein jüdisches Gericht) kommt? Nach nichtjüdischem Recht oder nach jüdischem Recht? Der somit gegebene Ermessensspielraum ist Voraussetzung für die juristische Konstruktion und Argumentation in der Erzählung. Diese wieder ist der überlieferten literarischen Form einer „typischen Situation" von einem bestechlichen Richter aufgesetzt. Die ältere Überlieferung enthält einerseits das Muster einer Bestechungs-Erzählung im Zusammenhang mit ungerechter Obrigkeit (im Judentum selbst), im Kontext von kritischen Reminiszenzen an gewisse Hohepriester, erhalten in jJoma I, 1 f. 38c (vgl. bJoma 9a) und Sifre Num § 131, worin das bSabb 116a–b in Cd (aramäisch!) enthaltene Sprichwort auftaucht. Andrerseits – ebenfalls im Kontext über ungerechte Richter – als Erzählung über eine Frau, die einen Richter in dieser Weise (mit einer Lampe) besticht, und hier begegnet auch das Sprichwort in Cc von bSabb 116a–b. Diese Version mit der Frau ist in Lev.R. 21, 9 (vgl. Jalq.Shim. II, 391; Dt.R. II, 19) bezeugt und von da auch in Pes.RK ed. Buber XVII f. 177a–b geraten, ferner in Pes.RK XV, 9 (ed. Buber f. 122b). Das Verhältnis dieser Versionen zueinander ist für den Zusammenhang hier nicht wesentlich, festzuhalten ist die „typische Situation" (des infolge Bestechung umgestoßenen Urteils), gemäß der die Personen der Handlung an sich anonym sein können. In den eben erwähnten Texten spielt zum Teil R. Levi (Pal., ca. 300) eine Rolle, aber solche „typische Situationen" sind noch mehr als haggadische Stoffe überhaupt übertragbar, und auftauchende Namen historischer Personen bieten keineswegs eine

Datierungsmöglichkeit für die Entstehung, denn selbstverständlich konnte man im Zuge haggadischer Identifizierung auch relativ spät Namen sehr früher Personen aufgreifen. Die aufgezeigten literarischen Merkmale sind in der Forschung schon seit längerem bekannt, auch die stereotype Verwendung der Sprichwörter in den typischen Situationen wurde bemerkt, doch nur wenige Autoren[186] entschlossen sich zur wohl unausweichlichen Folgerung, daß damit die Erzählung in bSabb 116a–b als „unhistorische", späte amoräische Komposition auf der Basis einer zum großen Teil vorgeprägten „typischen Situation" anzusehen ist; wozu der sprachliche Charakter kommt[187], der auf babylonische Überlieferung hinweist. Der Grund für diese Ignorierung offenkundiger Fakten liegt im Teil A, wo (– man beachte: nur in Teil A!) als „Personen der Handlung" das Geschwisterpaar Imma Schalom und Rabban Gamliel genannt wird. Also Personen, die ins späte 1. Jh. n. Chr. gehören, und dies reizte immer und verleitet noch heute zur Annahme, daß dem Stoff eine historische Begebenheit zugrunde liegt und daß hier in bSabb 116a–b die älteste greifbare Fassung dieses Stoffes vorliegt, während die erwähnten Teilparallelen mit der „typischen Situation" daraus abgeleitet werden könnten. Letzteres erscheint jedoch literarhistorisch so gut wie ausgeschlossen, vielmehr dient in bSabb 116a–b umgekehrt die erwähnte typische Situation (mit den Sprichwörtern) als Baumaterial für eine wohldurchdachte, mit eigenen Akzenten und mit besonderer rechtlicher Thematik versehene sowie mit Zitaten operierende Komposition[188]. Wenn dem (zum Teil wider bessere literaturwissenschaftliche Einsicht) nicht Rechnung getragen wird, dann im Grunde nur wegen der Versuchung, den in der Textüberlieferung von bSabb 116a–b z. T. bezeugten Ausdruck *ᶜwn gljwn* – im Sinne von „Evangelium" gedeutet – in Anknüpfung an die vorangehende Überlieferungseinheit über R. Meir und R. Jochanan möglichst weit zurückzudatieren und somit doch noch einen frühen direkten Bezug auf das NT im rabbinischen Schrifttum zu retten, wobei sich jüdische und christliche Apologeten bzw. Autoren erstaunlich einig sind – wenngleich doch gegenteiliger Absicht. Nun gibt aber gerade der Ausdruck *ᶜwn gljwn* hier textkritische Rätsel auf: Es ist nach Lage der Textzeugen nicht mehr feststellbar, was wirklich einmal in der älteren Überlieferung stand (siehe zum Text und unten die Einzelerklärung). Andererseits muß ein Anlaß dafür vorhanden gewesen sein, diese Komposition mit der vorangehenden knappen Notiz über *ᵓwn/ᶜwn-gljwn* zu verbinden und dann in den Kontext von bSabb 116a–b einzufügen. Zumindest das Wort *gljwn* wird man in Cba als ursprünglich vermuten dürfen, falls die Komposition illustrieren sollte, wie eine „Verschuldung betreffend eines *gillajon*" aussah. Sobald man unter *ᶜwn gljwn* des vorangehenden Stückes dann ein Wortspiel für „Evangelium" verstand, drang nicht nur *ᶜwn* in Cba, sondern der ganze Ausdruck *ᶜwn gljwn* auch in Beb ein. Von da an war eigentlich nur mehr die Deutung auf „Evangelium" möglich, wobei man die dabei auftretenden erheblichen Ungereimtheiten en detail in Kauf nehmen mußte und so statt der ursprünglichen literarisch-juristischen Perle eine stümperhafte Polemik vor sich hatte. Als deren Zweck sah man zumeist den satirischen Aufweis des ambivalenten Verhältnisses der Christen zum „Gesetz" (des Mose) an und darüber hinaus den Aufweis unkorrekten Verhaltens eines „christlichen" Philosophen.

(c) Einzelerklärungen
Zu Teil A:

Zu Aaa: Die Nennung des Ehemannes der Imma Schalom, R. Eliezer, wird von einigen Autoren bereits als antichristliche Spitze verstanden, weil diesem Tannaiten eine gewisse Sympathie für das Christentum nachgesagt worden sei[189]. Doch handelt es sich aber wohl nur um den Vorgang haggadischer Identifizierung von an sich anonymen Personen einer „typischen Situation", hier analog sonstigen Erzählungen über Imma Schalom und deren Bruder[190], wobei für R. Gamliels Wahl auch ein juristisches Stichwort (–Erbrecht–) wirksam gewesen sein mag[191]. Wer die Identifizierung für „historisch" hält, müßte wohl oder übel auch diese anderen Geschichten für historische Berichte halten – ein fragwürdiges Unterfangen, das aber wegen der traditionalistischen Verachtung literaturwissenschaftlicher Methoden auch bei jüdischen Talmudisten oft anzutreffen ist. Origineller war L. Wallachs[192] Vermutung, mit dem Rabban Gamliel der frühen Zeit solle hier auf satirische Weise das

Christentum ad absurdum geführt werden, zu dem sich (nach Epiphanius, haeres. XXX, 4) der Patriarch Hillel II. in jungen Jahren bekannt haben soll.

Zu Aab: Der „Philosoph" wird – in krassem Gegensatz zur sonstigen talmudischen Verwendung der Bezeichnung – überwiegend als Christ angesehen, manchmal unter Hinweis auf philosophierende Christen wie Justinus Martyr [193], des näheren v. a. als Judenchrist [194], manchmal aber auch als Heidenchrist [195] klassifiziert. Den Vogel schoß R. T. Herford [196] ab, der ihn "quite likely" gar für einen Bischof hielt. Demgegenüber fiel M. Friedländer [197] mit seiner Meinung, daß kein Christ gemeint sei, völlig aus dem Rahmen. Der einzige Grund für die Mehrheitsmeinung ist nämlich die (s. unten) nicht zu beweisende Annahme, daß der „Philosoph" im folgenden aus einem Evangelium die Tradition oder überhaupt den Text von Mt 5, 17 zitiere. Übrigens deutete auch Raschi den „Philosophen" nicht so naiv als Christen, sondern als *mîn* (worunter freilich z. B. Herford fast immer einen Christen verstand), und gerade in den Tosafot findet sich auch eine Deutung auf Grund des Griechischen („Freund der Weisheit") neben einer anderen auf „Spötter".

Ab: gibt die Absicht des Geschwisterpaares an, und zwar ganz im Sinne einer unterhaltsamen Erzählung: Sie wollen nicht mehr und nicht weniger als sich über den angeblich unbestechlichen Richter lustig machen. Historisierende und moralische Erwägungen, ob dergleichen für den würdigen Rabban Gamliel denkbar oder geziemend gewesen sei [198] oder ob er vielleicht diesen Streich in sehr jungen Jahren verübt habe – wodurch man noch ein Stückchen weiter ins 1. Jh. n. Chr. hinabkäme – sind überflüssig bzw. fehl am Platz, denn sie gehen am literarischen Charakter der Erzählung vorbei.

Zu Teil B: Der erste Prozeß

Zu Bb: Die Schwester verlangt in ihrer Scheinklage vom Bruder einen Erbanteil an der väterlichen Hinterlassenschaft, wie schon bemerkt, ein nach jüdischem Recht unmögliches Anliegen, in dieser Erzählung aber angesichts eines nichtjüdischen Richters eine sinnvolle und geistreiche Forderung, da damit ja das Problem der konkurrierenden Rechte und somit die Möglichkeit gegensätzlicher

Entscheidungen auf formalrechtlich legitimer Basis gegeben ist. In der Forderung der Frau einen Seitenhieb auf Jesu davidische Herkunft allein über Maria und somit auf seine mangelhafte Legitimität als Messias zu sehen[199], ist reichlich gesucht. Das Anliegen war nämlich trotz der in Num 27, 7f. begründeten klaren Rechtslage auch im Judentum durchaus bekannt, und im Bestreben, den Töchtern mehr als nur die zustehende Versorgung bis zur Eheschließung zukommen zu lassen, entwickelte man in amoräischer Zeit Ersatzlösungen für die nicht mögliche Erbbeteiligung, einmal als Vermögens-Teilüberschreibung in der Heiratsurkunde unter der Bedingung der ausschließlichen Erbberechtigung der Nachkommen der begünstigten Frau, so daß dieses Vermögen nicht an die Familie des Mannes fallen konnte, bzw. durch Zuteilung eines Zehntels des Nachlasses zusätzlich zum Unterhaltsanspruch[200]. Wiewohl aus mBB VIII, 5 (dazu bBB 130a) deutlich wird, daß Num 27, 7f. in tannaitischer Zeit als gültig angesehen wurde[201] und nicht durch eine testamentarische Verfügung umgangen werden durfte, kam es in amoräischer Zeit darüber zu Diskussionen. In jBB VIII, 1f. 15d–16a wird das Erbrecht der Tochter direkt angesprochen und darauf verwiesen, daß „die Weisen der Nichtjuden sagen: Sohn und Tochter gelten als gleich (*ben û-bat šawîn kᵉʾaḥat*)“, und in bBB 110a–b wird der Diskussionsbeitrag des R. Papa (Bab., Mitte 4. Jh.) zurückgewiesen, daß aus Num 27, 8 eventuell erschlossen werden könnte, Sohn und Tochter sollten gleichteilig erben. In bezug auf Erbschaft nach der Mutter wird dieselbe Frage, ob Sohn und Tochter gleichermaßen erben, bBB 111a diskutiert und abschlägig entschieden, und bBB 115b–116a rügt eine Ansicht, nach der die Tochter mit der Tochter des Sohnes des Erblassers erbt, als sadduzäisch, „denn die *Ṣaddûqîm* sagen: Die Tochter erbt mit der Tochter des Sohnes“ (vgl. auch tJad II, 20).

Hier liegt also ein in amoräischer Zeit intensiv diskutiertes rechtliches Problem vor, und die Erzählung in bSabb 116a–b schließt diese damals aktuelle Diskussion ein, indem sie die Frage des Töchtererbanspruchs zum Inhalt der Prozeßfiktion machte. In dem Zusammenhang ist illustrativ, daß für das Mittelalter Fälle bezeugt sind, in denen Juden in Erbschaftsstreitigkeiten die Entscheidung nichtjüdischer Gerichte suchten – offenbar, um der voraussehbaren Entscheidung auf innerjüdischer Rechtsbasis zu entgehen [202]. Derartige Versuche hat es wohl auch in der Antike gegeben, [203] und insofern spiegelte sich vielleicht in der Erzählung auch rechtsgeschichtliche Erfahrung dieser Art.

Zu Bc: Das Urteil des „Philosophen" entspricht römischem Recht [204]. Das lag zwar für einen nichtjüdischen Richter nahe, doch hätte er angesichts der Tatsache, daß beide Prozeßgegner Juden waren, auch nach jüdischem Recht urteilen können – wovon er aber, wie die Erzählung voraussetzt, infolge des erhaltenen Geschenks (goldener Leuchter) absah. Dies ist die Voraussetzung für das „Funktionieren" der weiteren Handlung, denn so kann der Bruder darauf verweisen, daß für Juden doch jüdisches Recht angewendet werden sollte.

Zu Bd: Die Formulierung des Einwands mit einem autoritativen Zitat läßt aufmerken. Zwar wird häufig auf Num 27, 8 f. verwiesen, aber das Zitat „Wo ein Sohn vorhanden ist, erbt die Tochter nicht" entspricht nur dem Sinn nach der in Num 27 vorgeschriebenen Gesetzespraxis, stellt also eine präzisierte juristische Formulierung des biblischen Inhalts dar, in der Form weder in der Bibel noch sonst im talmudischen Schrifttum belegt. bKet 52b lautet eine ähnliche, aber nicht so glückliche Präzisierung: „Der Sohn erbt, die Tochter erbt nicht." In bBB 108b liegt ein formales Muster (aber in Hebräisch) vor, das nahekommt, jedoch die Schwagerehe betrifft: „Wo ein Sohn vorhanden ist, gibt es keine Schwagerehe." Die einzige, nahezu volle Entsprechung begegnet in gaonäischer Zeit, in den *Šeʾîltôt* des Achaj Gaon (Bab., 1. Hälfte 8. Jh.): „Falls einer stirbt und Güter hinterläßt, und er hat Söhne und Töchter: Wo Söhne vorhanden sind, erben die Töchter nicht." [205] Allem Anschein nach handelt es sich also um eine in babylonischen Schulen, möglicherweise gerade in Pumheditha, aufgekommene Präzisierung des biblischen Inhalts von Num 27, wobei nichts darauf hinweist, daß Achaj Gaon etwa auf der Basis von bSabb 116b formuliert hätte. Beide, die Erzählung in bSabb 116a–b und Achaj Gaon, beruhen auf derselben Schultradition – mit ein gewichtiges Argument für eine spätamoräische Entstehung der Erzählung.

Zu Bea: Der nichtjüdische Philosoph weist den Anspruch auf Anwendung des jüdischen Rechts ab, indem er auf die veränderte Situation verweist: „Seit dem Tag, da ihr aus eurem Land weggeführt worden seid, ist die Tora des Mose aufgehoben . . .“ Dies ist kein theologisches Argument im Sinne einer Aufhebung des „Alten Bundes“, wie meistens vorausgesetzt wird, sondern ein juristisches, das in der innerjüdischen Diskussion durchaus bekannt war und in gewissem Maße die Realität der mit dem Krieg von 66–70 und wiederum 132–135 n. Chr. verlorenen Rechtsautonomie widerspiegelt[206]. So bBer 58a (aramäisch): „Wir haben seit dem Tag, da wir aus unserem Land weggeführt wurden, nicht die Vollmacht, Todesurteile zu vollstrecken“; oder bBB 60b: „Und von dem Tag an, da die (Römer-)Herrschaft sich ausgebreitet hat, die über uns harte Verordnungen verhängte, sind Tora und Gebot aufgehoben, etc. . . .“ Oder bḤag 5b: „Indem, daß Israel von seinem Ort weggeführt wurde, findest du die größte Tora-Aufhebung.“ Der Ausdruck „Tora des Mose“ begegnet im rabbinischen Schrifttum v. a. im Munde von Nichtjuden bzw. im Zusammenhang mit Diskussionen mit Nichtjuden, die Formulierung der Erzählung folgt insofern korrekt diesem Usus, der heidnische Richter spricht natürlich von der „Tora des Mose“ und nicht von der Tora Gottes. Die Formulierung „Seit ihr aus eurem Land weggeführt worden seid“ (*min jômaʾ diglîtûn me-ʾarᶜᵃkôn*) weist ebenfalls in amoräische Zeit.

Der eindeutig juristische Inhalt und diese Beispiele lassen es nicht zu, hier den Gedanken vom „Alten Bund“ einzutragen, es geht vielmehr um die nach 70 bzw. 135 n. Chr. in Relation zum römischen Recht schwächere Position des jüdischen Rechts – und genau darauf rekurriert der heidnische Richter nicht ohne Grund, wie die erwähnten innerjüdischen Argumente gleicher Art zeigen. Bedeutend problematischer ist die Deutung des zweiten Teils von Bea: „. . . und xy gegeben“. Wie bereits bemerkt, läßt die Textüberlieferung kein sicheres Urteil darüber zu, was anstelle von „xy“ in der Erzählung wirklich einmal gestanden hat. Die vorzugsweise gewählte Lesart *ᶜwn gljwn* ist keineswegs besonders sinnvoll, solang man nicht voraussetzt, daß das „Evangelium“ und dieses wieder als die „den Alten Bund“ aufhebende „nova lex Christi“ gemeint sei[207], wie jedenfalls seit dem frühen Mittelalter üblicherweise interpretiert wurde. Nur steht diese Deutung vor der Schwierigkeit, daß das folgende Zitat eben nicht aus dem NT oder einem sonstigen bekannten christlichen Text stammt, wohl aber römischem Recht entspricht. Das heißt, die Lesart „ein anderes Buch" oder „ein anderes Gesetz" paßt viel besser in den Zusammenhang – und zwar sowohl in den Zusammenhang der Erzählung wie auch in den Gesamtkontext von bSabb 116a–b, wo es um die problematische Buchform der *giljônîm* geht, denn in diesem juristischen Kontext ist wohl anzunehmen, daß der heidnische Richter aus einem Dokument zitiert, das in der rabbinischen Verwaltungssprache mit dem Lehnwort *dift^e^ra^ɔ^* bezeichnet wurde und in gewissem Maß, wie oben gezeigt, ein Synonym zu *gillajôn* darstellt, welches allerdings eher für biblische Texte angewendet wurde. Unter dieser Voraussetzung erklärt sich auch der scheinbare Widerspruch in den Begründungen der beiden gegensätzlichen Urteile des Richters. Handelte es sich bei diesem Dokument um eine Zusammenstellung von Rechtssätzen in *dift^e^ra^ɔ^*-Form, bei der einerseits dem römischen Recht und andrerseits dem jüdischen Recht Rechnung getragen wurde, brauchte der Richter selber gar nicht viel zu manipulieren. Er urteilt – durch Imma Schaloms Geschenk motiviert, zunächst nach römischem Recht, indem er die Rechtsgeltung der Tora vorerst bezweifelt. Sein Argument ist juristisch formuliert, nach einem Muster, das in etwa auch bBM 19b vorliegt, wo es um Urkundenausstellung und -aufhebung geht und die Ausstellung eines *k^e^taba^ɔ^* oder *š^e^ṭara^ɔ^ ^ɔ^aḥ^a^rîna^ɔ^* (einer anderen Urkunde) zur Sprache kommt (vgl. auch bBQ 103a u. ö.), wie überhaupt das Begriffspaar *^ɔ^tnṭl* – *^ɔ^tjhb* (aufgehoben werden – gegeben werden) ausgesprochen juristische Sprache darstellt.

Der gesamte Prozeß- und Argumentationslauf hat also viel mehr Hand und Fuß, als gemeinhin angenommen wurde.

Das Zitat II in Beb) ist somit schwerlich ein fingiertes Evangelienzitat, sondern schlicht römisches Recht. Der gelegentliche Hinweis auf Gal 3, 28[208], eine ausgesprochen theologische und keineswegs juristisch relevante Aussage, ist demgegenüber wenig sinnvoll[209], auch nicht der Hinweis auf Lk 12, 13f.[210] Vermutungen über irgendwelche außerkanonische christliche Quellen[211] sind überflüssig, und M. Güdemanns Ansicht[212], es könne sich möglicherweise um ein echtes Jesus-Logion handeln, da in Jesu Umgebung ja Frauen eine gewisse Rolle spielten, ist kaum ernst zu nehmen, ebensowenig R. T. Herfords Vermutung,[213] es handle sich eventuell um eine judenchristliche Tradition auf der Basis von Act 4, 32–37. Es waren ja nicht die Christen, die in der Antike das Töchtererbrecht erfunden haben. Heidenchristen hatten keinen Anlaß, für sich jüdischem Recht zu folgen, Judenchristen keinen Anlaß, für sich römischem Recht zu folgen, ausgenommen Kreise mit unsicherer Rechtsorientierung. Da in Erbschaftsangelegenheiten oft gern alle Mittel ausgeschöpft werden, ist die vorausgesetzte Situation, durch bewußte Wahl des Richters und somit einer anderen Rechtsnorm Vorteile zu erlangen, gewiß realistisch begründet, doch ohne Belang dafür, ob der „Philosoph" ein Christ war – er hatte allemal die Wahl zwischen jüdischem und römischem Recht. Wer darauf beharrt, daß der Richter als Christ anzusehen ist, müßte schon erklären, warum dieser nicht tatsächlich aus dem NT als der „nova lex" zitiert, etwa die gelegentlich angeführte Stelle Gal 3, 28, wozu noch der Nachweis geführt werden müßte, da dies für die Alte Kirche ein Rechtssatz war.

Zu Teil C: Der zweite Prozeß

Die Erzählung übernimmt aus der Vorlage der „typischen Situation" das Motiv der Gegenbestechung durch einen Esel, hier ein „libyscher" Esel, offenbar eine besonders gute Art (vgl. bSabb 51b). Die Folge ist in b) eine Revision des Urteils durch den Richter, der für sein Verfahren einen recht stichhaltigen Grund anführt: Er habe in dem – wahrscheinlich – *gillajôn* weitergelesen und dort schließlich einen Satz entdeckt, der die Rechtslage wieder umkehrt, also für die Prozeßgegner wieder jüdisches Recht zuläßt. Dies bedeutet keineswegs einen Widerspruch innerhalb der Rechtsordnung, im Gegenteil: Das – anzunehmende – *gillajôn* des „Philosophen" ging zunächst im Erbrecht angesichts des prinzipiellen Vorrangs des römischen Rechts selbstverständlich von diesem aus und konstatierte daher zunächst das gleichanteilige Erbrecht der Kinder. Da aber die Römer den Juden bis auf gewisse Punkte das Privileg gewährten, ihre Angelegenheiten nach ihrem Gesetz und nach ihren väterlichen Traditionen zu regeln, enthielt das *gillajôn* zuletzt eben die Bestätigung, daß die Tora – für jüdische Personen – nach wie vor Gültigkeit habe, obschon in der Provinz ansonsten römisches Recht anzuwenden sei. Der „Philosoph" ging somit, zwar durch das zweite Bestechungsgeschenk motiviert, jedoch völlig rechtens, vom römischen Recht auf das jüdische Recht über, wenngleich es in einem wirklichen Falle nähergelegen hätte, daß der Richter die Parteien auf die innerjüdische Gerichtsbarkeit verweist, sofern diese dieselbe anzuerkennen gewillt waren. Doch die Erzählung braucht ja ihre Pointe – und die liegt im Verhalten des Richters als bestechlicher Persönlichkeit, in der Kritik an der Rechtspraxis der romtreuen nichtjüdischen Gerichtsbarkeit, in deren nach jüdischer Auffassung anmaßendem Vorrangsanspruch, der mit dem jüdischen Vorrangsanspruch („Jakob" contra „Esau"!) konkurrierte.

Der kritische Punkt in diesem Passus ist nun das Zitat III in Cba. Textkritisch (siehe oben) ist zu vermerken, daß hier das nach „Ich" eingedrungene *ᶜwn gljwn* mit ziemlicher Sicherheit als nicht ursprünglich zu betrachten ist. Diese Formulierung „Ich, das *ᶜᵃwôn-gillajôn*, bin nicht gekommen etc. . . ." [214] entspricht weder im sprachlichen noch im sachlichen Niveau dieser vortrefflich strukturierten und gescheit komponierten Erzählung. Das sprechende Ich in einem juristischen Dokument kann schwerlich ein anderes gewesen sein als das eines zuständigen hohen römischen Beamten. Die Formulierung in der Erzählung ist freilich – in einer fiktiven Prozeßbeschreibung natürlicherweise – unverkennbar biblisch-jüdisch. Es handelt sich hier keineswegs um ein Zitat von Mt 5, 17, sondern eindeutig um eine Formulierung à la Dt 4, 2 und vor allem Dt 13, 1 (vgl. sprachlich auch Koh 3, 14). Dem aramäischen Begriffspaar *lmpḥt – lʾwsjpj* in bSabb 116b entspricht hebräisch *lgrwᶜ – lhwsjf*, wobei auffällt, daß in den aramäischen Bibelübersetzungen für „weglassen" (*lgrwᶜ*) die Ausdrücke wechseln. Das Targum Onkelos hat das Verbum *mnᶜ*, das Targum Ps-Jonatan (vgl. auch das samaritanische Pentateuch-Targum und die Peschitta) *bṣr*. In Sifre Dt § 82 steht für *grᶜ* das hebräische *pḥt*, dessen Wortwurzel auch dem aramäischen *lmpḥt* in unserer Erzählung zugrunde liegt. In allen Fällen, da in der talmudisch-rabbinischen Literatur das Begriffspaar „hinzufügen – weglassen" im Sinne von Dt 13, 1 eine Rolle spielt[215], handelt es sich um ganz konkrete Einzelbestimmungen oder Praktiken, nicht um eine grundsätzliche Diskussion über die Geltung der Tora oder deren Erfüllung. Der Sprachgebrauch im Griechischen entspricht dem der Targumim, die LXX und Josephus (c.Ap. I, 42) haben *prostíthēmi – aphairéō/apheleīn*, Arist. § 311 hat *prostitheís – metaphérōn*. Nichts von dem hat etwas mit Mt 5, 17[216] zu tun, wo die Terminologie des Einreißens und Aufrichtens bzw. Auflösens und Erfüllens vorliegt, eine grundsätzlichere Frage angeschnitten wird. In Mt 5, 17 handelt es sich um einen eschatologisch gefärbten *élthōn*-Spruch[217], in bSabb 116b um eine jüdisch-juristische Formulierung (gemäß Dt 4, 2; 13, 1)[218], wie sie z. B. in bḤull 63b vorliegt, wo in bezug auf biblische Bestimmungen über reine und unreine Vögel in Leviticus und Deuteronomium über letzteres gesagt wird: *lʾwsjpj hwʾ dʾtʾ* („hinzuzufügen ist es gekommen", das heißt: „zu ergänzen ist sein Zweck")[219]. Wenn dennoch selbst hervorragende Talmudisten und Spezialisten[220] hartnäckig daran festhielten, daß hier Mt 5, 17 in mehr oder minder veränderter Gestalt[221] oder aus einer uns unbekannten Logiensammlung[222], aus einer judenchristlichen Überlieferung[223] zitiert oder parodiert[224] bzw. entstellt wiedergegeben wird, entspricht dies einerseits einem vorgefaßten Wunschdenken oder einem charakteristischen gelehrten Schuldenken, nach dem nicht angezweifelt wird, was durch zahlreiche Autoritäten (gewohnheitsmäßig) behauptet worden ist. Die Beziehung zu Dt 13, 1 (und eventuell 4, 2) wurde auch in der Vergangenheit zwar vereinzelt vermerkt, doch bagatellisiert, z. B. durch die Annahme, der Talmudtext mißinterpretiere eben den Spruch Jesu durch das Aufgreifen von Ausdrücken, die jüdischem Gesetzesverständnis entsprachen[225], oder der Autor hätte absichtlich diese Formulierung gewählt, um dem „Philosophen" freie Hand für die nächste Entscheidung zu lassen[226]. Auch die Vermutung, die veränderte Gestalt von Mt 5, 17 in bSabb 116a–b gehe auf ebionitisches Gesetzesverständnis zurück[227], ist von der Sache und Sprache her nicht schlüssig. Alle diese stark divergierenden Deutungsversuche zeigen nur, daß die Annahme einer antichristlichen Tendenz zahlreiche Ungereimtheiten nach sich zieht, deren Ausräumung kaum plausibel durchführbar ist.

Es versteht sich aber von selbst, daß von dem Augenblick an, da *ᶜwn gljwn* im Sinne von „Evangelium" verstanden in die Textüberlieferung eingedrungen war, auch das Bedürfnis aufkam, diesen gut jüdischen Passus zu ändern. Da er nun als Aussage Jesu bzw. des „Evangeliums" erschien, sollte er ja doch eine Abweichung enthalten. Die Folge war die teilweise bezeugte Änderung der zweiten Verneinung *wlᵓ* (und ich bin nicht gekommen hinzuzufügen . . .") zu einem *ᵓälla* (". . . sondern hinzuzufügen"). Damit hatte man hier einen Verstoß gegen die Tora, und dieser geänderte Text erinnerte dann – in einer philologisch allerdings unbegründeten Weise – an Mt 5, 17. Für jüdische Ohren ergab sich so für antichristlich-polemische Zwecke ein günstiger Gesichtspunkt: Dt 13, 1 steht im Kontext der Bestimmungen über Falschpropheten und Verleiter zum Götzendienst (siehe Sifre Dt § 175; bSanh 29a unten) – eben jener Bestimmungen, auf welche die nachtalmudische (und z. T. wohl schon frühere) jüdische Apologetik die Verurteilung Jesu durch den Sanhedrin zu gründen pflegte. Damit geriet der ursprüngliche, politische und juristische Sinn der Erzählung gerade auch für jüdische Autoren völlig in den Hintergrund, und der antichristlich-polemische dominierte. Z. Markon[228] dachte daran, daß dieses gesetzwidrige „Hinzufügen" der Christen à la Mt 5, 17–20 auch in bQidd 49a gemeint sei, wo es heißt: „Wer einen Schriftvers in seiner wortwörtlichen Gestalt übersetzt, ist ein Betrüger; und wer ihm etwas hinzufügt, der schmäht und lästert." Im ersten Satzteil seien die Sadduzäer, im zweiten die Christen gemeint.

Zu Cc–d: Die Aufforderung der Frau an den Richter („Laß dein Licht leuchten wie die Lampe"), die Erinnerung an die Bestechungsgabe, stammt ebenso wie Cd, die schadenfrohe Feststellung des erzielten Bestechungserfolges („Der Esel ist gekommen und hat die Lampe umgestoßen"), aus den älteren Fassungen der „typischen Situation" (ungerechter Richter/Bestechungsfälle), und die darin enthaltenen Sprichwörter[229] dienen als sozusagen gerichtsnotorische Spottworte nur mehr dem Abschluß der Erzählung. In Cc eine Anspielung an Mt 5, 15–16 sehen zu wollen[230], grenzt an Parallelomanie ohne Rücksicht auf Kontexte und Inhalte[231]. Noch phantastischer ist für Cd die Vermutung, die Erwähnung des Esels sei eine Spitze gegen Jesus[232]. Geschichte und Form dieses zweiten Sprichworts sind von L. Wallach[233] eingehend untersucht worden, wobei sich unter anderem der Vorschlag M. Güdemanns[234] erübrigte, hinter dem „Esel" eine falsche Lesung für „Scheffel" zu sehen und einen Bezug zum Lampensprichwort unter Anknüpfung an Mt 5, 15–16 anzunehmen.

(d) Ergebnis

Die literarische Analyse und kontextgemäße Erklärung des Textes zeigt auch hier, daß die antichristliche Tendenz nicht zum alten Bestand gehörte. In diesem besonderen Fall hat die polemische Verwendung und Textänderung sogar ein regelrechtes Meisterstück literarischer Konstruktion und juristischer Raffinesse verstümmelt. Ab wann ist nun aber diese polemische Umdeutung und Entstellung anzusetzen? Im Gesamtkontext von bSabb XVI deutet nichts darauf hin, daß sie für die Redaktion bereits vorausgesetzt werden muß. Für sie war offensichtlich das Stichwort *gillajôn* ausschlaggebend, nachdem zuvor von den *giljônîm* und *sifrê mînîm* die Rede war. Wahrscheinlich fand der Redaktor bereits die Tradition über R. Meir und R. Jochanan über *ᵓwn-gljwn* und *ᶜwn-gljwn* in Verbindung mit der Imma-Schalom-Erzählung vor, und das würde bedeuten, daß die letztere das erste, ältere Traditionsstück illustrieren sollte. Von da aus gesehen gewinnt auch die Formulierung *ᵓwn-gljwn* bzw. *ᶜwn-gljwn* einen dem Kontext adäquaten und historisch begreiflichen Sinn. Sollte die Zuschreibung an R. Meir zutreffen, dann wäre die nach dem Bar-Kochba-Krieg eingetretene neue Rechtslage zu bedenken, die vorübergehend wohl völlige Aufhebung der jüdischen Gerichtsbarkeit und der Rechtsgeltung der Tora sowie die Proklamierung einer neuen, am römischen Recht orientierten Rechtsordnung durch entsprechende „Gesetzes-Blätter" (*diftᵉraᵓôt*, juristische Membranen), die man bei vorzugsweise biblischem Inhalt lieber mit dem hebräischen Wort *gillajôn* bezeichnete. Ob R. Meir mit *ᵓwn-* oder *ᶜwn-gljwn* nun die „Verschuldung" bzw. das „Unheil" in bezug auf solch ein *gillajôn* in der Verhängung der neuen

Rechtsordnung und ihrer so erfolgten Publizierung selbst sah oder in der Tatsache, daß jüdische Personen sich mit ihren Anliegen an nichtjüdische Richter wandten, die auf Grund eines solchen *gillajôn* verhandelten und urteilten, sei dahingestellt. Möglicherweise war bei R. Meir aber zunächst auch nur der Verstoß gegen die Herstellung biblischer *giljônîm* gemeint und die eben erwähnte Deutung erst bei der Verbindung mit der Imma-Schalom-Erzählung hinzugekommen.

Jedenfalls kann mit weitgehender Sicherheit das Fazit gezogen werden, daß *giljônîm* nicht Evangelien bedeutete, *ʾwn-/ʿwn-gljwn* durchaus nicht einfach als Wortspiel für „Evangelium" geprägt wurde und von einem NT-Zitat in bSabb 116a–b keine Rede sein kann.

1.2.6. *Schrift und Sprache*

1.2.6.1. Schrift

mJad IV, 5 setzt eindeutig fest, daß biblische Texte nur „die Hände verunreinigen", wenn sie in „assyrischer Schrift" (Quadratschrift) geschrieben sind. Gerade in der griechischsprachigen Diaspora dürfte es aber nicht selten biblische Texte in Transkription gegeben haben, wie die Hexapla des Origenes und vielleicht auch mMeg I, 8 par. (vgl. Sof XV, 1–2) zeigen. Die Rabbinen waren nicht geneigt, solchen Exemplaren denselben Rang und Heiligkeitsgrad wie den von ihnen geforderten Musterexemplaren einzuräumen; wie es die einzelnen Gemeinden in der Diaspora gehalten haben, ist freilich eine andere Frage.

1.2.6.2. Übersetzungen

Auch Übersetzungen biblischer Texte „verunreinigen nicht die Hände", gleichwohl sind sie mit Eintreten der Gebrauchsuntauglichkeit rituell zu „verbergen" (siehe 1.2.7.) und am Sabbat vor dem

Verbrennen zu retten (mSabb XVI, 1; tSabb XIII, 2; jSabb XVI, 1f. 15b–c; bSabb 115a–b; Sof I, 8), und zwar aus Ehrfurcht vor der Heiligen Schrift.

1.2.7. *g^e^nîzah (rituelles „Verbergen")*

Der Geniza-Pflicht unterliegen biblische Schriftexemplare, falls sie (a) gebrauchsuntauglich werden (vgl. besonders bMeg 26b) und zwar sowohl solche Exemplare, „die die Hände verunreinigen", wie Übersetzungen (1.2.6.2.); nach tSabb XIII, 4 par. gilt dies z.T. selbst für nicht mit vorschriftsmäßiger Tinte geschriebene Exemplare. Ferner sind zu „verbergen" (b) Exemplare, die von vornhinein als gebrauchsuntauglich gelten, sei es, weil sie von Nichtjuden geschrieben wurden oder daß sie ein *mîn* im Besitz gehabt hat (bGiṭṭ 45b)[235], sie in einer *ʿîr niddaḥat* (abtrünnigen Stadt) aufgefunden wurden (mSanh X, 6) oder pro Kolumne mehr als 3–4 Schreibfehler enthalten (und daher nicht mehr korrigierbar sind) (bGiṭṭ 45b). Der Geniza sollen Rabbinen auch Exemplare in Goldschrift unterzogen haben (Sof I, 9; vgl. bSabb 103b). Insofern werden also derartige Bibelexemplare wie untauglich gewordene Kultgeräte behandelt.

Manche hielten selbst die in untauglichen Bibelexemplaren enthaltenen Gottesnamen für so heilig, daß sie empfahlen, sie auszuschneiden und „zu verbergen" (tSabb XIII, 5 par., s. oben 1.2.4.1.b), und ein ähnliches Verfahren wird auch sonst bei Gottesnamen gefordert (vgl. mMeg III, 5; bSabb 61b par.; bAr 6a). Aber auch der Fluchtext von Num 5, 23 soll im Tempel „verborgen" worden sein, falls er (wegen Geständnisses der Verdächtigten) nicht gebraucht wurde (tSoṭa II, 2).

Von einzelnen biblischen Büchern wird erzählt, man habe sie wegen der religiösen Problematik ihres Inhalts „verbergen" wollen, so das Buch Ezechiel (bSabb 13b; bḤag 13a; bMen 45a), Kohelet (bSabb 30b), Proverbien (bSabb 30b), Hoheslied und Kohelet (ARN I). Das heißt, manche wollten diese Bücher aus dem öffentlichen Gebrauch ziehen, was wohl nicht ihren „kanonischen" Charakter betrifft, sondern eine Einschränkung der Benutzung bedeutet. Dergleichen wird nun auch von andern Büchern gesagt, etwa mPes IV, 9 par.; bBer 10b von einem *Sefär r^{e}fû$^{\circ}$ôt* (Medizinbuch), das König Hiskia verborgen haben soll, eine Maßnahme, die die Rabbinen guthießen, ferner bPes 62b von einem *Sefär jûḥ^{a}sîn* (Genealogienbuch).

Anscheinend stellte man sich vor, daß diese Bücher eine offizielle Funktion hatten und Hiskia diese Verwendung aufhob.

Schon in bildlichem Sinne verwendet bSoṭa 49b das Wort, wenn gesagt wird, daß seit dem Tod des R. Eliezer gar die Tora „verborgen" gewesen (öffentlich aus dem Gebrauch gekommen) sei.

Die neuere Forschung ist sich so gut wie einig in der Feststellung, daß die Geniza-Pflicht nur für biblische Bücher galt, die als autoritative Schriften angesehen wurden, und die erwähnten Versuche, einzelne biblische Bücher dem (öffentlichen liturgischen) Gebrauch zu entziehen, nicht deren offenbarungsmäßige Autorität in Zweifel ziehen sollten, sondern nur die Opportunität ihrer offiziellen Verwendung[236]. Gleichwohl wird man in Anbetracht der bereits erwähnten Texte mit Hinweisen auf gelegentliche Infragestellungen der Qualität des „Händeverunreinigens" (1.2.2.2.) zugestehen müssen, daß zumindest eine Tendenz zu deutlich wertender Abstufung innerhalb des Corpus der autoritativen Schriften zu erkennen ist, mag auch der Begriff „Kanonizität" tatsächlich fehl am Platz sein. In diesem Sinn sind fast alle Darstellungen der Geschichte des atl. Kanons korrekturbedürftig[237].

1.2.8. *Inspiration*

Dem Begriff der Kanonizität am nächsten kommt das Kriterium der Inspiration: ob eine Abfassung unter Einfluß des Heiligen Geistes angenommen wird oder nicht[238]. Die Belege dafür sind allerdings äußerst spärlich. Josephus drückte sich in c. Ap. I, 42 f. anders, allgemeiner aus. tJad II, 14 behauptet R. Simon b. Menasja, das Hohelied „verunreinige die Hände", weil es inspiriert sei, Kohelet hingegen „verunreinige die Hände" nicht, weil es sich nur um Weisheit Salomos handle. Diese Ansicht wird zurückgewiesen, wie auch

R. Samuels Behauptung in bMeg 7a, daß Ester nicht „die Hände verunreinige", gleichwohl aber inspiriert sei. Und recht interessant ist ein Passus in Gen.R. 85, 2 über das Buch Daniel, für das die Möglichkeit einer falschen Anordnung zur Diskussion gestellt wird. Die Rabbinen entschieden, die Inspiration zu betonen, damit man nicht sage, es handle sich um *dibrê pijjûṭîn*- (Lesart: *bᵉdaᵓîn*) Dichtungen (freie Erfindungen)!

Als Kriterium für die Wertung biblischer Schriften war die Inspiration in der rabbinischen Überlieferung offenbar eher mit dem Kriterium der Abfassungszeit (1.2.9.) verbunden, mit der Vorstellung vom Aufhören der Prophetie und somit der Inspiration nach dem babylonischen Exil[239].

1.2.9. *Abfassungszeit*

Sowohl Josephus in c.Ap. I, 42 wie IV. Esra 14 setzen als Zeitspanne der Abfassung der biblischen Schriften die Zeit zwischen Mose und Esra voraus. Offenbar ist in diesem Sinn auch der zweite Teil von tJad II, 13 (s. 1.2.4.1.a) gemeint:

„Die *sifrê Ben Sîraᵓ* und alle die Bücher, die von da an folgend geschrieben wurden, verunreinigen nicht die Hände".

Dies erscheint hier als Zusatz zum Teil A, der verneint, daß die *giljônîm* und *sifrê mînîm* die Hände verunreinigen, hat aber mit ihm ursprünglich wohl nichts zu tun, wie oben deutlich wurde. Wahrscheinlich stammt der Zusatz aus einer bereits so späten Zeit, daß „die Hände verunreinigen" nicht mehr im konkret-rituellen Sinn verstanden wurde und somit in der Tat etwas wie ein Kanonizitätskriterium auftaucht, freilich begründet in der Abfassungszeit[240]. „Die Bücher Ben Sira" – im Plural! – erscheinen bereits als jenseits der Grenze der Abfassungszeit für Schriften, die die Qualität der rituellen Händeverunreinigung erhalten können. Man kann nicht behaupten, daß „die Bücher Ben Sira" hier stellvertretend für eine ganze Gruppe von „Apokryphen" stehe[241], denn konkret ging es offenbar in der Tat nur um die Frage, ob Sirach mit zu den autoritativen Schriften zu zählen sei. Das Problem dieses Buches, das in der rabbinischen Literatur (v. a. in amoräischer Zeit) wiederholt zitiert wird, begegnet auch noch im Zusammenhang des Kriteriums der Zahl der biblischen Bücher und des zulässigen Lesens (s. u.).

1.2.10. *Die Zahl der biblischen Bücher*

Ein formal das Corpus der autoritativen Schriften abschließendes Kriterium wäre eine genaue Liste. Josephus c.Ap. I, 42 enthält jedoch außer der Gesamtzahl 22 keine ganz exakte Aufzählung, während IV. Esra 14 als Gesamtzahl 24 nennt. Die Zahl 22 ist am ehesten dadurch zu erklären, daß Rut und Klagelieder jeweils mit Richter und Jeremias zusammen als ein Buch gezählt werden konnten[242], außerdem bot sich 22 als Zahl der Buchstaben des hebräischen Alphabets auch aus spekulativen Gründen an (so auch Epiphanius, Haer. VIII, 6, 2 nach Hieronymus; vgl. auch Midr.Teh I, 8). Die 24 Bücher, in bBB 14b–15a detailliert aufgeführt, werden nun in einigen Texten als unüberschreitbare Anzahl betont und zwar im Zusammenhang mit Auslegungen zu Koh 12, 12, nämlich (nur knapp) in jSanh X, 1 (f. 28a), Koh.R. XII, 12, und Pes.R. III (ed. Friedmann 9a). Der Passus *wjwtr mhmh bnj hzhr* in Koh 12, 12 kann verschieden vokalisiert und verstanden werden, einmal als „und mehr als dies (*me-hemmah*), mein Sohn, sei vorsichtig!" oder als „und mehr (bedeutet) Verwirrung (*m^{e}hummah*), mein Sohn, sei vorsichtig . . .". Während in Pes.R. III im Anschluß an die letztere Deutung zunächst die 24 Priesterwachen zu den 24 biblischen Büchern in Relation gesetzt werden, heißt es schließlich: „Und jeder, der in einem Buch außerhalb (*hûṣ min*) der 24 liest, ist wie einer, der in den *s^{e}farîm ha-ḥîṣônîm* liest" (mit Wiederholung des Passus aus Koh 12, 12). Und in Koh.R. XII, 12 heißt es im Anschluß an die Vokalisation *m^{e}hummah*: „denn jeder, der in sein Haus mehr als 24 Bücher (der Bibel) bringt, der bringt Verwirrung in sein Haus, wie etwa das Buch Ben Sira und das Buch Ben *TGL*ʾ". Und nach Zitierung des Schlusses von Koh 12, 12 („Viel Studieren ist eine Mühsal für das Fleisch") heißt es: „Zum (erbaulichen) Studium (*lhgwt*) sind sie gegeben und nicht zur Mühsal für das Fleisch sind sie gegeben", d. h.: die zahlenmäßige Begrenzung ermöglicht gerade dieses richtige Studieren, eine Fülle von Büchern hingegen würde nur „Mühsal" bewirken. Beide Texte beziehen sich schon auf eine Überlieferung, die vor dem „Lesen" bestimmter Bücher warnt. Welche Bücher „gelesen" werden und welche nicht, war also ein weiteres Kriterium der Wertung und Behandlung von Büchern. Die Hervorhebung der Zahl 24 zeigt, daß zumindest manche Kreise auch weitere Schriften für „lesbar" gehalten haben. Freilich führen diese erwähnten Texte schwerlich in tannaitische Zeit zurück, sie setzen ja die Überlieferung vom verpönten „Lesen" der *s^e^farîm ha-ḥîṣônîm* bereits voraus, hängen vielleicht mit Reaktionen auf das in amoräischer Literatur spürbare Interesse für das Buch Sirach zusammen.

1.2.11. *„Lesen" und „Nichtlesen"*

1.2.11.1. Liturgische (öffentliche) Lesung

Für die gottesdienstliche Schriftlesung aus Tora und Propheten forderten die Rabbinen Bibelexemplare von der Qualität des „Händeverunreinigens" und von tadellosem Zustand. Raschi hat den Sachverhalt in seinem Kommentar zu bSoṭa 20a wie folgt zusammengefaßt: „Alle Heiligen Schriften, die nicht würdig sind, daß in ihnen (vor)gelesen wird, sind (rituell) zu verbergen, damit sie nicht unehrerbietig behandelt werden (können)". Findet sich ein taugliches Exemplar im Besitz eines Nichtjuden und wird erworben, so ist es nach einer Ansicht zur Lesung zuzulassen, nach andrer „zu verbergen", ist der Besitzer jedoch ein *Mîn,* dann ist es auf alle Fälle zu „verbergen", also dem Gebrauch zu entziehen (bGiṭṭ 45b, vgl. bMen 42b).

1.2.11.2. Erbauliches (privates) Lesen

In mSabb XVI, 1 (1.2.3.a) wird bestimmt, daß alle heiligen Schriften vor einem Brand am Sabbat zu retten sind, „ob man in ihnen liest oder ob man in ihnen nicht liest". Dies wird in einem Teil der Überlieferung zwar auf die öffentliche Lesung bezogen, so daß die erste Gruppe Tora und Propheten, die zweite die Hagiographen darstellt, aber im Zug der Schulüberlieferungen vermengte sich damit die Vorstellung vom individuellen, nichtliturgischen Lesen, und zwar im Anschluß an die Frage: „Und warum liest man in ihnen nicht?" – auf die Hagiographen bezogen. Die Antwort lautet: „Wegen der Vernachlässigung des Lehrhauses (*mippᵉnê biṭṭûl bêt ham-midraš*)". Obwohl unmittelbar vor dieser Frage und ihrer Beantwortung auch ein Hinweis auf Transkriptionen oder Übersetzungen steht, die zwar nicht für liturgische Lesung zugelassen sind, dennoch aber am Sabbat vor dem Brand gerettet werden sollen, hat das Thema des Hagiographenlesens die Diskussion beherrscht: Dabei geht es nicht mehr um gottesdienstliche Lesungen, sondern um erbauliches „Lesen" bzw. Studieren. Damit ist kein gewöhnliches Lesen gemeint, wie man etwa Briefe oder Urkunden liest, sondern offenbar eine Art von kantillierendem Lesen (vgl. Act 8, 28.30; Sof III, 10 Ende)[243], daher handelt es sich um ein weiteres Kriterium für die Wertung heiliger Schriften: Midr.Teh I, 8 mahnt z. B., in den biblischen Büchern nicht so zu lesen „wie man in den *sifrê MJRS* (Homer?) liest, sondern man soll sie lesen und studieren (*hgh*)" – und so würde man auch belohnt werden wie für Halaka-Studien.

Die Gemara zu mSabb XVI, 1 stellt in jSabb XVI, 1 f. 15c[244] (vgl. tSabb XIII, 1) fest, daß man in den Hagiographen am Sabbat zwar nicht (in diesem Sinne) liest, jedoch nur nicht bis zum Minchah-Gebet, danach wohl; man dürfe die Hagiographen allerdings (mündlich) zitieren und auslegen, und wenn man etwas darin nachschlagen müsse, sei auch dies gestattet: Man nehme (ein Exemplar) und schlage nach. Als Grund für das Hagiographen-Leseverbot bis zum Minchahgebet wird die durch solche Lektüre bedingte Vernachlässigung des Lehrhaus(betrieb)es genannt. Der Sinn dieses Leseverbots ist es also gewesen, die Leute davon abzuhalten, sich daheim mit Hagiographen in religiös-erbaulicher Lesung zu beschäftigen, statt im Lehrhaus den Vorträgen der Rabbinen zu lauschen[245]. Eine andere Begründung im jTalmud (vgl. tSabb XIII, 1) trägt rationalisierende Züge: Man habe das Hagiographenlesen unterbunden, damit die Leute nicht meinen, man dürfe alles lesen, z. B. auch profane Urkunden; so aber würden sie sagen: Wenn schon Hagiographen verboten sind, um so mehr profane Urkunden. Das eigentliche rabbinische Anliegen kommt zuletzt noch einmal zutage: Die Mischna (mündliche Tora) hat den Vorrang vor der schriftlichen Lehre (miqraᵓ), und der Talmud wieder vor der Mischna, d. h.: Die Erörterung der Halaka im Lehrhausbetrieb gilt als vorrangig, daher werden auch Haggada-Bücher ausdrücklich getadelt, denn auch sie halten die Leute vom Lehrbetrieb und seinem eigentlichen Anliegen ab. Aber dabei war auch Standesinteresse im Spiel, denn auch die Niederschrift von Halakot war verpönt und wird z. B. bTem 14b mit „Verbrennen der Tora“ verglichen, und wer aus solchen Büchern lerne, erhalte keinen Lohn. Nicht nur der Vorrang der mündlichen Halaka-Lehre, sondern das damit zugleich beanspruchte Monopol der rabbinischen Lehrautorität steht zur Debatte, und so gerieten die Rabbinen in die Lage, in der einst die Priester gewesen waren: Wie die Priester das Monopol der Kontrolle über die Textgestalt der Bibel verteidigten und die Pharisäer und frühen Rabbinen demgegenüber für die erweiterte Verfügbarkeit der Musterexemplare eintraten, so suchten sie nun in amoräischer Zeit selber ihre errungene Lehrfunktion als Monopol zu erhalten und das studierende Lesen von biblischen oder anderen Büchern zu unterbinden, sofern ein *biṭṭûl bêt ham-midraš*, eine Vernachlässigung des Lehrhauses, zu befürchten war. Dieser Tendenz entsprachen auch schon Texte, die oben (1.2.10.) im Zusammenhang mit der Zahl der biblischen Bücher erwähnt wurden: Wer mehr als die 24 Bücher in sein Haus bringt, um sie zu studieren, bringt „Verwirrung“ in sein Haus. Ganz massiv wird der Vorrang der *dibrê sôfᵉrîm/ḥᵃkamîm* (der rabbinischen Lehre) vor der Bibel bEr 21b hervorgekehrt – und zwar ebenfalls mit Benutzung von Koh 12, 12.

Im bTalmud Sabb 116b wird die Frage, warum man am Sabbat aus den Hagiographen nicht liest, ebenfalls ausführlich und mit babylonischem Lokalkolorit diskutiert.

1.2.11.3. Profanes Lesen

Vom Lesen im liturgischen Sinn im Gottesdienst und vom eben erwähnten Lesen im religiös-erbaulichen Sinne wird ausdrücklich das normale Lesen unterschieden. So heißt es z. B. in den ›*Halakôt gᵉdôlôt*‹ § 75: „Man soll nicht einen *sefär tôrah* ergreifen und herumgehend darin lesen und daraus zitieren, als ob man in (profanen) Urkunden läse, und zwar deshalb nicht, weil man so damit unehrerbietig umgeht".

Biblische Bücher so zu lesen wie profane Schriftstücke wird auch sonst verpönt (vgl. Midr. Teh I, 8), bei manchen biblischen Texten war dabei nämlich tatsächlich eine Profanierung zu befürchten, z. B. bei Verwendung von Hohelied-Versen im Sinne von Volksliedern oder überhaupt leichtfertigem Zitieren biblischer Texte zur Unterhaltung im Wirtshaus (bSanh 101a). Diese Unterscheidungen sind eine wichtige Voraussetzung für das Verständnis der folgenden Texte.

1.2.11.4. Die *sᵉfarîm ha-ḥîṣônîm*

(a) Das Problem

Im Exkurs über Anteil oder Nichtanteil an der „Kommenden Welt" in mSanh X, der bereits in JvN (S. 51 ff.) behandelt worden ist, heißt es, R. Akiba habe unter anderem angeführt: „Auch wer in den *sᵉfarîm ha-ḥîṣônîm* liest (hat keinen Anteil an der Kommenden Welt)". Zu der in JvN bereits referierten Diskussion wäre für den gegenwärtigen Zusammenhang noch zu ergänzen, daß im allgemeinen die Deutungen als „häretische Bücher", was christliche einschließen kann[246], oder als „Apokryphen" (im Sinne der Apokryphen des AT)[247] oder als „außerbiblische Bücher" allgemein (und somit eben auch christliche Schriften einschließend)[248] dominieren, wobei in der Regel von der Kanonfrage ausgegangen wird. Gründlichere Untersuchungen konstatieren jedoch Divergenzen in der innerrabbinischen Auslegung der Mischna, denn während im jTalmud X, 1f. 28a (siehe JvN S. 55) als Beispiele „die Bücher des Ben Sira und die Bücher des Ben Laᶜana" genannt und diese wieder von anderen, den Büchern *HMYRS* und allen Büchern, „die von da(mals) an geschrieben wurden", unterschieden werden, identifiziert der bTalmud Sanh 100b die *s^{e}farîm ha-ḥîṣônîm* mit *sifrê mînîm*. Dieser eigentümliche Befund bedarf einer eingehenderen Prüfung, wobei zu beachten ist, daß das halakische Thema nicht in erster Linie die „Kanonfrage" ist, sondern das „Lesen".

(b) mSanh X, 1

Die lapidare, nicht näher erläuterte Aussage: „Auch wer in den *s^{e}farîm ha-ḥîṣônîm* liest" läßt keine eindeutige Erklärung zu, muß aber zu ihrer Zeit ohne weiteres verstanden worden sein. Die Position in einer Liste von Vergehen, die hauptsächlich magische Praktiken darstellen (vgl. JvN S. 51ff.), läßt nun aber vermuten, daß es dabei um eine besondere Art des „Lesens" geht. (1) Die liturgische Lesung, also die Verwendung in der gottesdienstlichen Schriftlesung, liegt zwar von der Kanonfrage her gesehen nahe[249], doch muß bedacht werden, daß es sich dann nicht um das Vergehen einzelner handelt, denn dergleichen könnte ohne Zustimmung einer Gemeinde ja nicht geschehen. Muß man somit annehmen, daß die Praxis ganzer Gemeinden gemeint sei, dann bezeichnet *ḥîṣôn(îm)* entweder nichtrabbinisch orientierte oder auswärtige Gemeinden, in denen man abgesehen von Tora und Propheten auch aus Büchern außerhalb des Corpus der 24 vorzulesen pflegte – aber gerade eine solche Praxis müßte dann nachweisbar sein, es sei denn, man denkt an judenchristliche Gemeinden. Einleuchtender und besser zur Aufzählung paßt (2) die Annahme, das erbaulich-religiöse (private) Lesen (s. oben 1.2.11.2.) sei gemeint, was ja die Anerkennung eines gewissen autoritativen Charakters der betreffenden Schriften einschließt, ohne daß damit unbedingt die „Kanonfrage" verbunden gewesen sein mußte. Die Tendenz, über die Grenzen eines bereits als selbstverständlich geltenden „Kanons" hinaus zusätzlich religiöse Erkenntnisse in anderen Schriften zu suchen, die in mehr oder minder volkstümlicher Frömmigkeit ohne kanonmäßige Qualifizierung als spekulativ ertragreich gelten, ist ja nicht überraschend (läßt sich auch für die christliche Frömmigkeitsgeschichte bis zur Gegenwart immer wieder aufzeigen). Erweist sich somit diese bestimmte Art des „Lesens“ als eigentlicher Stein des Anstoßes und die Aufzählung mit Vergehen magischer Art als plausibel, so fragt sich noch, was unter *ḥîṣôn* gemeint war. Vom tannaitischen Sprachgebrauch her sind zwei Deutungen zu bevorzugen. Einmal könnte einfach der allgemeine Sprachgebrauch „außerhalb (befindlich)“ vorliegen, wobei am ehesten das Corpus der 24 biblischen Bücher als Ausgangspunkt anzunehmen wäre, somit alle außerbiblischen Schriften in Betracht kämen. Angesichts der sonst recht konkret-detailhaften Aufzählung in Sanh X, 1–2 darf man aber wohl vermuten, daß eine Praxis gemeint war, die bestimmte, eben für derartiges „Lesen“ in Mode gekommene Schriften betraf. In diesem Fall drängt sich auch eine eher geographische Bedeutung auf: „auswärtig“ – wobei in erster Linie an Alexandrien zu denken wäre, oder die Bezeichnung einer bestimmten Gruppe. Dabei braucht man wohl nicht auf irgendwelche „Essener“-Hypothesen zu rekurrieren, *ḥîṣônîm* kann eine Globalbezeichnung für nichtrabbinische Zirkel gewesen sein[250] – und insofern wäre der Unterschied zu *mînîm* mehr oder minder gering und die Deutung in bSanh 100b in gewissem Maß berechtigt. Es fragt sich allerdings, wieso diese Bezeichnung so völlig in den Hintergrund geraten konnte, daß de facto nur zwei tannaitische Belege erhalten blieben. Möglicherweise bietet der zweite Beleg die Handhabe für eine Lösung, die beide erwähnten Deutungen verbindet.

(c) mMeg IV, 8

Aa) Sagt einer:
ba) „Ich halte die liturgische Schriftlesung nicht in bunten (Kleidern)“ –
bb) der soll sie auch in weißen nicht halten;
ca) – „mit Sandalen halte ich sie nicht“ –
cb) der soll sie auch barfuß nicht halten.
Ba) Wenn einer seine Gebetsriemenkapsel rund macht,
aba) so ist das eine Gefahr,
abb) und es liegt darin keine Gebotserfüllung;
ba) Legt er sie (die Gebetsriemenkapsel mitten) auf seine Stirn oder auf seinen Handrücken,
bb) so ist das die Art der *mînût*;
caa) überzieht er sie (die Gebetsriemenkapsel) mit Gold

cab) und legt er sie auf seinen Ärmel,

cb) so ist dies die Art der *ḥîṣônîm*.

Die abweichenden Praktiken, die hier und in der folgenden Mischna erwähnt werden, sind zunächst nur insofern von Interesse, als zwischen *mînût* und *ḥîṣônîm* doch deutlich differenziert wird, die Identifizierung in bSanh 100b also trotz behaupteter tannaitischer Tradition eher eine spätere Simplifizierung darstellt, nachdem man keine *ḥîṣônîm* im alten Sinne mehr kannte. Sollten die *ḥîṣônîm* hellenistische Juden (des näheren Alexandriner) gewesen sein? Dafür spricht, daß diesen auch sonst luxuriöse Ausführungen religiöser Objekte nachgesagt werden, z. B. goldene Gottesnamen in Bibelhandschriften (Sof I, 9), wie ja der Aristeasbrief § 176 die Tora-Vorlagen der LXX-Übersetzung überhaupt als in Goldschrift geschrieben bezeichnet, was eher für reiche Alexandriner als für Jerusalem kennzeichnend sein dürfte. Nun waren Alexandriner aber auch in Jerusalem vertreten,[251] und es ist denkbar, daß selbst nach der Katastrophe des hellenistischen Diasporajudentums von 115/117 n. Chr. in Palästina noch eine stärkere alexandrinische Präsenz zu verzeichnen war, so daß die Rabbinen deren Besonderheiten nicht übersehen konnten. Neben der sehr demonstrativen Art der Gebetsriemen-Praxis hätten in dem Fall eben auch die Schriften eine Rolle gespielt, die im hellenistischen Judentum eine quasi-biblische Geltung hatten, vor allem das Buch Sirach, das die Rabbinen selber auch in Hebräisch kannten (vielleicht daher der Plural *sifrê Ben Sîraᵓ*, weil – auch sprachlich – unterschiedliche Fassungen im Umlauf waren?). Waren die *ḥîṣônîm* in diesem Fall den „Hellenisten" von Act 6, 1 ff. vergleichbar? Dann wären sie um 100 n. Chr. noch eine eigene Gruppe neben dem rabbinisch kontrollierten Judentum gewesen, aber im Lauf des 2. Jh. – aus welchen Gründen auch immer – in den Hintergrund getreten, und mit ihnen wäre auch die Bezeichnung *ḥîṣônîm* so gut wie verschwunden. Dafür spricht, daß in jMeg IV, 9–10 f. 75c ebenso wie in bTalmud keine weiteren Ausführungen zu diesem Passus mehr enthalten sind: Das Problem war längst nicht mehr aktuell, obwohl die Praxis, Tefillinkapseln mit Gold zu überziehen, offenbar noch länger anzutreffen war (bGiṭṭ 45a/bMen 42b; vgl. bSanh 48b).

(d) jSanh X, 1 f. 28a

A Auch wer in den *s^e^farîm ha-ḥîṣônîm* liest:

Ba) Wie die *sifrê Ben Sîra*ᵓ und die *sifrê Ben La*ᶜ*anah*

b) [aber die *sifrê HMJRS*]

c) und alle Bücher,

d) die von da(mals) an geschrieben worden sind,

e) wer sie liest, ist wie einer, der einen Brief liest.

Ca) Was ist der Grund?

b) u n d m e h r a l s s i e , m e i n S o h n , h ü t e d i c h . . . (Koh 12, 12)

c) Zur (erbaulichen) Betrachtung *(hgjwn)* wurden sie gegeben, zur Mühsal *(j^e^gî*ᶜ*ah)* wurden sie nicht gegeben.

Zunächst exemplifiziert B die in A zitierte Mischna. Unter *s^e^farîm ḥîṣônîm* wurde hier eine Gruppe von Schriften verstanden, deren bekannteste offenbar die genannten waren. Über den Text wurde bereits an anderer Stelle (JvN 54 f.) referiert, so daß hier nur ergänzende Bemerkungen nötig sind. Was immer auch die „Bücher des *Ben La*ᶜ*anah*" gewesen sein mögen[252], neben den Büchern des Ben Sira muß es wohl auch etwas aus der frühjüdischen Literatur gewesen sein. Das eigentliche Rätsel liegt hier in Bc, in den *sifrê hmjrs*, denn das Kriterium der Abfassungszeit (1.2.9.) wird tJad II, 13 (siehe 1.2.4.1.a) unmittelbar mit den *sifrê Ben Sîra*ᵓ verbunden. Man würde also erwarten:

Ba) „. . . wie die *sifrê Ben Sîra*ᵓ und die *sifrê Ben La*ᶜ*anah*

b) und alle Bücher,

c) die von da(mals) an geschrieben worden sind –

d) wer in ihnen liest, ist wie einer, der in einem Brief liest . . ."

Der Passus *ᵓbl sfrj hmjrs* (Ca) erscheint demnach als Glosse, die den ursprünglichen Sinn des Ganzen wesentlich verändert. Während der Text ohne Glosse die Lektüre von *s^e^farîm ḥîṣônîm* im Sinne des erbaulich-religiösen „Lesens" ausschließt und als rein profane Lektüre definiert, wirkt nach Einfügung der Glosse der Sachverhalt merkwürdig, weil die *sfrj hmjrs* und alle anderen nachbiblischen Schriften in einen unbegreiflichen Gegensatz zu den *sifrê Ben Sîra*ᵓ und *Ben La*ᶜ*anah* treten (obwohl gerade Ben Sira nicht als „häretisch" verpönt war, sondern im rabbinischen Judentum überliefert und tradiert wurde, wenngleich mit gelegentlicher Betonung des religiös nicht autoritativen Charakters). Außerdem zeigt die Angabe des Grundes am Ende des Textes mit dem Zitat Koh 12, 12, daß hier das Kriterium der Abfassungszeit (1.2.9.) und der Anzahl der biblischen Bücher (1.2.10.) vorausgesetzt ist, es nicht um ein allgemeines Leseverbot nach- bzw. außerbiblischer Literatur geht, sondern um eine Begrenzung der religiös-erbaulichen Lektüre auf die 24 biblischen Bücher, die eben in ihrer zahlenmäßigen Beschränkung dem *higgajôn* (dem religiös erbaulichen Studium) dienen sollen und können, während eine Ausweitung des Kreises der so studierbaren autoritativen Schriften gemäß Koh 12, 12 *j^e^gî^c^ah* (Mühsal, Arbeit) nach sich zöge. Dazu paßt, was im Midr. Teh I, 8 (vgl. 1.2.11.2.) im Blick auf biblische Bücher ausgesagt wird:

„Und man soll in ihnen nicht (so) lesen, wie man in den *sifrê MJRS* liest, sondern man soll sie lesen und (in erbaulich-religiösem Sinne) studieren" und erhält dafür dann Lohn wie für Halaka-Studieren. Außerbiblische Bücher hingegen dürfen nicht in dieser Weise studiert werden – sie dürfen nur so wie jedes andere profane Schriftstück gelesen werden. S. Liebermanns Deutung[253], daß "casual reading" erlaubt, aber "intensive study" verboten sei, kommt dem nahe, kann aber, wie gezeigt, noch präzisiert werden.

(e) bSanh 100b–101a

A R. Akiba sagte:
Auch wer in den *s^e^farîm ha-ḥîṣônîm* liest etc.

Ba) Es ist überliefert:
b) In den *sifrê mînîm/ṣaddûqîm.*[254]

Caa) R. Josef (Bab., 1. Drittel 4. Jh.) sagte:
ab) Im Buch *(sefär)* Ben Sira ist es auch verboten *(ʾasûr)* zu lesen.
ba) Abaje (Bab., 1. Drittel 4. Jh.) sagte zu ihm:
bb) Etwa weil (darin) geschrieben steht:
bc) . . . (kritische Erörterung von Einzelinhalten im Verhältnis zu biblischen und rabbinischen Aussagen) . . .
ca) R. Josef sagte:
cb) Doch die trefflichen Worte darin dürfen wir ihnen (der Zuhörerschaft) darlegen *(dršjnn lhw)*:
cc) . . . (Beispiele und Erörterungen) . . .

Daa) Die Rabbanan lehrten:
ab) Wer einen Vers des Hohenliedes liest
und ihn (dabei) zu einer Art Lied *(zāmār)* macht,
ac) und wer einen (Bibel-)Vers im Wirtshaus zur unrechten Zeit liest (rezitiert)
ad) bringt Unheil in die Welt.
b) . . . (die personifizierte Tora beklagt sich vor Gott darüber, daß die Menschen sie zu einem Instrument machen, dessen sich Spötter bedienen) . . .
ca) R. Simon b. Eleazar bezeugt im Namen des R. Simon b. Chananja:
cb) Jeder, der einen (Bibel-)Vers zur rechten Zeit liest (rezitiert), bringt Gutes in die Welt
cc) etc. . . .

Was mit der in Bb angeführten, angeblich tannaitischen Überlieferung gemeint war, ist kaum mit Sicherheit festzustellen. Schon die Textvariante *ṣaddûqîm* zu *mînîm* läßt sich nicht einfach auf Grund der Talmudzensur abtun, es bleibt die Möglichkeit, daß sie alt ist. Während die modernen Erklärungen vor allem der Identifizierung der *mînîm* (bzw. *ṣaddûqîm*) gelten[255] und darunter vor allem Judenchristen[256] bzw. Christen überhaupt[257] gesehen werden, stellt sich kontextgemäß zunächst die Frage, von welchen Büchern die Rede ist, von biblischen der *mînîm* – wie bislang stets, wenn von *sifrê mînîm* die Rede war – oder von außerbiblischen. Die Annahme, biblische Bücher von *mînîm* seien gemeint, hat manches für sich, denn die halakische Tendenz lief ja darauf hinaus, Bibelexemplare der *mînîm* auf alle Fälle zu ächten, wenn nicht gar zu vernichten. Wollten also manche dennoch aus ihnen lesen, so ist nicht bloß die Drohung mit dem Verlust der „Kommenden Welt“ begreiflich, sondern auch die anschließende Überlieferung B über das Buch (Singular!) Sirach, von dem R. Josef zwar meint, es sei für synagogale Vorlesung oder für die religiös-erbauliche Lektüre verboten[258], aber dennoch im Lehrbetrieb zitierbar – wie man eben andere Literatur auch benutzt. Charakteristischerweise folgt in D dann die Ablehnung normaler Benutzungsweisen oder gar Profanierungen im Blick auf biblische Bücher, wobei das Hohelied offenbar besonders gern mißbraucht wurde. Aber das Ganze hat auch Hand und Fuß, wenn man unter *sifrê mînîm* hier nichtbiblische Schriften versteht[259], eben *sifrê ḥîṣônîm* im Sinne von mSanh X, 1 und jSanh X, 1, wobei nur die vielleicht unverständlich gewordene Bezeichnung *ḥîṣônîm* durch *mînîm* ersetzt wurde. Diese Deutung setzt möglicherweise die schon (1.2.10.) erwähnte Stelle Pes.R.III (ed. Friedmann 8b–9a) voraus, wo es heißt: „Und jeder, der in einem Buch außerhalb der 24 (religiös studierend) liest, ist wie einer, der in den *s^e^farîm ha-ḥîṣônîm* liest". Auch hier ist wie in bSanh 100b natürlich nicht von normalem Lesen die Rede, sondern vom erbaulich-religiösen Studieren, das auf die biblischen Bücher beschränkt bleiben soll, und der Passus: „ist wie einer, der in den *s^e^farîm ha-ḥîṣônîm* liest" bezieht sich auf den Spruch des R. Akiba mSanh X, 1, so daß sich als Sinn von Pes.R.III ergibt: Wer außerbiblische Bücher auf die Weise erbaulich-studierend liest, wie man nur biblische lesen soll, verliert seinen Anteil an der Kommenden Welt.

Die knappe Formulierung von Bb läßt keine weitreichenden Schlüsse zu. In gaonäischer Zeit hat man diese *s^e^farîm ḥîṣônîm* = *sifrê hmjrs* mit der griechischen Literatur und insbesondere Philosophie verbunden[260], vielleicht eine Reminiszenz an die alte Bedeutung von *ḥîṣônîm* (Abs. b: Hellenisten), aktualisiert durch amoräische Abwehr griechischer Bildung und vielleicht erneut aktualisiert als Spitze gegen gebildete jüdische Kreise, die im neuen kulturellen Klima der arabischen Welt Kenntnisse der antiken Literatur aufgriffen und verbreiteten. Es ist zu gewagt, hier unter *mînîm* speziell Christen zu sehen und folgerichtig dann im Passus selbst eine Polemik gegen christliche Bücher bzw. gegen das NT, auch wenn im christlich beherrschten Bereich diese Deutung zum Zweck aktueller Polemik nahelag. Außerdem ist zu bedenken, daß für strenge Rabbinen die Differenz zwischen stark hellenisierenden Juden und *mînîm* kaum ins Gewicht fiel und daß man sich auch kaum darum gekümmert hat, ob darunter glaubensmäßig noch weiter zu differenzieren wäre (Christen, Gnostiker). Eines dürfte aber mit einiger Gewißheit feststehen: Es geht an keiner bisher erörterten Stelle darum, die Lektüre bestimmter Bücher überhaupt zu verbieten[261], es geht um die Differenzierung des „Lesens" im Sinne religiös-erbaulichen Studierens und normaler, profaner Lektüre bzw. Benutzung[262].

(f) bḤag 15b

Die Mischna legt Ḥag II, 1 Einschränkungen in bezug auf bestimmte Lehrgegenstände fest, offensichtlich zur Abwehr unerwünschter Spekulationen und von Mißverständnissen biblischer Texte. Angesichts der umfangreichen Gemara in jḤag II, 1 f. 77a–d und bḤag 11b–16a wird deutlich, daß die rabbinischen Besorgnisse über spekulative und schließlich dissidente Tendenzen beträchtlich waren. Während aber weite Teile dieser Überlieferung in der Forschung auf gnostische Vorstellungen bezogen wurden, konstatierte kaum jemand Bezüge auf das Christentum [263]. Dies gilt es zu bedenken, wenn man die in bḤag 15b erwähnten *sifrê mînîm* zu deuten versucht.

Im Zusammenhang mit der Vorschrift, über *ma^{ca}śeh märkabah* auch vor einem einzelnen Schüler nur dann vorzutragen, wenn dieser bereits über eine entsprechende eigene Einsicht verfügt, wird hier (auch tḤag II, 3) unter anderem das legendäre Geschick von vier Rabbinen des frühen 2. Jh. erwähnt, die „ins Paradies eingetreten" seien und von denen nur R. Akiba unbeschadet davonkam. „Acher" (Elischa b. Abuja) hingegen habe „Pflanzungen abgeschlagen". Dieser Ausdruck bezeichnet gemeinschaftsschädigendes Verhalten, hat seinen Ursprung in der konkreten Wertschätzung von Bäumen und Pflanzen (vor allem nach den Kriegen 66–70 und 132–135 n. Chr.), so daß Beschädigen von Bäumen bzw. Pflanzungen (etwa durch umfangreichere Kleinviehhaltung) oder gar Abschlagen als schwerer Verstoß galt. Der Ausdruck, bald sprichwörtlich geworden, bezeichnete im rabbinischen Schrifttum speziell Verletzungen der rabbinischen Solidarität, und auf Grund des esoterischen Kontexts im Traktat Ḥagiga wurde er vor allem zur Umschreibung spekulativhäretischer Neigungen. In der Folge wurde die Figur des Elischa b. Abuja zum tragischen Typus des unbußfertigen gelehrten Häretikers ausgeformt, eines mit Rom kollaborierenden Assimilanten und trotzigen Gegners der rabbinischen Bildung, ja zum gnostisch gefärbten Erzketzer. Dies freilich in seltsamer Spannung zum älteren Image, welches noch so deutlich die Züge des anerkannten Gesetzesgelehrten aufweist, daß insgesamt der Eindruck einer faustischen Figur aufkommt. Wie weit für die Ausformung der legendären Gestalt historische Faktoren aufgezeigt werden können, ist in der Forschung umstritten. Weithin herrscht auch hier ein Trend zur naiven Historisierung und somit Frühdatierung der Überlieferungen vor. Wahrscheinlich haben die Erfahrungen in und nach dem Bar-Kochba-Aufstand (132–138) eine gewisse Rolle gespielt: Als es darum ging, die Nachkriegspolitik festzulegen, kam es offenbar zwischen jüdischen (und selbst rabbinischen) Richtungen zu schweren Differenzen, und Elischa b. Abuja hat anscheinend im Gegensatz zur Akiba-Schule eine Linie vertreten, die den römischen Forderungen weitgehend entgegenkam[264].

Für den Zusammenhang hier ist von Belang, daß Elischa b. Abuja, nach seiner Verketzerung *ᵓAḥer* (ein „Anderer"[265]) genannt, eine zweite *rašût* (Gewalt) im Himmel (neben Gott) angenommen[266] und auch *sifrê mînîm* besessen haben soll.

Nach der Feststellung, daß das Tora-Studium zwar Sünder zu retten vermag, aber manche von vornhinein wegen „Unreinheit im Herzen" nicht zu retten sind, wird die Frage gestellt:

a) Und was in bezug auf Acher (der ja ein großer Gelehrter war)? –
b) Griechischer Gesang wich nicht aus seinem Mund.
c) Man sagte über Acher:
Wenn er aufstand (um) aus dem Lehrhaus (wegzugehen),
fielen viele *sifrê mînîm* aus seinem Schoß.

Die Frage a) wird doppelt beantwortet: b) weist auf assimilatorische Neigungen und unkonventionelles Verhalten und c) auf eine besondere Offenheit gegenüber nichtrabbinischen Büchern. Angesichts des Ausdrucks „viele (Bücher)" wirkt die Deutung auf Bibeltextexemplare der Minim weniger überzeugend[267] als jene auf sonstige Literatur der Minim und zwar in dem Sinne, der bSanh 100b (1.2.11.4.e) vorausgesetzt ist: als (späte) babylonische Formulierung für das nicht mehr verständliche *sᵉfarîm ḥîṣônîm*.

Damit dürften bSanh 100b und bḤag 15b die einzigen möglichen Belege für *sifrê mînîm* als nichtbiblische Schriften sein. Die Annahme K. G. Kuhns[268], daß damit so gut wie ausschließlich christliche Literatur gemeint war, ist allerdings höchst fraglich und aus den Texten selbst nicht zu begründen. Im Gegenteil, man dachte wohl immer in erster Linie an jüdische Dissidenten, also bestenfalls auch an Judenchristen, und es ist nicht zu übersehen, daß mit dem Begriff *mînîm* in diesen Zusammenhängen die Vorstellung von hellenisierenden Tendenzen verbunden war[269]. Falls also hier nicht doch auch biblische Texte gemeint waren, dann am ehesten hellenistisch beeinflußte, spekulativ und vielleicht sogar gnostisch[270] gefärbte Schriften. Aber Sicherheit ist diesbezüglich nicht zu erreichen.

(g) bSanh 90b und bSoṭa 33b

Nur der Vollständigkeit halber seien zwei Talmudstellen erwähnt, die vor Augen führen können, wie problematisch eine exakte Definition der *mînîm* ist. In bSanh 90b und bSoṭa 33b wird die (nach mSanh X, 1 bekämpfte) Ansicht abgewehrt, daß die Auferstehung der Toten nicht aus der Tora zu begründen sei, diese Behauptung fuße vielmehr auf einer Bibelfälschung. Im ersten Text wird dieser Vorwurf in bezug auf die *sifrê mînîm*, im zweiten in bezug auf die *sifrê Kûtîm* (Samaritaner) bezogen. Nun wird ja die Auferstehungsleugnung auch den *Ṣaddûqîm* nachgesagt, und außerdem spielte sie in den heidnisch-jüdischen Kontroversen eine Rolle, wofür gerade ein Blick auf den Kontext von bSanh 90b (-91a) recht illustrativ ist. Wenn gleichwohl z. B. die dort erwähnte Kontroverse zwischen *mînîm* und Rabban Gamliel als eine Auseinandersetzung mit Christen gedeutet wurde, weil alttestamentliche Stellen in der Argumentation verwendet werden, kann man nur staunen[271]. Aufschlußreicher als solch unbegründbare Vermutungen ist jedoch die in beiden Stellen zutage tretende rabbinische Empfindlichkeit gegenüber dem Gebrauch biblischer Schriften durch andere Gruppen, was durchaus zu dem bisher erhobenen Befund paßt, nach dem es den Rabbinen vor allem um ihr Monopol der Textkontrolle und der Interpretation ging. Eben darum wurde gegen biblische Bücher der Minim so heftig polemisiert.

1.2.12. *Besitz und Herkunft von Bibelexemplaren*

Wie schroff die Rabbinen ihren Anspruch auf das Monopol der Bibeltextkontrolle und Bibelauslegung verfochten, zeigen jene Texte, die das Kriterium des Ursprungs(Schreibers) und des Besitzes behandeln. Der Verkauf von Bibelexemplaren an Nichtjuden galt zwar als verpönt (vgl. tAZ II, 4), und der Ankauf (von tauglichen, irgendwie in nichtjüdische Hände geratenen Exemplaren) wurde nicht bedingungslos gutgeheißen (vgl. jAZ II, 2f. 40a), war aber wohl so häufig, daß die Mischna Giṭṭ IV, 6 festlegte, man solle dafür keinen überhöhten Preis bezahlen. Von *mînîm* hingegen hätte man überhaupt nichts gekauft (tḤull II, 20–21). Bibelexemplare, die von – nach rabbinischen Regeln – unbefugten Schreibern geschrieben worden waren, galten als untauglich. So nennt bGiṭṭ 45a–b (vgl. bMen 42a–b) folgende Personen, die als Schreiber unzulässig sind: Min, Denunziant (*mswr*), Götzendiener, Sklave, Frau, Minderjähriger, Samaritaner und *Jiśraᵓel mûmar* (Apostat), und wie streng man dabei gegenüber den Minim und ihren Bibeln im Vergleich zu jenen aus nichtjüdischem Hause verfuhr, ist bereits anhand derselben Stelle angedeutet worden (1.2.3.f). Die Minim benutzten ihre Bibeln – mit ihrer Texttradition – eben zur Kritik am rabbinischen Text und an der rabbinischen Interpretation, und zwar in aggressiver, spöttischer Weise. Daher die in Sifre Num § 16 angeführte Begründung für die Absichtserklärung, *sifrê mînîm* zu verbrennen (1.2.3.h): Sie erregen Feindschaft, Haß, Eifer und Streitigkeiten, ein Vorwurf, der in tSabb XIII, 5 verallgemeinert, auf die *mînîm* selber gemünzt, erscheint. Auf derselben Linie liegt die Gleichsetzung der Bibelexemplare der Minim mit Zauberbüchern in tḤull II, 20 (vgl. bḤull 13a–b; übrigens werden jMaᶜaser Šeni II, 10f. 51a auch Haggada-Bücher so geschmäht, was allerdings nicht ohne weiteres akzeptiert wird). Es liegt kein Grund dafür vor, in diesen Fällen *sifrê mînîm* keine Bibelexemplare zu sehen oder dahinter christliche Bücher zu vermuten, gar mit dem Hinweis, daß die Zauberbücher wegen der christlichen Wunderheilpraxis angeführt worden seien[272]. Es geht im Text doch darum, daß Bibelexemplare der Minim tatsächlich als verbotene Bücher betrachtet werden und nach Möglichkeit auch vernichtet werden sollen, es heißt nicht, daß die *sifrê mînîm* inhaltlich Zauberbücher sind[273], sondern daß sie wie solche zu werten und zu behandeln sind, so wie es auch bei den anderen in der Liste genannten Objekten bzw. Handlungen der Minim um ihre Wertung geht: Ihr Fleisch gilt als verboten, ihre rituelle Schlachtung als Götzenopfer, ihr Wein als Gußopferwein, ihre Früchte gelten als unverzehntet, ihre Bücher als Zauberbücher, ihre Söhne als *mamz^{e}rîm* etc. Dies unbeschadet der Tatsache, daß der Vorwurf der Zauberei gegen Christen erhoben wurde – als einer der Standardvorwürfe religiöser Polemik –, übrigens auch gegen das Judentum (vgl. auch Act 13, 6ff.; 19,20).

1.2.13. *Ergebnis*

Sieht man von den späten Interpretationen des Ausdrucks *s^{e}farîm ha-ḥîṣônîm* in bSanh 100b und bḤag 15b ab, so ist für *sifrê mînîm* in keinem Fall eine Deutung auf nichtbiblische Schriften sinnvoll und kontextgemäß. Die Deutung auf christliche Schriften trifft mit ziemlicher Sicherheit auch für die erstgenannten beiden Stellen nicht zu. Ob man unter Minim rabbinischerseits auch Christen verstand, ist so ohne weiteres nicht zu beantworten, denn es gab zweifellos einen fluktuierenden, schwer abgrenzbaren Bereich von synkretistisch Interessierten, doch ist das Christentum solcher Personen oder Kreise nicht viel bedeutsamer als ihr Judentum oder ihr Gnostizismus. Angesichts der klaren halakischen Differenzierung zwischen *mîn* und *Jiśra$^{\supset}$el mûmar* (Apostat) muß allerdings angenommen werden, daß ein *mîn* sich selber durchaus noch zum Judentum rechnete, freilich in schärfster Frontstellung gegenüber den Rabbinen. Nun gelingt es aber gerade im Blick auf das Judenchristentum nicht, die den *mînîm* en detail zugeschriebenen Tendenzen und Praktiken – selbst unter Berücksichtigung polemischer Entstellungen durch die Rabbinen – auch nur einigermaßen zu verifizieren. Der betonte Bezug zu Götzendienst, hellenisierender Lebensart und zur staatlichen Macht spricht ebenfalls gegen eine solche Identifizierung. Aber als was erschien den Rabbinen z. B. eine Figur wie Apollos in Act 18, 24ff.?

Es wird ähnliche Gestalten in größerer Zahl und dies nicht nur in der griechischsprachigen Diaspora gegeben haben, und man darf annehmen, daß sie unter die Minim fielen, sofern sie innerjüdisch wirken wollten. Jedoch muß nach den erhaltenen Zeugnissen festgestellt werden, daß solche – mehr oder minder synkretistische – Judenchristen einen relativ unbedeutenden Teil des Minim-Problems darstellten und daß z. B. gnostisch beeinflußte Gruppen stärker ins Bewußtsein der Rabbinen drangen.

Unhaltbar ist ferner die Identifizierung von *giljônîm* mit Evangelien, und selbst das vielbeschworene Wortspiel *ʾwn/ʿwn-gljwn* bSabb 116a entpuppt sich bei genauerer Textanalyse als späte, offenbar nachtalmudische Interpretation, und das häufig angeführte Zitat von Mt 5, 16f. in bSabb 116b als unzutreffend. Die rabbinische Literatur weist soweit keinerlei Bezug auf Bücher oder Texte des NT oder der frühen Kirche auf. Doch die rabbinischen Schreibvorschriften und die Kriterien für die Wertung und Behandlung von Bibelexemplaren zeigen insgesamt eine Abwehrhaltung, die sich jedenfalls in spätamoräischer Zeit mit der Verbreitung und wachsenden Macht des Christentums zwangsläufig immer eindeutiger auch gegen die christlichen Bibel-Buchformen richten mußte.

1.3. Sonstige Bezüge zum NT

1.3.1. *Zur Einleitung*

Aus den altkirchlichen Zeugnissen über Auseinandersetzungen mit dem Judentum geht hervor, daß gelegentlich jüdische Dialoggegner auch im NT Bescheid wußten und darin auffindbare Widersprüche anzuführen verstanden[274]. Dies gilt freilich nur in einem sehr begrenzten Maß, denn die Hauptmasse der Argumente gründet auf atl. Stellen[275]. Außerdem wird man in Rechnung stellen müssen, daß in solchen Schriften den Juden auch dergleichen einfach in den Mund gelegt wurde, ebenso wie in rabbinischen Streitgesprächen mit Nichtjuden diesen nicht selten Argumente und Bibelzitate im Stil rabbinischer Diskussionen in den Mund gelegt werden.

Bis zu einem gewissen Grad ist also mit literarischer Fiktion zu rechnen. Erst im Mittelalter bezeugen jüdische Texte konkrete NT-Kenntnisse. Für die Antike muß man wohl zwischen der griechischsprachigen Diaspora und den Gebieten, in denen die rabbinische Literatur entstand, trennen. Der Jude, auf den sich Kelsos berief (auch wenn es sich um eine literarische Figur handelt!), kannte neutestamentliche Inhalte jedenfalls vom Hörensagen, und es ist nicht zu beweisen, daß Kelsos dies nur vorgab [276]. Die Diasporagemeinden waren den Auseinandersetzungen mit dem Christentum wohl von früh an [277] stärker ausgesetzt als die Gemeinden geschlossener jüdischer Siedlungsgebiete in Palästina und Babylonien [278]. Zwar wurde vermutet, daß aramäische oder hebräische Evangelien auch eine mehr oder minder starke Wirkung auf das rabbinische Judentum gehabt hätten [279], jedoch die Frage, wieweit solche Evangelien vorhanden bzw. verbreitet waren, ist bei nüchterner Betrachtung der Quellen nur mit größtem Vorbehalt positiv zu beantworten, zumal der Hauptbeleg für einen solchen Einfluß, das angebliche Zitat Mt 5, 17 in bSabb 116b, dahinfällt.

Ob die Rabbinen auf religiöse Dispute eingegangen waren, kann nicht negativ entschieden werden, da ja die rabbinische Literatur ihrerseits zahlreiche Hinweise auf Auseinandersetzungen mit Nichtjuden und jüdischen Dissidenten enthält [280], freilich weisen auch sie literarisch stereotype Merkmale auf und spiegeln höchstens indirekt die Thematik solcher Konfrontationen. Während nun Römer, Heiden allgemein oder Samaritaner dabei als solche klar bezeichnet werden, ergibt sich, wie bereits wiederholt erwähnt, eine gewisse Unsicherheit der Textüberlieferung, wenn von *mînîm* oder *ṣaddûqîm* die Rede ist. Deren genauere Identität muß also unter Berücksichtigung der literarischen Schematisierung solcher Stücke auf Grund der jeweiligen Thematik erhoben werden, doch ist auch dies nur in engen Grenzen möglich. Der Zweck solcher „Streitgespräche" oder Erzählungen war ja nicht die protokollarische Wiedergabe von Ereignissen oder die zwar fiktive, aber doch zutreffende Darstellung der Interessenlage der jeweiligen Gegner [281], sondern vorrangig die Festigung des jüdischen Glaubens (rabbinischer Observanz) bei Hörern oder Lesern. Man erfährt also vor allem, was aus den gegnerischen Positionen den Rabbinen selber wichtig oder problematisch erschien – und somit nicht zuletzt, was unter (rabbinischen und nichtrabbinischen) Juden selber kontrovers war. Die Tatsache, daß im rabbinischen Schrifttum keine NT-Bezüge nachweisbar sind, beweist also nicht, daß man nichts über das NT wußte, sondern nur, daß es in dem bezeichneten Sinn für diese Zwecke nicht relevant war.

Im übrigen gilt dies umgekehrt nicht viel weniger. Obwohl die literarische Gattung der „Dialoge" in der Alten Kirche ein größeres Interesse christlicherseits unter Beweis stellt, ob man sie literarisch für mehr[282] oder minder[283] fingiert hält oder nicht, verrät die Argumentation[284] kaum wirkliche Kenntnisse von zeitgenössischem, lebendigem Judentum – im Unterschied zur einschlägigen mittelalterlichen Literatur.

Der Großteil der Auseinandersetzung fußt auf alttestamentlichen und neutestamentlichen Stellen bzw. Topoi, die aus christlicher Sicht für die Festigung des christlichen Glaubens (nicht zuletzt angesichts judaisierender Tendenzen) – wichtig erschienen. Prüft man die angeblichen Entsprechungen und Parallelen, die für die altkirchliche Literatur im Verhältnis zur rabbinischen aufgewiesen wurden, so schrumpft die Zahl der tatsächlich nachweisbaren Bezugnahmen auf eine kleine Anzahl zusammen, der Hauptteil ist einer Methode zu verdanken, die man etwas grimmig als „Parallelomanie" bezeichnet hat[285], weil sie vorschnell auf Grund oberflächlicher Ähnlichkeiten Auseinandersetzungen, Abhängigkeiten und Einflüsse konstatiert. Kritischere Untersuchungen, wie sie neuerdings z. B. zu Tertullian, Origenes und Aphraat erschienen[286], lassen viele geläufig gewordene Behauptungen über angebliche rabbinische Gesprächspartner von vornhinein in einem anderen Licht erscheinen.

1.3.2. *bBek 8b und Mt 5, 13: Esel und Salz*

(a) bBek 8b

mBek I, 2A erörtert das Problem, das Mischlinge aus reinen und unreinen Tierarten für die Frage der rituellen Reinheit bzw. der Genußtauglichkeit darstellen. Das Prinzip für die Genußfähigkeit ist:

Was aus dem reinen Tier stammt, ist rein, was aus dem unreinen stammt, ist unrein. Dabei tritt naturgemäß das Problem des Maulesels auf den Plan, zumal die Bibel auffälligerweise auch für den Esel die Auslösung der Erstgeburt vorsieht (Ex 13, 13; 34, 20)[287]. Die Gemara in bBek 5b–7b bietet dazu allerlei Material „naturkundlichen" Charakters, und diese Ausführungen über animalische Sexualeigenschaften setzen sich auch 7b–9a im Anschluß an mBek I, 2B fort, wo es an sich darum geht, ob ein reiner Fisch, der einen unreinen verschlungen hat bzw. umgekehrt, zum Genuß erlaubt ist. Von Befruchtungs- und Brutvorgängen der Fische über das sagenhafte Sexualleben der Delphine gelangt die Darlegung zu anderen Tieren, Gänsen, Hühnern, Schlangen, Kamelen und dann zur Trächtigkeitsdauer von Hunden, Katzen, Schweinen, Füchsen, reinem Kleinvieh und reinem und unreinem Großvieh, bis zu Schlangenarten. Und 8a/b wird die Schlange angesichts ihrer Verfluchung Gen 3, 14 im Verhältnis zu anderen Tieren (Esel, Katze, Löwe) noch besonders behandelt.

In 8b folgt danach eine Erzählung nach festgeprägtem literarischen Muster (Streitgespräche bzw. Anfragen nichtjüdischer Personen an Rabbinen). Der Kaiser fragt R. Josua b. Chananja nach der Trächtigkeitsdauer bei Schlangen, wobei sich eine Konkurrenzsituation mit der Behauptung athenischer Gelehrter ergibt und R. Josua b. Chananja gar per Schiff nach Athen fährt, wo weitere Fragen an ihn gestellt werden. Dabei fordern die Athener den Rabbi auf, eine erfundene Geschichte zu erzählen, und dieser beginnt wie folgt (bBek 8b):

Aaa) „Es war einmal eine Mauleselin,
ab) die gebar ein Junges,
ac) und um ihren Hals war ein Zettel (gebunden), auf dem geschrieben stand:
ad) Eine Schuldforderung von 100000 Zuz besteht gegenüber meinem Vaterhaus."
ba) Sie sagten zu ihm:
bb) „Kann denn eine Mauleselin gebären?"
ca) Er sprach:
cb) „Das eben ist eine erfundene Geschichte!"

Im Anschluß daran geht das Fragespiel weiter:

Ba) „Wenn das Salz fad geworden ist, womit macht man es salzig *(mjlḥ᾽ kj srj᾽ bm᾽j mlḥj lh)*?" –
Er sagte zu ihnen:
„Mit der Nachgeburt einer Mauleselin *(bsjlt᾽ dkwdnjt᾽)*!"
„Hat denn die Mauleselin eine Nachgeburt?" –
„Wird denn das Salz fad?"

In diesem Tone von Vexierfragen geht das literarische Spiel über Absurditäten noch bis 9a weiter.

Ungeachtet der Thematik des Kontexts und des literarischen Charakters des Ganzen wie der Einzelstücke hat man die Meinung vertreten, daß mit der Mauleselin auf die Jungfrau Maria und mit deren Jungem auf Jesus angespielt werde, und die Verwertung des sprichwörtlichen Motivs vom fad gewordenen Salz hat an eine Beziehung zu Mt 5, 13 denken lassen. Charakteristisch für die Einstellung, die zu solcher Deutung führt, ist P. Billerbecks Erklärung zur Stelle[288]: „Die Bezugnahme auf Mt 5, 13 tritt so deutlich hervor, daß man in der ganzen Stelle eine zynische Verhöhnung Marias und Jesu wird sehen müssen. Tendenz: Das nie dumm werdende Salz Israels bedarf der Auffrischung nicht, am allerwenigsten von seiten eines Mannes wie Jesus!" Schon vorher erkannte der gelehrte Rabbiner M. Güdemann[289] zwar den sagenhaften Charakter des Ganzen, aber auch er nahm an, hier sei ein „echtes" Zeugnis alter jüdisch-christlicher Polemik eingebaut. Die Mauleselin mit ihrem Jungen sei als Spott auf Jesu vaterlose Geburt gemeint, weil man in der alten Kirche die Möglichkeit einer vaterlosen Geburt auch durch Tierbeispiele zu beweisen versucht habe, und die Salzfrage und deren Beantwortung betone die unveränderliche Erwählung Israels, wobei an das Motiv des Salzbundes (Priesterbundes, vgl. Lev 2, 13; Ez 43, 24) zu denken sei[290]. Selbst R. T. Herford hielt (in Auseinandersetzung mit W. Bacher) diese Ausdeutung für fragwürdig: Aus dem Salz-Sprichwort könne man nicht einen Bezug auf Mt 5, 13 ableiten und gegenüber heidnisch-philosophischen Streitgesprächspartnern hätte eine solche Argumentation gegen das Christentum keinen Sinn[291].

(b) Koh.R. I, 1.8

(Chanina und die Minim von Kefar Nachum)

Wenn R. T. Herford in bezug auf bBek 8b dennoch eine Beziehung zwischen dem Esel und Jesus nicht ausschließen wollte[292], dann aufgrund anderer Hinweise. Zunächst war natürlich der heidnische Vorwurf des Eselkults ausschlaggebend, der aus der antijüdischen Polemik (vgl. Josephus, c.Ap. II, 80ff.; Tacitus, hist. V, 3/4; vgl. in christlicher Literatur Epiphanius Pan. XXVI, 12.2–3) wie der Ritualmordvorwurf in die antichristliche Polemik übertragen worden war (vgl. Tertullian, Apol. 16, 3)[293]. Dies und eine gezeichnete Figur eines Gekreuzigten mit Eselskopf in Rom veranlaßten Herford (S. 152ff. 211) zur Annahme, man habe jüdischerseits ein Interesse gehabt, den Vorwurf des Eselkults von sich selbst auf das Christentum abzuwälzen. Daher die Vermutung, daß in bestimmten rabbinischen Texten die Erwähnung eines Esels etwas mit Jesus zu tun habe. So in der bereits behandelten Erzählung über Imma Schalom in bSabb 116a–b (1.2.5.2.) und in der dort enthaltenen sprichwörtlichen Redewendung („Der Esel ist gekommen und hat die Lampe umgestoßen“), aber auch hier in bBek 8b und außerdem in Koh.R.I, 1.8. Dort wird erzählt, daß Minim in Kefar Nachum dem Neffen des R. Josua, Chanina, einen üblen Streich gespielt und ihn am Sabbat auf einen Esel gesetzt hätten. Dabei muß er irgendwie verletzt worden sein, denn R. Josua trug ihm eine Salbe auf und heilte ihn, riet ihm aber, aus Palästina nach Babylonien auszuwandern, „nachdem der Esel jenes Frevlers gegen dich aufgewacht ist“. Die Geschichte ist ziemlich undurchsichtig; die geläufigen Auffassungen, die Minim hätten ihn irgendwie behext oder er sei gar ihr Anhänger geworden, leuchten nicht sonderlich ein. Wahrscheinlich ist gemeint, daß sie ihn körperlich mißhandelt und dann eben am Sabbat auf einen Esel gesetzt (gebunden?) haben, wogegen er sich offenbar nicht zu wehren vermochte und so der Eindruck entstehen konnte, er entweihe den Sabbat. Nun hat man in Anbetracht des Ortsnamens Kefar Nachum daran gedacht, daß in Kapernaum vom NT her eine Christengemeinde vorhanden war, diese Minim also Judenchristen waren[294]. Aus dem Text ist nichts Näheres über diese Minim zu erfahren[295], und der von R. Josua gebrauchte Ausdruck läßt sich doch weit leichter auf den erzählten Sachverhalt als auf Jesus als Esel deuten.

(c) Eselsköpfigkeit in der Gnosis

Abgesehen von älteren Hinweisen, die auf den ägyptischen Seth-Kult hinweisen[296], ist die gnostische Verwendung zu beachten, wo die Eselsköpfigkeit dem Typhon/Seth[297] sowie (neben Schweinsköpfigkeit) dem Sabaoth zugeschrieben wird[298]. Aber auch dies ist im Blick auf die hier zu behandelnden Texte irrelevant.

(d) Gen.R. 56, 2

Im Anschluß an Gen 22, 5, wo Abraham seinen Knechten befiehlt, mit (*ᶜim*) dem Esel zurückzubleiben, fügt der Midrasch Gen.R. 56, 2 hinzu: „Da ihr dem Esel ähnlich seid", oder nach späteren Varianten: „Volk (*ᶜam*), das dem Esel gleicht". Josef Heinemann[299] sah hier die Frage der Offenbarung an die Völker angeschnitten: die Knechte Abrahams sehen nicht den Berg Morija, und meinte, dies ziele gegen die Christen. Doch dies ist auch nicht mehr als eine Vermutung, im Grunde genügt auch hier der übliche Gegensatz Israel: Völker, falls nicht überhaupt eher an die „Landesbevölkerung" (vgl. Meg 12b, Amos und Moab; auch im Anschluß an den Eigennamen in Gen 34) und insbesondere an die Samaritaner gedacht ist, mit denen man ja den Streit Morija/Jerusalem oder Garizim hatte.

1.3.3. *bAr 16b und Mt 7, 4*

Obschon bereits W. Bacher[300] die Ansicht widerlegt hat, daß in bAr 16b die sprichwörtliche Redewendung vom Splitter und Balken im Auge auf Mt 7, 4 Bezug nehme, wurde dennoch für die hier bezeugte Aussage R. Tarfons angenommen, sie enthalte dessen Ansicht über das Christentum[301].

1.3.4. *mMeg IV, 9 und Mt 10, 29*

Allzu gekünstelt ist auch der Gedanke an eine Verbindung zwischen Mt 10, 29 und der in mMeg IV, 9 unter anderem aufgeführten Aussage: „Bis auf das Vogelnest (Dt 22, 6) erstreckt sich dein Erbarmen."[302]

1.3.5. *Mt 17, 19*

Der syrische Kirchenvater Aphraat (gest. 345) legt in seinen Demonstrationes XXI, 1 einem jüdischen Disputationsgegner Mt 17, 19 als wörtliches Zitat in den Mund. Seine Absicht: Wo ist die Wirkung des angeblich Berge versetzenden christlichen Glaubens angesichts der miserablen Lage des (damals im Partherreich) verfolgten Christentums? Dieses Zitat ist schwerlich wirklich von einem Juden in Nordmesopotamien so vorgebracht worden, hier kommt vielmehr die innerchristliche Problematik der Verfolgungssituation zum Ausdruck[303]. Außerdem ist zu beachten, wie dasselbe Argument, welches im römischen Westen die siegreichen Römer bzw. Nichtjuden gegen Israels Anspruch als „erwähltes Volk" vorgebracht haben, nämlich die tatsächliche Ohnmacht der vermeintlichen Auserwählten Gottes, und das dann die triumphierende christliche Kirche gegen die gedemütigte Synagoge ins Treffen geführt hat, hier gegen die vermeintliche Erwählung der Christen gerichtet ist.

1.3.6. *Mt 22, 1–14 (Lk 14, 16–24) in bSabb 153a?*

Ein in bSabb 153a enthaltenes Königsgleichnis erinnert wegen der ähnlichen Situation an Mt 22, 1–14/Lk 14, 16–24: Ein König lädt seine Diener zum Mahl, die Klugen kommen in angemessener Aufmachung, die Unklugen nicht. Der König bestraft die letzteren, indem er sie beim Mahl nur stehend zusehen läßt, worauf eine in R. Meirs Namen vorgebrachte Änderung die Bestraften sogar sitzend zusehen läßt, was ihnen noch schwerer ankommt. Illustriert wird die Frage der Todesstunde und die Notwendigkeit, ständig dafür bereit zu stehen, vor Gott zu erscheinen. Das Gleichnis hat mit Mt 22, 1 ff. zwar die „typische Situation" gemeinsam, doch eine wesentlich andere Tendenz. Das neutestamentliche Gleichnis handelt vom akuten eschatologischen Kairos und endet daher auch wesentlich grausamer. Die gemeinsame typische Situation des Gastmahls ist zu geläufig und zu allgemein[304], um eine Abhängigkeit[305] annehmen zu können. Außerdem wäre in erster Linie die kürzere Fassung von Lk 14, 16–24 zum Vergleich heranzuziehen.

1.3.7. *Hebräerbrief*

(a) tMeg IV, 37

Völlig unbegründet ist auch die Vermutung[306], tMeg IV, 37 par. richte sich gegen die Priester-Christologie des Hebräerbriefes (7, 21). Die Toseftastelle lautet (nach Erwähnung der Entgleisung des Volkes unter Aaron mit dem Goldenen Kalb, Ex 32): „Von daher sagte R. Simon b. Eleazar: Ein Einzelner ist nicht berechtigt, auf eine Verfehlung zu antworten, denn auf Grund der Antwort, die Mose dem Aaron (Ex 32, 22–24) erteilte, haben sich die *mînîm* abgesondert". Doch dies hat nichts mit dem Hebräerbrief zu tun, und auch die in bMeg 23a und ff. erwähnten *mînîm* lassen keinerlei Bezugnahme auf Christliches erkennen[307]. Das eigentliche Thema von tMeg IV, 36 f. ist vielmehr die Perikope vom Goldenen Kalb Ex 32, deren polemische Verwertung im Zusammenhang mit dem Motiv der Sünde Israels noch zu erörtern sein wird.

(b) mSanh IV, 5/tSanh VIII, 7; bSanh 38a

Ebensowenig trifft für tSanh VIII, 7 ein Bezug auf die Christologie des Hebräerbriefes[308] zu. Wenn festgestellt wird, daß Adam als letztes Geschöpf erschaffen wurde, damit die *mînîm* nicht sagen können, Gott habe bei der Schöpfung einen *šôtef* (Teilhaber, Mitbeteiligten) gehabt, dann richtete sich dies eher gegen vor- und außerchristliche Vorstellungen oder überhaupt innerjüdische Ansichten über Schöpfungsmittler und dergleichen. Dies gilt, obwohl die

Mischna mSanh IV, 5 nicht die Annahme eines *šôtef*, sondern „vieler *r^e^šûjôt* (Gewalten)" abwehrt, was noch weniger für eine anti-christologische Polemik paßt[309], dennoch manchmal so aufgefaßt wurde[310]. Gegen Christus als Schöpfer–Logos–Gottessohn kann nicht einmal die relativ spät redigierte Minim-Polemik in bSanh 38a–39 gedeutet werden, in der (38a) diese Tosefta-Tradition miteingebettet wurde[311].

(c) Melchizedek bNed 32b

Eine in bNed 32b dem R. Zacharja zugeschriebene und im Namen des R. Jischmael überlieferte Aussage stellt fest, daß ursprünglich das Priestertum von Melchizedek hergeleitet werden sollte, nachdem dieser aber Gen 14, 19 im Segen den Abraham vor Gott erwähnt hatte, fiel das Priestertum den Nachkommen Abrahams zu. Man sah auch darin eine Bezugnahme auf den Hebräerbrief[312], doch dürfte dies jedenfalls so direkt kaum zutreffen. Die Melchizedek-Überlieferungen der Antike sind ziemlich vielfältig und vielschichtig[313], die Gestalt des geheimnisvollen Priesterkönigs war bereits im Frühjudentum Gegenstand und Mittel von Kontroversen, unter anderem zwischen rivalisierenden Priestergruppen[314] sowie offenbar zwischen Juden und Samaritanern, und im Judentum selbst waren, wie Qumran gezeigt hat[315], spekulative Tendenzen vorhanden. Der Hebräerbrief fußt zwar auf ähnlichen Voraussetzungen[316], verfolgt mit seiner Typologie jedoch ein ganz anderes Anliegen. In talmudischer Zeit entfaltete sich um die Melchizedek-Figur, die zu synkretistischen Spekulationen geradezu herausfordert, nicht nur im Christentum[317] eine reiche und phantasievolle Tradition, auch die Gnostiker griffen den Stoff auf[318], und selbst im rabbinischen Judentum gab es eine Vielfalt von Deutungen[319], z. B. begegnet er auch als eschatologische Gestalt[320]. Wenn auch vorzugsweise der Versuch unternommen wurde, den Priesterkönig durch Identifizierung mit Sem in die biblische Genealogie einzugliedern[321], oder (selten) seine Person ins Zwielicht gerückt wurde, so war die Stoßrichtung doch nicht einheitlich. So verrät ein Teil der Überlieferung und dabei eben auch bNed 32b eine antisamaritanische Tendenz[322], und wenn wie in Pes.R. XXI Hypostasierungsansätze kritisiert werden, dann kann es sich auch um innerjüdische oder gnostisierende Spekulationen handeln[323]. Wenn aber an einigen Stellen behauptet wird, Melchizedek habe (als Sem) dem Abraham die Priester-Gesetze gelehrt[324], dann spiegelt sich darin ein Bemühen, das Argument abzuwehren, es hätte toralose Gerechte und eben gar einen von Abraham anerkannten toralosen Priesterkönig von Salem gegeben. Und dieses Argument, das an sich älter sein dürfte, hat man im Christentum verwendet[325]. Wenn man im rabbinischen Judentum die christliche Melchizedek-Deutung kannte und als problematisch empfand, dann also eher im Blick auf die Geltung der Tora als auf Christologie.

2. REAKTIONEN AUF PAULUS UND SEINE THEOLOGIE

2.1. Einführung

In der traditionellen jüdischen Beurteilung der frühen Kirchengeschichte gilt Paulus weithin als der eigentliche Begründer des Christentums als einer sich vom Judentum nicht nur ablösenden, sondern zu ihm auch in Gegensatz tretenden Religion[326]. Es geht hier nicht um die historische oder theologische Berechtigung dieser Position, sondern um die Frage, ob derartig auf grundsätzliche Konfrontation ausgerichtete Auffassungen nicht auch im rabbinischen Schrifttum Spuren hinterlassen haben. Nun ist die innerchristliche Wirkungsgeschichte des Paulus und seiner Theologie teils widersprüchlich, teils undurchsichtig. Während weite Bereiche der Alten Kirche zwar das paulinische Corpus als kanonisch akzeptierten und die theologische Literatur in gewissem Maß auch eine Hochschätzung des Apostels erkennen läßt[327], kann weder von einer Breitenwirkung noch von einer intensiven theologischen Verarbeitung die Rede sein[328]. Dazu kommt, daß diese Vorgänge einerseits eng mit der Auseinandersetzung um Marcion und dessen AT-feindlicher Verwertung des paulinischen Corpus verquickt waren, während andererseits im sogenannten Judenchristentum die Diskussionen über die Frage der Verbindlichkeit der alttestamentlichen Gebote teilweise mit gereizter Polemik gegen paulinische Positionen Hand in Hand gingen, was wieder „großkirchliche" Reaktionen auslöste[329]. Man könnte daher meinen, daß zumindest über judenchristliche Vermittlung paulinische Motive auch im Judentum bekannt wurden und daher rabbinische Reaktionen ausgelöst haben könnten oder daß die marcionitische Position in ihrer extremen Ausdeutung des Apostels den Rabbinen bekannt wurde und zu Polemiken Anlaß gab. Derartige Überlegungen können jedoch nur anhand konkreter

Texte auf ihre Tragfähigkeit überprüft werden, aber nachdem sich ergeben hat, daß selbst die Evangelien im rabbinischen Schrifttum keine Spuren hinterlassen haben, müssen die Erwartungen von vornhinein gedämpft bleiben. Obgleich die Auseinandersetzungen mit und über Paulus selbst in den Diasporagemeinden und in Palästina/Syrien sicher auch in pharisäischen Zirkeln Aufmerksamkeit gefunden haben, darf man nicht vergessen, daß seit dem Kriegsausbruch 66 n. Chr. ganz andere und bei weitem gewichtigere Probleme im Vordergrund standen und daß für die frühen Rabbinen das Christentum nicht in dem Maß im Blickfeld lag wie für das zeitgenössische westliche Diasporajudentum. Aus diesem stammen wohl die bereits ins frühe Mittelalter hinüberreichenden Überlieferungen, die ein polemisches Paulusbild zeichnen, das (in sich wieder recht differenziert) teils in den *Tôl^edôt Ješû*-Romanfassungen[330], teils in anderen Strängen zutage tritt[331], wobei – für die frühislamische Zeit charakteristisch – „Informationen" auch aus christlich-apokryphen bzw. volkstümlichen Quellen[332] geschöpft und in die jüdische Überlieferung in der christlichen Welt weitergeleitet worden sind[333].

2.2. Flavius Josephus

Mit einem Seitenblick auf das bekannte ›Testimonium Flavianum‹ (vgl. dazu JvN 42 ff.) meinte A. A. Bell[334] für ant XVIII, 81–84 annehmen zu können, daß Josephus mit der fragwürdigen Figur des straffällig gewordenen jüdischen Gesetzeslehrers in satirischer Weise auf den Romaufenthalt des Apostels Paulus anspiele. Noch weniger leuchtet ein Bezug zu Paulus für Atomos *(mágos)* in ant XX, 142 ein[335].

2.3. Im Traktat Abot

(a) Ab III, 5 und III, 11

Abgesehen von der globalen Vermutung, der Mischnatraktat Abot habe insbesondere die Aufgabe, gegenüber dem Christentum abzuschirmen[336], wurden einige Stellen speziell als Reaktionen auf paulinische Theologie gedeutet. Während in bezug auf Ab III, 5 (das „Joch der Tora") eine solche Vermutung nur beiläufig geäußert wurde[337], konzentrierte sich das gelehrte Interesse vor allem auf III, 11 und dessen Parallelen (ARN^A 26; Sifre Num § 112[338] zu 15, 31; jPes VI, 2f. 33b und in bSanh 99a). Die Stelle wurde bereits (JvN 60f.) im Kontext der Frage nach dem Anteil an der Kommenden Welt behandelt, wobei sich kein tatsächlich nachweisbarer Bezug feststellen ließ.

(b) Ab III, 14

A Er (R. Akiba) sagte:
Baa) Geliebt ist der Mensch,
ab) da er ‚im Bilde' erschaffen,
ac) denn es heißt:
im Bilde Gottes machte er den Menschen (Gen 9, 6);
Caa) Geliebt sind die Israeliten,
ab) da sie Söhne für Gott genannt werden;
ba) übergroße Liebe wurde ihnen kund,
bb) da sie Söhne für Gott genannt wurden,
bc) denn es heißt:
Söhne seid ihr für den Herrn euren Gott (Dt 14, 1);
Daa) Geliebt sind die Israeliten,
ab) da ihnen ein kostbares Gerät gegeben wurde;
ba) übergroße Liebe wurde ihnen kund,
bb) da ihnen das kostbare Gerät gegeben wurde,
bc) mit dem die Welt erschaffen worden ist,
bd) denn es heißt:
Denn eine gute Lehre gab ich euch, meine Tora – verlasset sie nicht (Prov 4, 2).

Die Stelle, manchmal als ältester Beleg für die (explizite) Bezeichnung der Tora als Schöpfungsmittel angesehen und in etwa an Aussagen Philos (Leg. allegor. II, § 96 u. ö.) über den Logos gemahnend, erhält ihr besonderes Kolorit wegen der Verbindung zwischen Ebenbildlichkeit (für alle Menschen) einerseits und Sohnschaft der Israeliten mit Tora-Gabe andrerseits. Die Zuschreibung an R. Akiba ist nicht allzu ernst zu nehmen (vgl. ARN^A 39: R. Meir!) und die Datierung der Gesamteinheit des näheren schwer möglich, zumal ARN^B 43 Einzelelemente anders ein- und zugeordnet werden. M. Dreifuß[339] fand hier ebenso wie in der Gegenüberstellung zwischen Sohnschaft und Knechtschaft bBB 10a eine Polemik gegen paulinische Theologie, weil die Gotteskindschaft an die Tora gebunden werde, und J. Bergmann[340] sah einen Gegensatz zu I. Joh 3, 1 sowie zur Usurpation des AT im Barnabasbrief. Es liegt jedoch kein Anlaß vor, hier solche Polemik zu vermuten.

(c) Ab III, 15

Nicht minder an den Haaren herbeigezogen ist die Ansicht, die in Ab III, 15 ebenfalls dem R. Akiba zugeschriebene Bemerkung, Gott sehe alles[341], dennoch sei die Willensfreiheit gegeben, richte sich gegen die paulinische Negation der Willensfreiheit[342]. Ebensowenig plausibel ist die ebenfalls vertretene Deutung als antignostische Aussage[343].

2.4. mBer IX, 5

Die hier unter anderem genannte Bestimmung, beim Gruß wieder den Gottesnamen zu verwenden (wie in der Bibel: Rut 2, 4), wurde als Reaktion auf den speziell durch die paulinische Theologie bewirkten Gebrauch des Titels *kyrios* für Christus gedeutet[344], doch selbst R. T. Herford erschien dies unwahrscheinlich[345]. Eher ist daran zu denken, daß synkretistische *mînîm* (tBer VII, 20; jBer IX, 1f. 12d) mit dem Begriff „Gott“ verschiedene Gottheiten verknüpfen konnten, und außerdem ist zu beachten, daß diese Grußregelung in einer Serie von Maßnahmen gegen *mînîm* steht, wobei keinerlei christliche Ansichten oder Praktiken erkennbar werden[346].

2.5. Ex.R. XIII, 1–5

Das theologische Problem, das die Verstockung des Pharao durch Gott in Ex 10, 1 darstellt, war nach Ex.R. XIII, 3 einer der Ansatzpunkte für die Bibelkritik der Minim, und auch die Kirche[347] hatte ähnliche Kritik abzuwehren. Um so mehr überrascht, daß man meinte, Ex.R. XIII, 1 sei „ganz deutlich gegen Röm 9, 18 gerichtet“[348] und Ex.R. XIII, 5 kritisiere die paulinische Erbsündenlehre[349]. Auch die Marcioniten wurden für die Erklärung von Ex.R. XIII, 4 bemüht[350]. Nichts berechtigt jedoch dazu, in den Ex.R. XIII, 3 erwähnten Minim Christen bzw. Judenchristen zu sehen[351]. Der ganze Abschnitt XIII, 1 und ff. beginnt mit einer Diskussion über Schöpfungsfragen, wobei als Gegenüber der heidnische Philosoph Abnimos ha-Gardi (Oenomaos von Gadara, frühes 2. Jh.) aufscheint, der in der rabbinischen Literatur als Gesprächspartner eine gewisse Rolle spielt[352], und wenn danach von Minim die Rede ist, dann am ehesten wegen ihrer der heidnischen Bibelkritik verwandten bzw. entlehnten Argumentation. Eine spezielle antichristliche Note läßt auch die Auslegungsgeschichte von Ex 10, 1 sonst nicht erkennen[353]. Hingegen ist bemerkenswert, daß Gnostiker sich des Motivs annahmen[354], freilich anhand von Jes 6, 10[355], und es auf den Demiurgen bezogen.

2.6. Identifizierungsversuche

Der Vorschlag H. Hirschbergs[356], hinter Abnimos ha-Gardi ebenso wie hinter der Bileams-Gestalt den Apostel Paulus zu sehen, muß auch im Blick auf die anderen dafür angeführten Stellen[357] als völlig unbegründet und letzten Endes als text- und kontextwidrig abgelehnt werden. Dies gilt ebenso für seine Identifizierung des Magus in bJoma 34b/35a (und anderen Stellen) mit der phantasievollen Ableitung von *prwh* aus dem lateinischen *parvus* für „Paulus“[358]. Aber auch die Deutung der Gehazi-Figur auf Paulus[359] und die nicht minder kühne Gleichsetzung des *ᵓjnš ᵓḥrjnᵓ* in bSanh 11a mit dem Apostel[360] können nicht ernstgenommen werden.

3. SYNAGOGENAUSSCHLUSS, VERWÜNSCHUNG UND VERFOLGUNG

3.1. Bann und Synagogenausschluss

Obwohl in bezug auf den rabbinischen Bann die Quellen – sogar nach dem Urteil P. Billerbecks[361] – keinerlei Hinweis darauf enthalten, daß man über religiöse Dissidenten den Bann verhängt und sie so „aus der Synagoge" ausgeschlossen habe[362], wird in Anlehnung an die Ausschlußregeln der Qumrangemeinde[363] in Analogie zu kirchlicher Bannpraxis ein solches Verfahren doch gern mehr oder minder vorausgesetzt. Auch P. Billerbeck selbst schloß demgemäß seine Erörterungen über den angeblichen Ausschluß von Dissidenten unmittelbar an die Darlegungen über den Bann an[364], obwohl es sich um völlig andere Maßnahmen bzw. Regelungen handelt. Dahinter steht die Auffassung der „Synagoge" als des (in christlicher Sicht) heilsgeschichtlichen Pendants zur Kirche. Aber die jüdischen Gemeinschaften waren weder bloße Religionsgemeinden noch von tatsächlich vergleichbarer Struktur – etwa im Blick auf eine Kompetenz für Lehrzuchtverfahren im kirchlichen Sinn. Man wird zudem zwischen Diasporagemeinden[365] und den jüdischen Siedlungsgebieten Palästinas und Babyloniens[366] unterscheiden müssen. In der Diaspora hatten die meist kleinen jüdischen Gemeinden eher eine gewisse Ähnlichkeit mit Kirchengemeinden, doch waren sie zugleich Körperschaften eigenen Rechts auf Grund des Privilegs, die eigenen Angelegenheiten so gut wie völlig gemäß der Tora und Tradition regeln zu dürfen. Hier kam es gewiß auch darauf an, die Grenzen dieser Rechtsgemeinschaft klarzustellen, um nicht den Rechtsstatus insgesamt zu gefährden, und außerdem dürften jüdische Ortsgemeinde und Synagogengemeinde in der Diaspora (nicht unbedingt in Großstädten) eher identisch gewesen sein. Anders in den mehr oder minder geschlossenen jüdischen Siedlungsbereichen

Palästinas und Babyloniens. Dazu kommt als entscheidender Gesichtspunkt noch, daß weder in den Ortsgemeinden noch im Rahmen der Synagogen-Organisation die Rabbinen von vornhinein und durchwegs das Sagen hatten – im Gegenteil, die Rabbinen mußten sich in diesen Belangen erst in einem zähen Ringen durchsetzen, obschon ihnen die Macht des Patriarchen (*Naśî'*) und des Exilarchen zustatten kam. Nichts deutet darauf hin, daß Rabbinen die Möglichkeit gehabt hätten, jemanden aus dem Judentum auszuschließen[367]; möglich war zunächst der Ausschluß aus den nach pharisäisch-rabbinischen Regeln lebenden Gemeinschaften (*ḥᵃbûrôt*), im Lauf der Zeit aus den rabbinisch kontrollierten Bereichen[368], aber dergleichen wäre mit einem Begriff wie „Exkommunikation" irreführend beschrieben. Die These vom „Synagogenausschluß" wird jedoch durch neutestamentliche und altkirchliche Zeugnisse gestützt: Stellen wie Joh 9, 22; 12, 42; 16, 1 f.[369] setzen den Ausschluß aus Synagogen voraus – aber dies führt eben in die syrisch-kleinasiatische Diaspora[370] und besagt nichts über das palästinische Mutterland, wo sich der *ᶜAm ha-'aräṣ*[371] (die nichtrabbinisch orientierte jüdische Bevölkerung) noch lange Zeit wenig darum kümmerte, was den Rabbinen paßte oder nicht. Es ist gewiß kein Zufall, daß in rabbinischen Texten ganze Listen von Personen zu finden sind, die nach rabbinischem Maßstab als Dissidenten angesehen wurden[372], wahrscheinlich auch Judenchristen mit eingeschlossen, doch wurden diese eher unter die Teilapostaten und Apostaten als unter die Minim, und in tannaitischer Zeit auch schwerlich unter die Kollaboranten Roms eingereiht[373]. Jedenfalls werden Christen bzw. Judenchristen nirgends als gesonderte Gruppe in solchen Aufzählungen angeführt, und auch halakisch sind keine Bestimmungen erhalten, die sich so speziell gegen sie richten wie z. B. gegen Samaritaner[374].

3.2. Verwünschung und Verfolgung

3.2.1. *Die christlichen Zeugnisse*

Justinus Martyr erwähnt in seiner Apologie I, 31,6, daß unter Bar Kochba (132–135 n. Chr.) (Juden-)Christen verfolgt und gezwungen wurden, Jesus zu schmähen (*blasphēmeîn*), vgl. Act 26, 11 (Praxis des Saulus als Verfolger auch I Tim 1, 13), und im Dialog mit Tryphon wirft er den Juden mehrmals (16, 4; 47, 4; 93, 4; 108, 3; 133, 6) vor, die Christen zu verdammen bzw. zu verfluchen. Man hat diese Verfluchung auch schon in neutestamentlichen Stellen wie Gal 3, 13 und I Kor 12, 3[375] vorgezeichnet gesehen, was wieder an die Diasporagemeinden als eigentlichem Ort der Konfliktaustragungen verweist und das Fehlen rabbinischer Belege erklären kann. Die erwähnten Zeugnisse lassen zwei unterschiedliche Sachverhalte erkennen: Einmal eine Verfolgungsmaßnahme, nämlich der Zwang zum „Abschwören" gegenüber Jesus, sodann eine regelmäßige, nach Justin offenbar liturgische (Dial. 47, 4: in den Synagogen) Verwünschung der Jesus-Anhänger. Diese letztere hat man in der Regel mit der 12. Benediktion des Achtzehngebets in Verbindung gebracht.

Es liegt kein plausibler Grund vor, diese Angaben über Verfolgungen und Verwünschungen grundsätzlich in Zweifel zu ziehen, die Situation war insbesondere in den Diasporagemeinden gewiß gespannt genug, um schroffe Formen der Auseinandersetzung hervorzubringen, auch wenn in den Formulierungen bis zu einem gewissen Grad bereits literarische Konvention vorliegen sollte.

Im übrigen leidet die Behandlung des Themas oft unter unangemessenen emotionalen (polemischen oder apologetischen) Begleiterscheinungen. Die Verwünschung von feindlichen Mächten und Gegnern gehört nämlich ebenfalls zum Repertoire interreligiöser Verhaltensmuster, und auch im Christentum war dergleichen in der Taufliturgie und bei der Konversion fest verankert.

3.2.2. *Verfolgungen*

3.2.2.1. Christenverfolgungen durch Juden

Abgesehen von Act 8, 1–3 und 26, 9 ff. sprechen auch andere ntl. Stellen von Verfolgungen durch jüdische Gegner (s. o. in den paulinischen Briefen; Act 13, 50; Lk 21, 12 etc.). Nicht selten handelt es sich jedoch weniger um Zeugnisse für konkrete Vorfälle als um theologische Aussagen[376], indem teils das Motiv der Verfolgung als Merkmal der Endzeit durchschimmert (vgl. Mk 4, 17/Mt 13, 21; Mk 13; II Thess 1, 4; II Tim 3, 11 f.) und dazu auch noch das stereotype Motiv der Prophetenverfolgung kommt (Mt 10, 23; 23, 34/Lk 11, 43; Mt 5, 10–12; Act 7, 52), teils auch der Gedanke der Nachfolge Christi und somit eine gewisse Märtyrerideologie eine Rolle spielt (vgl. Joh 15, 20). Fast alle diese Motive begegnen z. B. I Thess 2, 14–16. Diese Hinweise genügen, um zu erkennen, daß unabhängig von konkreten Auseinandersetzungen auch literarische und theologische Konventionen mit am Werk waren[377], wobei nicht zu vergessen ist, daß die Behauptung von Verfolgungen bzw. der Vorwurf der Verfolgung zum Repertoire inter-religiöser Auseinandersetzungen überhaupt gehört[378]. Man hat darum auch in den Angaben des Justinus Martyr die Merkmale solcher Konventionen bemerkt und davor gewarnt, sie unbesehen als Quellen für historische oder gar zeitgenössische Ereignisse anzusehen[379], und dasselbe gilt für Tertullian, dessen Wort von den Synagogen als *fontes persecutionum* (Scorp. X, 10) oft so interpretiert wurde, als hätte er nicht die in den ntl. Schriften ausgedrückte Ur-Feindschaft[380], sondern konkrete zeitgenössische Machenschaften der jüdischen Gemeinden im Rahmen der römischen Christenverfolgungen gemeint[381]. Mit all dem können aber Angaben wie in Act 26, 11 und bei Justin, Apol. I, 31,6 (s. 3.2.1.) über das Verfahren des zwangsweisen Abschwörens per Verwünschung nicht begründet werden, hier spiegelt sich eine juristische Maßnahme, deren Sinn die Erkennung und Disziplinierung einer bestimmten Zielgruppe ist. R. Freudenberger[382] hat den Sachverhalt weiter untersucht und auf ein ähnliches Verfahren verwiesen, das nach Josephus bell. VII, 46 ff. ein jüdischer Apostat beim Ausbruch der Feindseligkeiten in Antiochien anzuwenden empfahl, nämlich einen Opfertest (im Sinne heidnischen Kults). Demnach wäre es denkbar, daß diese Verfahren und auch der erwähnte Opfertest einen Einfluß auf die Art und Weise der Ermittlungen gegen die Christen ausübten, von denen Plinius berichtet, und daß christenfeindliche Juden bzw. christenfeindliche jüdische Apostaten dabei eine Vermittlerrolle spielten, und zwar in der Regierungszeit Domitians[383].

Nach Justinus Martyr, Dial. 17; 108[384], sollen von Jerusalem aus – also vor dem Krieg 66–70 n. Chr. – Boten in die Diaspora entsandt worden sein, die bekanntgaben, daß (nach c. 17) „eine gottlose Abspaltung (*hairesis átheos*) der Christen" bzw. (nach c. 108) „eine gottlose und gesetzlose (*ánomos*) Abspaltung" entstanden sei, durch (108 weiter) „einen Jesus, einen galiläischen Betrüger, den wir (sic!) gekreuzigt haben". Es folgt die Angabe, Jesu Jünger hätten den Leichnam Jesu nachts gestohlen und würden die Leute betrügen, indem sie behaupten, er sei auferstanden von den Toten und zum Himmel aufgefahren. Was hier zum Teil in direkter Rede aus der angeblichen Botschaft zitiert wird, stammt mit Sicherheit größtenteils aus christlicher Feder (vgl. JvN 249.257), möglicherweise beeinflußt von Act 26 etc. Man hat versucht, diese Botschaft zu rekonstruieren[385] und wenigstens einen historischen Kern zu retten[386], andere meinen, es handle sich um eine Rückprojizierung einer Maßnahme aus der Jabne-Zeit[387] oder gar aus der Bar-Kochba-Zeit[388]. Nun mag tatsächlich im Rahmen der recht häufigen Gesandtschaften in die Diaspora auch das Problem der Christen zur Sprache gekommen sein, vor allem, falls Anfragen über Herkunft und wünschenswerte Behandlung der Christen aus der Diaspora in Jerusalem eingegangen waren, doch allzuviel Gewicht wird man diesem Zeugnis nicht zumessen dürfen (vgl. nämlich Act 28, 21). Dasselbe gilt in bezug auf die von Justin abhängige Stelle bei Euseb, hist. eccl. IV, 18,7 und zu Jes 18, 1. Am konkretesten ist die Angabe Justins, Apol. I, 31,6f. über die Verfolgung und sogar Hinrichtung von Judenchristen unter Bar Kochba (132–135 n. Chr.) während des zweiten Aufstandes gegen Rom, wobei man annimmt, daß die Judenchristen sich weigerten, sich am „messianischen" Krieg gegen Rom zu beteiligen, da für sie in Jesus ja die Erfüllung schon gekommen war und mit seiner Wiederkunft als manifest erwartet wurde. Leider fehlen andere Quellen, es sei denn, man deutet die in einem in der Wüste Juda ausgegrabenen Brief Bar Kochbas erwähnten „Galiläer" als Judenchristen, wofür aber der Wortlaut keine Handhabe bietet[389]. Nachdem später Hieronymus schon einige Mühe hatte, judenchristliche Gemeinden aufzufinden, und die rabbinische Überlieferung keine zuverlässig auf Christen beziehbare Aussagen enthält, ist durchaus vorstellbar, daß nach dem regionalen Rückzug der Judenchristen beim 1. jüdisch-römischen Krieg der zweite Aufstand eine weitere und möglicherweise eben auch gewaltsam bewirkte Abwanderung erfolgte. Daher setzen manche Autoren die endgültige Ausgrenzung der Judenchristen unter Bar Kochba an[390].

3.2.2.2. Jüdische Beteiligung an römischen Christenverfolgungen

Die Frage, inwieweit von jüdischer Seite während der römischen Christenverfolgungen eine auslösende oder verschärfende Einwirkung stattgefunden hat, ist in der Forschung heftig umstritten[391]. Während manche Autoren die diesbezüglichen altkirchlichen Hinweise für bare Münze nehmen, verweisen andere auf den recht literarisch-schablonenhaften Charakter dieser Behauptungen[392] oder bestreiten überhaupt eine jüdische Beteiligung weitgehend mit dem Hinweis, daß ja die Juden selber auch verfolgt worden seien[393]. Nun ergeben sich zwar gewiß manche Gemeinsamkeiten aus der Tradition wie auch im Blick auf die Einschätzung durch die heidnischen Römer[394], doch nach dem bisher Festgestellten wäre es geradezu unverständlich, hätten die jüdischen Gemeinden in der Diaspora nicht alle Mittel ausgeschöpft, um sich von den Christen zu distanzieren, die unter der Etikette „Israel" eine ernste Gefährdung der Rechtsbasis der jüdischen Gemeinden heraufbeschwören konnten, falls der römische Staat die Grenzen zwischen Juden und Christen nicht mehr klar erkannte[395]. Daß dies auf seiten der Christen dann als besonders infam empfunden wurde, steht auf einem anderen Blatt[396].

3.2.3. *Achtzehngebet, Benediktion XII*

Einer der am häufigsten für das jüdisch-christliche Verhältnis in talmudischer Zeit angeführten Texte ist die 12. Benediktion des Achtzehngebets, eines dreimal täglich zu rezitierenden Pflichtgebets. Dieses besteht aus einer Serie von 18 Benediktionen in der palästinischen, von 19 (durch Teilung von pal. XIV) in der babylonischen (und von daher herrschend gewordenen) Überlieferung, dürfte nach dem Jahre 70 n. Chr. im Zuge der pharisäisch-rabbinischen Neuordnung der Gebetspraxis und Liturgie zu dem bereits früher vorhandenen und an die beiden täglichen Opferzeiten gebundenen *Š^{e}ma^{c} Jiśra$^{\supset}$el* (und seinen Benediktionen) hinzugefügt worden sein, wenn auch Einzelbenediktionen bzw. ganze Teile älteren Datums sind[397]. In der rabbinischen Überlieferung[398] wurde – wie anderes mehr – auch die Einführung dieses Pflichtgebets den „Männern der großen Versammlung" zugeschrieben.

Es ist aber kein Text aus talmudischer Zeit erhalten. Nach einer Überlieferung in jBer IV, 3f. 8a; bBer 28b–29a[399] wurde unter Gamliel II. (Jabne-Periode) im Rahmen des vorhandenen Gebets eine „Benediktion (euphemistisch für Verwünschung) der *mînîm*" (Lesart: *ṣaddûqîm!*) festgelegt. Dies bedeutet zumindest die Erinnerung daran, daß die Minim nicht von vornhinein im Gebet genannt waren, aber auch, daß sie eine solche Bedeutung gewannen, daß die 12. Benediktion in den rabbinischen Texten in der Regel *›Birkat ham-mînîm‹* heißt, obwohl die Minim nicht das einzige Thema der Benediktion sind. Die Kurzfassung des Inhalts in der *ḥ^{a}tîmah* (mit der eine Benediktion abschließt) lautet: „Gepriesen seist Du, Herr, der die Anmaßenden (*maknî^{ac} zedîm*) niederzwingt" (vgl. jBer II, 4f. 5a; IV, 3f. 8a; V, 4f. 9c); ihr entspricht auch die knappe Inhaltsangabe in der talmudischen Literatur (jBer I, 4f. 4d: *hakne^{ac} qamênû – hikna^{c}ta qamênû*, „Zwing nieder unsere Gegner – du zwangst nieder unsere Gegner"). Das Grundthema ist also: Die Feinde Israels (daher in der Kurzfassung *„Habînenû": r^{e}ša^{c}îm*/Frevler!) und zwar (a) die äußeren Feinde, die feindliche Weltmacht, und (b) innere Feinde, denen aber eine Beziehung zu dem äußeren Feind unterstellt wird, und Feinde aus speziell pharisäisch-rabbinischer

Sicht. Das Thema der Weltmacht begegnet in allen Textvarianten, damit eng verbunden ist die ebenfalls in den meisten Textvarianten zuerst genannte Zielgruppe der *mᵉšûmmadîm* (Apostaten), denen man wünscht, daß ihnen keine Hoffnung bleibe. Viel variabler ist hingegen eine dritte Zielgruppe, deren sofortiger Untergang gewünscht wird. Da die talmudischen Zeugnisse von einer *Birkat ham-mînîm* sprechen, muß zumindest der Begriff *mînîm* hier auch eine entsprechende Verankerung gehabt haben. Daß mit Minim nicht einfach Judenchristen gemeint waren, hat sich bisher an allen behandelten Texten erwiesen. Somit ist es fragwürdig, wenn man – wie meistens – für hier ohne viel Federlesens Judenchristen voraussetzt[400]. Selbst die Ansicht, sie wären vorrangig gemeint[401], dürfte zu weit gehen[402], denn die bereits erwähnten rabbinischen Dissidentenlisten (vgl. für hier insbesondere auch ARN^{A}16; tBM II, 33; bAZ 26a–b) sprechen keineswegs dafür. Hingegen werden *mînîm* recht häufig mit römisch-hellenistischer Kultur und mit Rom als politischer Weltmacht in Verbindung gebracht, was die Einfügung des *mînîm*-Themas in die Verwünschung der Weltmacht bzw. „Anmaßenden" begreiflich werden läßt. Nun weist aber die Textüberlieferung, die wohlgemerkt nicht in talmudische Zeit zurückreicht, gerade in diesem Passus eine Fülle von Varianten auf, und zwar nicht nur in Regionen, die der christlichen Zensur ausgesetzt waren. Während die feindliche Weltmacht und die Apostaten bleibende Zielgruppen darstellen, wurde die dritte Zielgruppe der jeweiligen inneren Situation angepaßt, variierte daher nach Region und Zeit erheblich. Es hat auch kaum einen Sinn, einen „Urtext" herstellen zu wollen, denn allein die talmudischen Bezugnahmen auf diese „Benediktion" enthalten abgesehen von *mînîm* (mit der Lesart *ṣaddûqîm* in bBer 28b) und von *zedîm* noch die Bezeichnungen *pᵉrûšîm* (tBer III, 25), *pôšᵉᶜîm* (Sünder, jBer IV, 3 f. 8a/jTaan II, 2 f. 65c; vgl. bMeg 17b) und *rᵉšaᶜîm* (bMeg 17b; Jalq.Shim. II, 80; *Habînenû*-Gebet). Seit S. Schechter aus der Kairoer Geniza das Fragment einer „palästinischen" Fassung des Achtzehngebets publizierte, in der in XII neben den *mînîm* auch die *nôṣᵉrîm* auftauchen[403], haben nicht wenige gemeint, damit die alte palästinische Fassung, ja gar die Fassung der Jabne-Periode vorliegen zu haben[404], obwohl damit etwa

800–900 Jahre kühn übersprungen werden und aus der Geniza auch andere Formulierungen bekannt sind. Verhältnismäßig wenige sprachen sich dafür aus, daß der Ausdruck *nôṣ^e^rîm* erst in einer mehr oder minder späten Phase aufgenommen worden sei[405]. Beide Ansichten stützen sich auf die altkirchlichen Nachrichten über die Verwünschungen[406], die ja nicht einfach als polemische Erfindungen abgetan werden können. Zwar ist es möglich, die Stellen bei Justin noch so zu interpretieren, daß die Christen sich durch die 12. Benediktion zwar betroffen fühlten, aber dort nicht expressis verbis erwähnt waren, denn Konvertiten konnten den Sachverhalt sehr wohl – und verständlicherweise – entsprechend dargestellt haben, aber das bei Hieronymus und Epiphanius erhaltene Zeugnis, wonach in den Synagogen dreimal täglich die Nazarener (Hieronymus) bzw. Nazaräer (Epiphanius) verflucht wurden, kann sich wohl nur auf einen entsprechenden Wortlaut der *Birkat ham-mînîm* beziehen. Bestätigt nun dieses Zeugnis aber die Frühdatierung des Ausdrucks *nôṣ^e^rîm* oder die These, daß dieser erst im Lauf der Zeit – unter christlicher Herrschaft – in einen Teil der Gebetstexte geriet? Die Frage ist dabei, welche Gebetssprache bei diesem Kirchenväterzeugnis vorauszusetzen ist. Es liegt sehr nahe, an griechischsprachige Fassungen[407] zu denken, in denen man begreiflicherweise die Christen nicht unter ihrer geläufigen, positiven Selbstbezeichnung *christianoí* anführte, sondern als „Nazarener", und dies am ehesten im Sinne von „Anhängern des Nazareners" (d. h. Jesu von Nazareth), wobei die Formen *Nazarēnoi* und *Nazōraîoi* (schon vom NT her) zur Auswahl standen und in nichtchristlichen Kreisen (neben „Galiläer") aufgegriffen und mit abwertendem Beiklang gebraucht wurden. In diesem Fall hätte man also weniger an die Sekten der Nazaräer und der Nazoräer gedacht als an die Nazarener = Christen überhaupt, was zur Zeit des Hieronymus (4./5. Jh.) natürlich hier, im Kontext der Verwünschung der feindlichen Weltmacht, seinen guten Sinne hatte. Wenn in vielen Publikationen (v. a. jüdischer Autoren) so entschieden betont wird, es könne sich nur um Judenchristen handeln, so steht dahinter mehr ein apologetisches Anliegen[408]. Der Ausdruck *nôṣ^e^rîm* für „Christen" und *nôṣrî* für Jesus (meist *Ješû han-nôṣrî*) ist in Texten der talmudischen Zeit schwerlich ursprünglich[409], sondern eher ein späteres Produkt, wobei zwei Faktoren eine Rolle gespielt haben können: eine bereits vorhandene hebräische oder aramäische Bezeichnung, die aber zunächst anderen Gruppen galt, und der erwähnte griechische Sprachgebrauch des westlichen Diasporajudentums, der im Übergang zum Frühmittelalter durch das Hebräische abgelöst wurde. Jedenfalls verbietet es die ungemein große Variabilität der hebräischen Textzeugen, von einer der vielen mittelalterlichen Varianten[410] aus einen antiken „Urwortlaut" zu postulieren. Weit näher liegt es, auch für die Antike, v. a. im Blick auf die weitgestreute und unterschiedlichen Bedingungen ausgesetzte Diaspora, eine große Bandbreite der Variabilität anzunehmen, und die bei Hieronymus und Epiphanius erhaltene Nachricht kann in diesem Sinn als historisch zuverlässig gewertet werden, ohne daß die Frage der vor-byzantinischen hebräischen Textformen berührt wird.

Man nimmt fast durchwegs an, die Verwünschung sollte den Betroffenen die Teilnahme am Synagogengottesdienst unmöglich machen, denn sie hätten schwerlich ihre eigene Verwünschung mitbeten können. Man stützt sich dafür auch auf jene talmudischen Nachrichten, die in bezug auf bestimmte (II, XII, XIV) Benediktionen des Achtzehngebets festlegen, daß im Fall eines Irrtums des Vorbeters dieser gehalten wird, die fragliche Benediktion zu wiederholen. Freilich lassen auch diese Texte nicht den Schluß zu, daß damit insbesondere oder etwa überhaupt Judenchristen gemeint waren, in bezug auf die 2. Benediktion (Auferstehungsfrage) sowieso nicht, in bezug auf die 12., bei der die Befürchtung erwähnt wird, es könne sich beim unkorrekt rezitierenden Vorbeter um einen Min handeln, jedenfalls nur in dem begrenzten Maß, als Min eben einen Judenchristen bezeichnen kann. Nun entsteht in der Fachliteratur weithin der Eindruck, als verrate diese genannte Regelung die eigentliche Absicht bei der Einführung der *Birkat ham-mînîm* in der Jabne-Periode: nämlich die Erkennung von Dissidenten. Nun darf man fragen, ob eine solche Maßnahme, die ja jeweils nur den Vorbeter treffen konnte, im Sinne eines „Synagogenbanns" wirksam sein konnte. In dem Zusammenhang ist auch die Datierungsfrage relevant: Die Problematik des unkorrekten Vorbetens wird nicht mit der Jabne-Periode verbunden, sondern mit Rab (frühes 3. Jh.)[411] und Späteren, und wenn die Legende jBer V, 3f. 9c (vgl. bBer 28b/29a) von Samuel dem Kleinen, der die *Birkat ham-mînîm* in Jabne festgelegt haben soll, berichtet, er habe sich nach einem Jahr nicht mehr erinnern können, dann ist bemerkenswert, daß es den Passus *maknî*ac *zedîm* im Benediktionsschluß, nicht aber den Minim-Passus betrifft[412].

Der ursprüngliche Zweck der *Birkat ham-mînîm* war wohl ebensowenig der Ausschluß von Minim aus dem Gottesdienst, wie die Verwünschung Roms den Ausschluß von Römern zum Ziel hatte. Es ging vielmehr um eine grundsätzliche Verwünschung, und die Adressaten waren weniger eventuell anwesende Minim als vielmehr die Gottesdienstteilnehmer selbst, so wie auch die Verwünschungen bzw. Abrogationen im christlichen Bereich (Taufe, Konversion) der Selbstabgrenzung und inneren Festigung dienen sollten, und wie sich auch die Polemik gegen die „ungläubigen" Juden in der kirchlichen Liturgie nicht gegen anwesende Juden richtete, sondern das christliche Bewußtsein prägen sollte. Ebenso sollte die 12. Benediktion das heilsgeschichtliche Selbstbewußtsein gegenüber der – auf jeden Fall zum Untergang bestimmten – feindlichen Weltmacht kräftigen und zum Ausdruck bringen[413], und darüber hinaus gleich die Grenzen der rabbinisch kontrollierten Gemeinde gegenüber allen widerstrebenden oder zentrifugalen Elementen deutlich machen – und zwar gerade für die Gemeinde selbst. Außerdem ist die allgemeine Entwicklung des Gebetstextes überhaupt mit zu beachten: Es gab keine „Urfassung"[414]. Es kann nach dem gegenwärtigen Stand der Forschung nicht davon ausgegangen werden, daß in früher Zeit, jedenfalls gewiß noch nicht vor 135 n. Chr., die Gebete auch im Wortlaut bereits fixiert waren[415]. Im Gegenteil, die Benützung wörtlich fixierter Gebete wurde nicht geschätzt. Was in bezug auf das Achtzehngebet feststand, waren die Themen bzw. Inhalte. Erst im Lauf der Zeit, und bis zu einem gewissen Grad im Zusammenhang mit der Entfaltung der synagogalen Dichtung, ergab sich das Bedürfnis nach exakter Festlegung bzw. nach einer Standardisierung, ein Bemühen, das sich übrigens noch lange hinzog. Die rabbinischen Quellen lassen nur erkennen, daß man in der 12. Benediktion auf die Erwähnung der Minim Wert legte. Es ist fraglich, ob Judenchristen sich selber als Minim einstuften und sich daher betroffen fühlten (sie hätten wahrscheinlich eher die Rabbinen als Abtrünnige oder Häretiker gewertet); es ist möglich, daß die Rabbinen auch Judenchristen zu den Minim rechneten, doch weisen die meisten *mînîm*-Stellen darauf hin, daß nichtchristliche Personen gemeint waren, vor allem antirabbinisch eingestellte und synkretistisch-assimilatorisch orientierte Juden[416].

4. CHRISTLICHE BRÄUCHE UND VERHALTENSWEISEN

4.1. Zur Einführung

Während die Frage des jüdischen Erbes und des möglichen jüdischen Einflusses auf Liturgie und Brauchtum der Alten Kirche ziemlich häufig behandelt wurde[417], liegt die Erforschung des christlichen Einflusses auf die jüdische Liturgie und das jüdische Brauchtum noch vergleichsweise im argen. Die vorliegenden Arbeiten[418] verzichten fast durchwegs auf eine Quellenanalyse und bewegen sich daher in der Regel im Bereich von Vermutungen und Behauptungen. Dabei ist auch hier meist entscheidend, welches Gewicht der jeweilige Autor dem christlichen Gegenüber der „Synagoge" für deren Umweltverhältnis voraussetzt. Lehrreich ist in dieser Hinsicht, daß der synagogale Dichter Jannaj, der wohl ins 6. Jh. zu datieren ist und daher bereits mit der christlich-byzantinischen Religionspolitik und einer christlichen Mehrheit in Palästina voll konfrontiert war, in seiner Polemik noch vorrangig die heilsgeschichtstheologisch-politische Konkurrenzsituation im Sinne der traditionellen Jakob–Esau-Symbolik beschreibt, also den Übergang vom Heidentum zum Christentum kaum zur Kenntnis genommen hat. Sieht man von ganz wenigen polemischen Spitzen gegen Christus als einem „Toten" ab[419], bleiben kaum Handhaben für die manchmal vertretene Ansicht, Jannaj habe gegen konkrete christliche Ansichten und Bräuche polemisiert[420], denn eine genauere Analyse der betreffenden Texte, deren Zuschreibung an Jannaj zudem zum Teil fraglich ist, zeigt, daß es sich durchwegs um traditionelle polemische Klischees handelt, die teilweise der innerjüdischen Kritik und teilweise der antiheidnischen Polemik entstammen[421] und nun einfach gegen die mittlerweile christlich gewordene Umwelt gerichtet wurden[422]. Nur wenn man die jüdische Selbsteinschätzung voll berücksichtigt[423], wird begreiflich, warum die rabbinischen Quellen selbst in byzantinischer Zeit noch immer nur den Gegensatz Israel : Weltvölker voraussetzen und im althergebrachten Stil gegen „Götzendienst" polemisieren, und warum die meisten Stellen, in denen man Reaktionen auf spezifisch christliche Bräuche und Verhaltensweisen finden wollte, selbst einer oberflächlichen Überprüfung im Kontext nicht standhalten.

4.2. Gebete

4.2.1. *Gebetsrichtung*

Die jüdische Gebetsrichtung ist zwar durch die Lage des Tempels bestimmt (vgl. tBer III, 17), also jerusalemorientiert, doch gibt es genügend Hinweise auf abweichende Praktiken, eine Orientierung an der aufgehenden Sonne z. B.[424], so daß man nicht davon ausgehen kann, die Orientierung nach Jerusalem sei in der Antike von allen Juden befolgt worden. Die Ablehnung der Ostorientierung war jedoch leicht durchzusetzen, da diese in der heidnischen Umwelt (vor allem als Begleiterscheinung des Sonnenkults) vorherrschte. Als Abgrenzungsmittel war die Orientierung nach Jerusalem freilich nur begrenzt wirksam, nämlich am ehesten in Palästina, wo die Hauptsiedlungsgebiete der Juden im Norden und Süden lagen, während im Westen und damit in der ganzen westlichen Diaspora keine Unterscheidung möglich war. Die Christen haben in Palästina durch die Fortführung der heidnischen Ostorientierung diese Unterscheidung von sich aus vollzogen, jedoch gilt dies offenbar nicht bzw. nur in geringem Maß von Judenchristen[425]. Man hätte also bei jüdischer Polemik gegen Ostorientierung in erster Linie an die heidnische Praxis, dann an die heidenchristliche, und erst zuletzt an eine judenchristliche zu denken, aber immer auch an die Möglichkeit, daß jüdische Dissidenten – Minim – die heidnische Praxis befolgten.

So erörtert bBB 25a Fragen der *Šᵉkînah* (göttlichen Einwohnung, Gegenwart)[426] und deren Konsequenzen in bezug auf bestimmte Einrichtungen im Westen (des Tempels), kommt dabei auf die Allgegenwart der *Š^e^kînah* und auf die Gebetsrichtung zu sprechen. Dem blinden R. Scheschet (Babylonien Mitte 3. Jh.) wird dabei die Aussage zugeschrieben, er sei auch der Meinung gewesen, die *Š^e^kînah* sei allgegenwärtig, doch habe er seinem Diener untersagt, ihn für das Gebet gegen Osten auszurichten, „nicht, weil dort keine *Š^e^kînah* ist, sondern weil die *mînîm* es vorschreiben". Daß diese Minim Christen sind[427], hat man auf Grund mittelalterlicher Überlieferungen (v. a. Raschis Kommentar)[428] angenommen, doch klingt es in diesem Zusammenhang nicht überzeugend[429].

4.2.2. *mMeg IV, 9/mBer V, 3; jMeg IV, 10f. 75c/jBer V, 3f. 9c; bMeg 25a/bBer 33b, 34a*

Eine Reihe von Bräuchen in mMeg IV, 8 par., die von den Rabbinen mißbilligt wurden, ist bereits in anderem Zusammenhang (1.2.11.4.c) erwähnt worden. Sie wird durch eine Reihe von Gebetsformeln fortgesetzt, die in der Fassung mMeg IV, 9 so lautet:

Aa) Rezitiert einer:
ba) „Die Guten mögen dich preisen",
bb) – siehe, so ist dies die Art der *mînût*;
ca) „Auf ein Vogelnest erstreckt sich dein Erbarmen"
cb) und „Für das Gute sei deines Namens gedacht",
cc) „(Wir) danken, danken",
cd) den heißt man schweigen.
Ba) Bezeichnet einer (direkt) die verbotenen Sexualverhältnisse,
b) heißt man ihn schweigen.
Ca) Rezitiert einer (übertragend):
ba) „Und von deiner Nachkommenschaft sollst du nichts dem Molek übergeben lassen" (Lev 18, 21)
bb) als „Von deiner Nachkommenschaft sollst du nicht ins Aramäertum (Heidentum der Palästinenser/Syrer) übergehen lassen",
c) den heißt man mit einer Rüge schweigen.

mBer V, 3 enthält nur Aca) (Vogelnest) bis cd). Handelt es sich hier um christliche Gebetsformeln[430] oder um gnostische Tendenzen[431]?

Die erste Formel (Aba): „Die Guten mögen dich preisen" wird eindeutig als Brauch der *mînût* gebrandmarkt, und die Gemara dazu gibt einen knappen Hinweis, daß die Formel auf „zwei (göttliche) Gewalten" gedeutet werden kann, so daß eine Entscheidung über die nähere Zuordnung kaum möglich ist[432], ob man nun an Gnostiker[433], gnostisierende (Juden-)Christen[434] oder an Christen[435] denkt, wobei freilich letzteres am wenigsten einleuchten will.

Aca) (Vogelnest) wurde bereits in anderem Zusammenhang (1.3.4.) gestreift, es handelt sich um das vieldiskutierte Problem der Vorsehung Gottes, wobei zu beachten ist, daß hier nicht von *mînût* die Rede ist, sondern von fragwürdigen, Gottes Vorsehung oder Gerechtigkeit begrenzenden bzw. infragestellenden Interpretationen, wie die Gemara beider Talmude deutlich macht[436]. Nichts deutet auf eine Abwehr christlicher oder gnostischer Vorstellungen hin, das Problem war eben innerjüdisch und selbst innerrabbinisch akut. Dasselbe gilt auch für cb), wozu die bGemara verdeutlicht: Man soll Gott für beides, Gutes wie Böses, danken[437].

Rätsel gibt der Tadel gegen die Verdoppelung von *môdîm* (in der 18. Benediktion des Achtzehngebets) in Acc) auf. Die bGemara verweist auf die Gefahr einer Deutung auf „zwei (göttliche) Gewalten". Dies wird einerseits recht ernst genommen, wenn etwa nach dem jTalmud Samuel b. Isaak (Pal., um 300) dies mit einem Zitat aus Ps 63, 12 als (religiöse) Lüge hinstellt, doch relativiert jMeg insofern, als die Wiederholung des Wortes nur für den öffentlichen Gottesdienst abgelehnt wird, für das private Gebet nicht, und dazu als Parallelfälle „Amen, Amen" und „Höre, Höre" genannt werden (vgl. bMeg 25a; bBer 34a R. Zera). Man hat zwar an eine Anspielung auf die doppelte Segnung von Wein und Brot der Eucharistie gedacht[438], doch dann wäre wohl eine schärfere Reaktion zu erwarten. Möglicherweise sollte im Gottesdienst einfach die Tendenz zur Aufblähung der Gebetstexte (und dabei die Gefahr „magischer" Gebetsauffassung) eingedämmt werden[439], wie ja auch in der bGemara die Häufung von Gottesattributen in der Liturgie gerügt wird. Daß es nicht um Häresie geht, zeigen auch die weiteren Punkte. Cbb) enthält eine eindeutige Gruppenabgrenzung gegen das „Aramäertum", verurteilt sexuelle Verbindungen mit palästinisch-syrischen

Nichtjuden (siehe die bGemara), wobei keine Rolle spielt, welche Religion diese bekennen. Man wünschte indes, diese ziemlich zelotische Ansicht (vgl. mSanh IX, 6) nicht im Gottesdienst zu hören.

4.2.3. *mBer VIII, 8*

„Man respondiert mit ‚Amen' auf einen Israeliten, der eine Benediktion spricht, aber man respondiert nicht mit ‚Amen' auf einen Samaritaner, der eine Benediktion spricht, sofern man nicht die ganze Benediktion gehört hat."

Es ist schwerlich gerechtfertigt, diese Regelung als auch antichristlich zu werten; die Benediktion eines Christen hätte man schwerlich anzuhören gestattet, bestimmt auch nicht die eines Juden, der als ein Min galt, denn mit einem solchen wäre gar kein Kontakt gestattet[440]. Die Regelung hier entspricht der auch sonst üblichen Mittel-Position der Samaritaner in der Halaka, man traut ihnen nicht in jeder Hinsicht, obwohl eine begrenzte korrekte Praxis anerkannt wird. Preist hingegen nach jBer VIII, 9f. 12c ein Nichtjude (*gôj*) Gott (d. h. den Gott Israels!), dann respondiert man mit Amen.

4.2.4. *mBer IX, 5; tBer VII, 21; jBer VIII, 8f. 12c/bBer 63a*

Im Anschluß an Verhaltensregeln für den Tempelbereich erwähnt diese Mischna, man habe im Tempel in allen Benediktions-Schlußformeln *min ha-ᶜôlam* („von Weltzeit her") verwendet,

„als aber die *mînîm* ihr verderbliches Wesen zu treiben begannen und sagten: Es gibt nur die (eine) Welt(zeit), verordnete man, daß gesprochen werden solle: *min ha-ᶜôlam wᵉᶜad ha-ᶜôlam* (von Weltzeit zu Weltzeit); ferner verordnete man, daß man seinen Nächsten mit dem (Gottes-)Namen grüßen solle, (wie) siehe da kam Boaz . . . (Rut 2, 4) etc."

Die Regelung setzt die in tannaitischer Zeit verbreitete Bedeutung von *ᶜôlam* als „Welt" voraus[441], und zwar in dem geläufigen Gegensatz „Diese Welt – Kommende Welt". Die Gegner, die hier als Minim getadelt werden, leugneten die Existenz der „Kommenden Welt", was in etwa der Auferstehungsleugnung gleichkommt. Liegt insofern der Gedanke an eine Richtung wie die Sadduzäer[442] nahe, eventuell auch an gewisse Samaritaner[443], so kaum an Gnostiker[444]. Aber auch hier hat man Christen vermutet, Judenchristen[445] wie paulinische[446], und zwar auch im Blick auf die Grußregelung[447], doch diese Vermutung ist am wenigsten begründet[448].

4.2.5. *Das Š^e^ma^c^ Jiśra^ɔ^el*

4.2.5.1. bBer 47b

Die Beschreibung von Angehörigen des (nichtrabbinisch orientierten) *^c^Am ha-^ɔ^aräṣ* als solche, die keine (rabbinischen) Reinheitsgebote einhalten, nicht korrekt verzehnten, das *Š^e^ma^c^*-Gebet morgens und abends nicht rezitieren, nicht Gebetsriemen anlegen, nicht Gewandquasten (Zizit) tragen, keine Mezuza an der Tür haben, ihre Söhne nicht Tora lernen lassen bzw. den Rabbinen nicht „dienen", hat die Vermutung aufkommen lassen, es handle sich um Judenchristen[449].

Parallelen zeigen aber, daß Juden gemeint sind, die der rabbinischen Bildung bzw. Richtung fernstehen oder ablehnend gegenüberstehen[450]. Im Kontext geht es um die Verläßlichkeit der Verzehntung im Blick auf solche Juden wie im Blick auf Samaritaner; im übrigen ist zum Ganzen bSoṭa 21b/22a zu vergleichen.

4.2.5.2. bBer 61b

Die Märtyrerlegende über Akibas Tod erzählt, er habe sein Leben mit einem betonten *^ɔ^äḥad* ausgehaucht, mit dem letzten Wort im ersten Satz des *Š^e^ma^c^*-Textes Dt 6, 4 („Höre, Israel, der Herr, unser Gott, der Herr ist EINER")[451]. Obwohl es höchst unwahrscheinlich ist, bei einem Martyrium unter dem heidnischen Rom an etwas anderes zu denken als an ein antipolytheistisches Bekenntnis zum

Gott Israels, wurde erwogen, das betonte „Einer" könnte sich auch gegen die Gottheit Christi richten[452]. Dies trifft erst für die Spätzeit zu (und daher dürfte es auch im 6./7. Jh. im byzantinischen Bereich Gegenmaßnahmen gegeben haben)[453].

4.2.5.3. bPes 56a

Die Mischna erwähnt Pes IV, 8 einige Sonderbräuche in Jericho, unter anderen: *kôr^{e}kîn ʾät haš-Š^{e}ma^{c}* („man raffte die *Š^{e}ma^{c}*-Rezitation"), was bPes 56a erklärt wird: Man ließ die Responsion nach dem Vers Dt 6, 4 aus, die in Anlehnung an Neh 9, 5 und Ps 72, 19 lautet: „Gepriesen sei die Herrlichkeit seiner Königsherrschaft für immer und ewig." Im Tempel soll sie nach dem Aussprechen des Gottesnamens durch den Hohepriester am Großen Versöhnungstag statt „Amen" verwendet worden sein (mJoma III, 8; IV, 1f.; VI, 2; bJoma 35b. 39a. 66a; bTa^{c}an 16b), und sie blieb auch in der synagogalen Liturgie dieses Tages verankert. Nach tBer VII, 22 soll sie im Tempel das „Amen" überhaupt (in bestimmten Fällen?) ersetzt haben. Sie galt ferner als Teil der dem Gebet Israels korrespondierenden Engel-Liturgie (Dt.R. 2, 36)[454].

Die Tatsache, daß es sich zwar um alte liturgische Tradition, aber doch nicht um eine eindeutig biblische Formel handelte, spiegelt sich in bPes 56a (vgl. Gen.R. 98, 3), wo sie Jakob zugeschrieben wird. Da sie aber nicht aus der Tora (von Mose) stamme, habe man beschlossen, die Responsion nur leise zu rezitieren. Diese sekundäre Rationalisierung eines alten Brauches, Gebete bzw. Gebetsteile zu flüstern, zeigt, daß im Lauf der Zeit Bedenken aufkamen, möglicherweise wegen der Gefahr einer magischen Mißdeutung. Jedenfalls habe man später angeordnet, diese Responsion laut zu sprechen – „wegen der üblen Nachrede der *mînîm*", ein Ausdruck, der öfter begegnet und andeutet, daß die Feinde der Rabbinen hier einen Ansatzpunkt für Kritik fanden[455]. Nur in Nehardea in Babylonien, wo es keine Minim gegeben habe (der Ort war also völlig rabbinisch kontrolliert), hätte man die Formel weiterhin leise gesprochen.

Der Wortlaut („wegen der üblen Nachrede der Minim") spricht

nicht für die Vermutung, die Abschaffung der leisen Rezitation wäre eine Maßnahme gegen Judenchristen[456] gewesen, um zu verhindern, daß sie bei dieser Gelegenheit ihre Sondergebete flüstern, vielleicht ein christologisches Bekenntnis unmittelbar auf das Einheitsbekenntnis. Eher handelt es sich um eine Art aggressiver antirabbinischer Religionskritik von Minim, wie sie auch im frühen Mittelalter bei antirabbinischen Strömungen zu beobachten ist: Man unterstellte den Rabbinen abergläubische Praktiken, die im Volksglauben wahrscheinlich tatsächlich eine gewisse Verankerung hatten und deshalb die Rabbinen zu Maßnahmen veranlaßten. Im übrigen entspricht es auch späterem Regel-Brauch, diese Responsion im *Š^ema^c* leise zu sprechen, nur am Großen Versöhnungstag wird demonstrativ laut rezitiert. Bemerkenswert ist schließlich, daß innerhalb eines Responsum des Sar Shalom eine Glosse von Raschi erhalten ist, in der er das Flüstern als Vorsichtsmaßnahme zur Zeit der byzantinischen Religionsverfolgung (des 6.–7. Jh.) bezeichnet, „damit die *mînîm* es nicht verstehen, das sind die Anhänger des *Nôṣrî*, die sich mit den Griechen verbunden hatten" und den Gottesdienst bespitzelten[457].

4.2.6. *Die „verbotenen Perikopen" und der Dekalog*

4.2.6.1. mMeg IV, 10; tMeg IV, 31–41; jMeg IV, 10f. 75c; bMeg 25a–b

mMeg IV, 10 nennt eine Reihe von Einschränkungen in bezug auf die Lesung bzw. Übersetzung bestimmter biblischer Abschnitte im synagogalen Gottesdienst. Weder die Mischna noch der jTalmud nehmen dabei auf Minim oder sonstige Außenseiter Bezug, und wenn dennoch vermutet wurde, diese Maßregeln wären gegen Gnostiker[458] oder mit Rücksicht auf Ebioniten[459] getroffen worden, dann nur im Sinne einer Verallgemeinerung der in bMeg 25b (vgl. tMeg IV, 37, siehe 1.3.7.a) enthaltenen Bemerkung des Simon b. Eleazar (2./3. Jh.), daß die Minim aus der Antwort des Aaron an Mose Ex 32, 24 – „und ich warf es (das eingesammelte Gold) ins Feuer, und da wurde dieses Kalb daraus" – eine bedenkliche exegetische Folgerung gezogen hätten, weshalb man seine Antwort auf religiöse Fragen sehr vorsichtig formulieren sollte. Wahrscheinlich interpretierte Raschi richtig, wenn er den Minim unterstellte, sie hätten aus den zitierten Worten in Ex 32, 24 geschlossen, am Götzendienst sei doch etwas dran, so daß auch hier ein Beleg für die Neigung der Minim zur Übernahme heidnischer Praktiken vorliegt[460]. Zu Christen paßt die Stelle überhaupt nicht[461], es dürfte auch keine spezielle Spitze gegen Aaron bzw. das aaronidische Priestertum beabsichtigt sein[462]. Alle Einschränkungen bezüglich der synagogalen Lesung sind auch ohne Rücksicht auf Häretiker oder Außenstehende plausibel zu begründen, nur im Zusammenhang mit dem Text vom Goldenen Kalb (Ex 32), der Israel dem Vorwurf des Götzendienstes aussetzte und daher von Verfechtern des Götzendienstes auch polemisch aufgegriffen wurde, zeigt sich in tMeg und bMeg ein apologetischer Zug, der aber noch keinen Reflex der christlichen Argumentation mit dem Goldenen Kalb erkennen läßt.

4.2.6.2. Der Dekalog als *Š^e^ma^c^*-Text

Aus mTamid V, 1 geht hervor, daß im Tempel der Dekalog vor dem eigentlichen *Šᵉmaᶜ*-Text Dt 6, 4 rezitiert wurde, und diese Praxis war auch außerhalb des Tempelkults verbreitet, wie der sog. Papyrus Nash[463] und Qumran-*Tᵉfillîn*-Texte[464] zeigen. Daß diese Praxis auch im rabbinischen Einflußbereich bekannt und geläufig war, ergibt sich z. B. aus Sifre Dt § 34–35 und Lev.R. 24, 5, vor allem aber ist bemerkenswert, daß sich in ägyptischen Gemeinden dieser Brauch bis zum Anfang des 13. Jh. gehalten hat[465]. Die Rabbinen in Palästina haben hingegen, wie folgende Texte zeigen, den Dekalog aus dieser Position eliminiert, und dies wurde auch in Babylonien trotz eines Versuchs der Wiedereinführung so gehalten.

jBer I, 8f. 3c knüpft im Anschluß an mBer I, 4 an den Gedanken, der Inhalt des Dekalogs sei in den *Šᵉmaᶜ*-Texten Dt 6, 4–9 und Dt 11, 13–21 enthalten, eine Aufzählung der Entsprechungen an. Der Dekalog gehöre demnach im Grund durchaus in den Kontext der *Š^e ma^c*-Rezitation. Dann wird auf den Tempel-Usus (vgl. mTam V, 1) Bezug genommen und R. Mattena und R. Samuel (beide Babylonien 3. Jh.) die Aussage zugeschrieben, daß es richtig wäre, den Dekalog tagtäglich (im Morgengebet) zu rezitieren. Wenn er dennoch nicht rezitiert werde, dann „wegen der Argumentation (*ṭa^{ca}nah*) der *mînîm*, damit diese nicht sagen können: diese (10 Gebote) allein sind dem Mose am Sinai gegeben worden".

Anders bBer 12a, wo es nach der im Tempel üblichen Anordnung (Dekalog vor 1. *Š^e ma^c*-Text) heißt:

R. Jehuda sagte, Samuel habe gesagt, man hätte auch außerhalb Jerusalems so rezitieren wollen, doch hatte man es bereits wegen der üblen Nachrede der *mînîm* abgeschafft. Es wird auch überliefert: R. Natan (um 200) sagte, man habe außerhalb Jerusalems so rezitieren wollen, aber da hatte man es bereits wegen der üblen Nachrede der *mînîm* abgeschafft. Rabba bar Rab Chana (Bab., spätes 3. Jh.) gedachte es (das Rezitieren des Dekalogs) in Sura (Lesart: Nehardea) festzulegen, da sagte zu ihm R. Aschi (Bab., frühes 5. Jh.): Man hat es ja schon wegen der üblen Nachrede der *mînîm* abgeschafft.

Das starke Interesse der babylonischen Rabbinen an einer Erklärung zeigt wohl, daß man sich zwar einer mit dem Dekalog verbundenen Problematik bewußt, jedoch nicht mehr über den liturgiegeschichtlichen Vorgang selbst im klaren war. Zwar verwundert es nicht, daß man in den hier erwähnten Minim ebenfalls Christen sehen wollte[466], da die christliche Theologie in der Tat den Dekalog (im Unterschied zum „Ritualgesetz") als gültige Offenbarung anerkannte[467], doch fällt ins Auge, daß es sich zunächst einmal um eine Differenz zwischen hellenistischen Juden und (palästinischen) Rabbinen gehandelt hat. Die Tendenz zur Verabsolutierung des Dekalogs im Sinne eigentlicher, unmittelbarer Offenbarung im Gegensatz zum „Gesetz des Mose" war wohl schon in vorchristlicher Zeit wirksam[468]. Nach 70 n. Chr. konnte diese Relativierung der so gut wie gesamten „schriftlichen Tora" ein ernstes Hindernis für das Bemühen der Rabbinen sein, ihre „mündliche Tora" als gleichrangige Sinai-Offenbarung durchzusetzen, was nicht zuletzt die rabbinische Autorität in Frage stellte. Es wird gerade dieser Aspekt gewesen sein, der den Minim so sehr zustatten kam[469], wobei ein Umstand der Textüberlieferung besondere Aufmerksamkeit verdient[470]. Der Papyrus Nash enthält unmittelbar vor dem ersten *Š*^e^*ma*^c^-Satz (Dt 6, 4) auch den in der griechischen Bibelübersetzung davor enthaltenen Passus: „Und diese (sind) die Satzungen und Rechtssätze, die der Herr den Israeliten geboten hat in der Wüste, nachdem sie aus Ägypten ausgezogen waren: Höre Israel . . .“. Dieser Passus konnte sehr wohl auf den davor stehenden Dekalog allein bezogen werden. Im hellenistischen Judentum war diese Interpretation offenbar recht gang und gäbe, sie eignete sich ja auch vortrefflich für missionarische und apologetische Zwecke gegenüber der interessierten Umwelt, und es liegt nahe, daß irgendwann nach 70 n. Chr. oder 135 n. Chr., als die Rabbinen ihre Autorität durchzusetzen trachteten, ihnen allein schon dieser innerjüdische Sachverhalt genügen konnte, um den Dekalog aus der *Š*^e^*ma*^c^-Rezitation herauszunehmen. Die frühen Christen haben ihre Begrenzung der unmittelbaren Sinai-Offenbarung auf den Dekalog nicht erfinden müssen, hellenistische Juden brachten den Gedanken wohl in die Kirche ein, nur erscheint es fraglich, ob die eher heidenchristliche[471] Tendenz den Rabbinen so früh zu Ohren kommen konnte, daß sie deshalb ihre *Š*^e^*ma*^c^-Rezitation änderten. Und sofern sie im Lauf der Zeit mit dieser Tendenz in ihrer christlichen Spielart konfrontiert wurden[472], haben sie sie eben darum schwerlich als spezifisch christliches Anliegen auffassen können, denn sie kannten sie ja bereits als fragwürdige innerjüdische Ansicht und höchstwahrscheinlich eben auch als Argumentationsansatz für die antirabbinischen Minim, die sich zwar als Juden deklarierten, aber den Rabbinen gegenüber von „eurer Tora“ sprechen konnten, und zwar offenbar aufgrund ihres solchermaßen eingegrenzten Offenbarungsverständnisses.

4.3. Jes 45, 19 als antichristliche Haftara?

J. Mann vermutete[473], daß die Haftara (Propheten-Perikope) Mi 6, 4ff. zum Seder (Tora-Perikope) Num 3, 1 nach dem Aufstieg des Christentums zur Staatsreligion durch Jes 45, 19ff. ersetzt worden sei, weil die Worte „die da ihr Holzstandbild einhertragen und zu einem Gott beten, der nicht helfen kann" (*ʾäl ʾel loʾ jôšîᵃᶜ*) in v. 20 für eine grimmige Anspielung auf die Verehrung Jesu (*Ješûᵃᶜ*!) als Gott besonders geeignet war, während v. 21–22 gerade die Einzigkeit des Gottes Israels als Retter herausstreicht. "This substitution of the H(aftara) thus reveals an interesting point of the self defence of the Synagogue against the claims and assumptions of the church in using the Jewish Bible for its own christological purpose". Demgegenüber gab I. Sonne[474] jedoch zu bedenken, daß eine solche antichristliche Zweckbestimmung der Haftara Jes 45, 19ff. sinnvoller einem anderen Seder als Num 3, 1 zugeordnet worden wäre und daß es vor allem doch sehr fraglich sei, ob Jes 45, 19ff. überhaupt einmal als Haftara gedient habe, denn J. Mann habe eigentlich nicht mehr als eine Vermutung zugrunde gelegt. J. Mann hatte gewiß recht, wenn er Jes 45, 20 als einen sehr gut für antichristliche Polemik geeigneten Vers ansah – doch gerade darum ist die Tatsache bemerkenswert, daß dieser Vers in der rabbinischen Exegese fast keine Rolle spielt.

4.4. Der Sonntag

4.4.1. *bAZ 6a und 7b*

4.4.1.1. Der halakische Kontext

(a) mAZ I, 1–3 lautet:

(1)

Aa) Vor den Festen der Nichtjuden ist es 3 Tage verboten,
ba) mit ihnen zu handeln,
bb) von ihnen zu leihen und ihnen auszuleihen,
bc) ihnen Darlehen zu geben und von ihnen Darlehen zu nehmen,
bd) ihnen Rückzahlungen zu leisten oder von ihnen Rückzahlungen einzutreiben.

Baa) R. Jehuda (Mitte 2. Jh.) sagte:
ab) Man treibt von ihnen Rückzahlungen ein, weil man einen (damit) bekümmert.

ba) Man entgegnete ihm:
b) Selbst wenn man ihn vorübergehend bekümmert,
so freut er sich doch nach einiger Zeit wieder.

(2)

Aaa) R. Jischmael (1. Hälfte 2. Jh.) sagte:
ab) Drei Tage vor ihnen und drei Tage nach ihnen ist es verboten.
Baa) Die Weisen aber sagen:
ab) Vor ihren Festen ist es verboten,
nach ihren Festen erlaubt.

(3)

Aa) Und das sind die Feste der Nichtjuden:
ba) Calendae,
bb) Saturnalien,
bc) Kratesis
ca) der Jahrestag der Thronbesteigung der Könige,
cb) der Geburtstag
cc) und der Todestag.
d) Soweit R. Meir (Mitte 2. Jh.).
Ba) Die Weisen aber sagen:
b) Jeder Todestag mit Verbrennung impliziert Götzendienst,
ohne Verbrennung impliziert er keinen Götzendienst . . . etc.

Der Sinn der Bestimmungen ist völlig eindeutig, sie sollen verhindern, daß irgendwelche Transaktionen mit Nichtjuden in einen Zusammenhang mit Götzendienst gerieten, was bei den großen Festen besonders leicht der Fall sein konnte, vor allem in gemischten Siedlungsgebieten. Die Liste dieser Feste in I, 3 zeigt, daß man bei der Redaktion der Mischna um 200 n. Chr. an die großen heidnischen Feste, vor allem an Feste mit einem Bezug zum Herrscher gedacht hat[475]. Dabei nahm R. Jischmael (frühes 2. Jh.) einen extrem strengen Standpunkt ein, er wollte den geschäftlichen Verkehr sowohl drei Tage vor wie nach den Festen unterbinden, doch die Mehrheit begnügte sich mit drei Tagen vor einem solchen Fest. Es erscheint völlig ausgeschlossen, dabei auch an christliche Feste zu denken (obschon für sie dasselbe gelten müßte, es wären in diesem Kontext ja auch Feste der Nichtjuden), denn dann wären andere Bezeichnungen zu erwarten, und unter den modernen Auslegern hat meines

Wissens auch keiner die Behauptung gewagt, hier seien christliche Feste gemeint[476].

(b) tAZ I, 1–3

(1)

Aaa) Nachum der Meder (1. Jh.) sagte:
ab) Ein Tag vor ihren Festen ist es außerhalb des Landes Israel verboten.
ba) Worauf beziehen sich diese Worte? –
bba) Sie beziehen sich auf regelmäßige Feste;
bbb) in bezug auf nicht regelmäßige Feste
ist es nur an eben dem Tag verboten.
ca) Und da es heißt:
cba) Drei Tage ist es verboten,
mit ihnen geschäftlich zu verkehren,
cbb) auf was beziehen sich diese Worte?
cca) Auf etwas, das Bestand hat (und daher am Festtag noch verwendet werden kann),
ccb) aber in bezug auf etwas, das nicht Bestand hat,
ist es erlaubt.
cd) Selbst in bezug auf etwas, das Bestand hat,
ob man es kauft oder verkauft,
ist es erlaubt.
Ba) R. Josua b. Qorcha (Mitte 2. Jh.) sagt:
ba) Von keinem Schuldner mit Schuldschein treibt man ein (an einem Fest),
bba) aber von einem ohne Schuldschein treibt man ein,
bbb) weil man (den Betrag) gewissermaßen aus ihrer (der Heiden) Hand rettet.

(2)

a) Man soll mit einem Nichtjuden am Tag dessen Festes nicht geschäftlich verkehren,
b) sich mit ihm nicht unterhalten,
ca) und man soll sie nicht an einem Ort grüßen,
der (in religiöser Hinsicht) etwas bedeutet.
cb) Trifft man ihn jedoch wie üblich,
so grüßt man ihn in ernsthafter Weise.

(3)

Man grüßt Nichtjuden an ihren Festen um des Friedens willen.
Handwerker . . . etc.

Der Tosefta-Stoff kennt zwar die verbindliche Regelung bezüglich der drei Tage vor den Festen, zeigt aber unverkennbar die Tendenz zur Erleichterung. Zu diesem Zweck wird ein sehr früher Tannait, Nachum der Meder (spätes 1. Jh. n. Chr.) bemüht, der das Verbot in den Gebieten außerhalb des Heiligen Landes auf einen Tag vor den regelmäßigen Festen beschränkt haben soll (was gewiß einschließt, daß es auch für den Festtag selbst gilt). Und dies wird noch erleichtert, indem die im Kalender nicht regelmäßig wiederkehrenden Feste davon ausgenommen werden. Das Verbot für die drei Tage im Bereich des Heiligen Landes wird entschärft, indem es nur Waren betrifft, die so lange halten, daß sie für das Fest verwendet werden können. Die in der Mischna I, 2 dem römerfeindlichen R. Jischmael zugeschriebene extreme Forderung nach drei Tagen vor und nach den Festtagen hat hier keinen Platz.

(c) jAZ I, 1–2 f. 39a–b
f. 39b:

A vor den Festen der Nichtjuden . . . (mAZ I, 1)

Ba) Rabbi Chama b. Uqba (Pal., 3./4. Jh.) erschloß sie alle (die drei Tage) aus (Am 4, 4):
und bringt am Morgen eure Schlachtopfer und eure Zehnten am dritten Tag.

ba) Da sagte zu ihm R. Jose (Mitte 2. Jh.):
So ist es nicht einmal außerhalb des Landes Israel,
denn es ist überliefert:

bb) Nachum der Meder sagte:
Einen Tag ist es außerhalb des Landes Israel verboten.

ca) Was war der Grund dafür?

cb) Man prüfte dort nach und fand heraus,
daß sie (die Heiden) ihre Vorbereitungen (für die Feste) auf einen Tag ansetzen
und verbot (daher) für einen Tag (die Geschäftsbeziehungen).

cc) Aber hier prüfte man und fand heraus,
daß sie ihre Vorbereitungen drei Tage lang treffen,

und so verbot man für sie drei Tage (lang die Geschäftsbeziehungen)

d) . . . (Am 4, 4 beziehe sich auf die Regierungszeit Jerobeams . . . etc. f. 39b wird Jerobeam auch vorgeworfen, nicht nur die Kälber von Dan und Betel, sondern auch neue Sabbate und Feste für Israel erfunden zu haben).

f. 39b Mitte:

a) Es ist überliefert:
Hat einer (der Nichtjuden) im Vorübergehen ein Geschäft abgeschlossen, so ist es (das erzielte Ergebnis) erlaubt (zum Genuß).

b) R. Jakob b. Acha (Bab./Pal., 1. Hälfte 4. Jh.), R. Jose im Namen des R. Jochanan (Pal., 2. Drittel 3. Jh.):
Selbst am Tag seines Festes.

c) Und desgleichen ist überliefert:
Worauf beziehen sich diese Worte?
Auf einen Nichtjuden, den man nicht kennt,
aber in bezug auf einen Nichtjuden, den man kennt, ist es erlaubt, weil man ihnen (den Nichtjuden) damit gewissermaßen schmeichelt.

Im Folgenden wird unter anderem noch die Erlaubnis zur Schuldeintreibung damit begründet, daß der Nichtjude nicht meinen solle, sein Götze habe ihm geholfen, ferner werden Detailfragen erörtert.

jAZ I, 2 f. 39b betrifft mAZ I, 3, die Aufzählung der Feste. Dabei wird mit den Wortbedeutungen gespielt, auf die Calendae (als Neujahrsfest) Bezug genommen und deren Einführung dem Adam zugeschrieben, danach der Monat der Weltschöpfung diskutiert und gegen Rom polemisiert. Calendae und Saturnalien sind nach einer Meinung nur im Blick auf die Fest- bzw. Kultteilnehmer relevant, nach anderer Ansicht im Blick auf alle Nichtjuden. Danach kommen weitere Differenzen zur Sprache. Bemerkenswert ist die darauffolgende Erwähnung dreier babylonischer und dreier medischer (persischer) Festzeiten und die Verknüpfung eines medischen Festes mit den Saturnalien, was die Diskussion auf Rom zurückführt, das nun durch „Esau" repräsentiert wird. Hier wäre eine Gelegenheit zu antichristlicher Polemik, doch das Ziel ist nur Rom als politische Macht und sein Fest der Kratesis. Unmittelbar darauf wird wieder Jerobeams Einführung des Kälberkults erwähnt und zeitlich mit der Gründung Roms durch Romulus und Remus verknüpft, danach die

Königsfeste in mAZ I, 3 weiter erörtert. Auch I, 3f. 39c–d enthält keinerlei Hinweis auf christliche Feste und Bräuche. Diese ganze Diskussion, im wesentlichen Erörterungen des 3./4. Jh., als das Christentum den Rabbinen nach Ansicht vieler bereits als gewichtige Erscheinung hätte bewußt sein müssen, zeigt mit eindeutiger Klarheit, daß man noch keinerlei Anlaß sah, die herkömmliche Götzendienst-Halaka wegen des Christentums auch nur irgendwie zu ändern. Wo man Differenzen diskutierte, sind ihre Gründe praktischer und nicht grundsätzlicher Art. Dominant ist hingegen der heilsgeschichtstheologische Gegensatz zu Rom als politischer Macht, deren usurpierte Position man in gewissem Sinne auch als Israels Schuld betrachtete, exemplifiziert in Jerobeams götzendienerischer Religionspolitik. Dieses Ergebnis der palästinischen Gemara ist für die Einschätzung der jüdisch-christlichen Auseinandersetzung in der Antike äußerst aufschlußreich und für die Deutung der folgenden Babli-Passage grundlegend.

4.4.1.2. bAZ 6a

(a) Der Kontext von bAZ I–II wurde bereits in anderem Zusammenhang (JvN 138ff.) erörtert, für hier sei noch hervorgehoben, daß f. 2b eine schroffe Polemik gegen die Weltmacht Rom im Rahmen des Schemas von den vier Weltreichen Dan 7 enthält und im Anschluß daran eine Sammlung von Stoffen zur Frage, warum nur Israel, nicht aber die Weltvölker die Tora haben. Die Antwort lautet, die Völker hätten die Tora angeboten bekommen, aber abgelehnt, so daß sie Gottes Gericht verfallen. Dies illustriert, wie sehr für rabbinisches Bewußtsein die Konkurrenz im politischen Machtanspruch mit dem Erwählungsbewußtsein und somit auch mit der Frage des Tora-Besitzes verquickt war, daß es also auch in dem Punkt nicht erst des aufstrebenden Christentums bedurfte, um rabbinischerseits das Gefühl zu wecken, es ginge bei der Auseinandersetzung mit der Umwelt gerade auch um die Tora. Auch die Geschichte über R. Abbahu, R. Safra und die Minim bAZ 4a (siehe JvN 238f.) zielt auf den eindeutigen Gegensatz Israel : Weltvölker.

Israel ist Gottes Freund und wird dementsprechend aufmerksam (auch durch Zurechtweisungen) behandelt, die Weltvölker verfallen dem Endgericht, Gott läßt ihnen in dieser Welt nur mehr Spielraum, weil er sich um sie nicht in gleichem Maße kümmert. Der Seitenhieb auf den Sonnenkult der Könige f. 4b liegt auf derselben Linie, und f. 5a wird noch der Wirkungszusammenhang zwischen Tora-Frömmigkeit und Geschichtslauf hervorgehoben.

(b) Erst auf 5b folgt mit dem Mischna-Teilzitat vor den Festen der Nichtjuden ist es verboten, mit ihnen zu handeln das Thema der Sperrfrist.

(5b–6a)

A Brauchen wir denn diese (drei Tage) alle?
Wir haben doch (die Überlieferung) gelernt (vgl. bḤull 83a) . . .

Es folgen Bestimmungen für den Verkauf und Kauf von opfertauglichen Tieren vor den jüdischen Festen, aus denen zu folgern ist, daß für den Opferkult im Grund die Vorbereitung des Vortages ausreicht; wozu also drei Tage bei nichtjüdischen Festen?

Baa) Es wurde die Frage aufgeworfen:
ab) Sind es drei Tage und ihre Festtage (noch dazu) oder etwa ohne ihre Festtage (selbst)?
ba) Komm und höre:
bb) R. Jischmael sagte:
Drei Tage vor ihnen und drei nach ihnen ist es verboten (mit ihnen zu handeln);
bca) Falls du meinst, sie (die drei Tage) mit den Festtagen (inklusive),
bcb) so müßte R. Jischmael ihren Festtag sowohl (in die drei Tage) davor wie darnach eingerechnet haben. –
bd) (Vielmehr gilt:) Infolge dessen, daß überliefert ist:
drei Tage vor ihnen, ist auch überliefert: drei nach ihnen.
ca) Komm und höre!
cb) Rab Tachlifa bar Abdimi (Bab., spätes 3. Jh.) sagte:
Samuel (Bab., 1. Hälfte 3. Jh.) hat gesagt:
cc) Tag eins ist nach den Worten des Rabbi Jischmael stets verboten.
cda) Und falls du meinst, sie und ihre Festtage,
cdb) wäre es (Tag) Vier und (Tag) Fünf, da es (erst) erlaubt ist (zu handeln).
da) R. Jischmael betreffend ist es für mich nicht fraglich,

daß sie (die drei Tage) ohne ihre Festtage (zählen),
was für mich fraglich ist, betrifft die Rabbanan.

db) Was?

ea) Es sagte Rabina (Bab., 4./5. Jh.):

eb) Komm und höre:
und das sind die Feste der Götzendiener:
Calendae, Saturnalien und Kratesis –

ec) R. Chanin b. Raba (Bab., Mitte 3. Jh.) sagte:
Calendae sind acht Tage nach der Tag- und Nachtgleiche,
Saturnalien acht Tage vor der Tag- und Nachtgleiche,
und als Merkzeichen hast du (Ps 139, 5):
Hinten und vorn hast du mich bedrängt.

eda) Und falls du meinst, sie und ihre (acht) Festtage wären
ja zehn (verbotene Tage),

edb) so kann der Tannait die gesamten Calendae (für seine Zählung) als
einen Tag gewertet haben.

fa) Es sagte R. Aschi:

fb) Komm und höre!
Vor den Festen der Götzendiener drei Tage

fca) Und falls du meinst, sie samt ihren Festtagen (inklusive),

fcb) so hätte man formulieren können:
Die Feste der Götzendiener drei Tage (lang).

fda) Und wenn du sagst, man überlieferte
vor ihren Festen, um auszuschließen (ihren Bezug auf die Tage)
nach ihren Festen,

fdb) so hätte man formulieren können:
Am Fest der Götzendiener drei Tage davor

fe) Schließe daraus (aus dem Mischna-Wortlaut) vielmehr:
Sie (die drei Tage) ohne ihre Festtage. Schließe daraus!

(c) Das textkritische Problem[477], das der hier zu erörternden angeblichen Bezugnahme auf den Sonntag zugrunde liegt, läßt sich nicht ohne Sachkritik lösen. Es geht um das Stück Bc), wo in ac) „Tag Eins“ und in cdb) „Tag Vier“ und „Tag Fünf“ übersetzt wurde. Statt „Tag Eins“ haben mittelalterliche Textzeugen und manche Drucke nämlich zum Teil *jôm nôṣrî* oder (Ms München) nur *nôṣrî*, und demnach hätte – in der Interpretation Samuels – R. Jischmael gemeint: Der Tag des *nôṣrî* (Christus) bzw. der christliche (Fest-)Tag oder einfach „ein christlicher (Festtag)“ sei auf alle Fälle verboten. In diesem Sinn haben im Mittelalter auch Raschi[478] und andere gedeutet, infolgedessen auch christliche Polemiker dies aufgegriffen[479], und ein großer Teil der modernen Autoren übernahm diese Lesung und Interpretation[480]. Dabei wird entweder die Deutung auf den Sonntag bereits dem R. Jischmael unterstellt und somit ins frühe 2. Jh. datiert, oder – korrekter – dem R. Samuel, was eine babylonische Interpretation des 3. Jh. bedeuten würde, die R. Tachlifa im späten 3. Jh. weitergegeben hätte.

Der Ursprung dieser Lesung und Auffassung ist in der Möglichkeit begründet, die Zahlengaben „Tag Eins", „(Tag) Vier" und „(Tag) Fünf" als Zählung der Wochentage zu deuten: Sonntag, Mittwoch, Donnerstag, und es ist auf dieser Basis leicht verständlich, daß man statt *jôm ᵓa(läf)* oder *jôm riᵓšôn* zur Verdeutlichung *jôm nôṣrî* setzte. Nachdem die große Autorität Raschi (gest. 1105) sich für diese Deutung entschieden hatte, fragten auch berühmte jüdische Talmudisten nur mehr selten, wie das in den Kontext passe, und die meisten christlichen Autoren begnügten sich ohnedies damit, den kleinen Textauszug Bcc) mit der Parallele in 7b (s. unten) anzusehen und auszudeuten. Das reicht jedoch nicht aus, denn wer hier *jôm nôṣrî* für die ursprüngliche Lesart ansieht, muß nachweisen, daß dies in den Gang der Diskussion insgesamt paßt. Gelingt dies nicht, bleibt nur der Schluß auf eine sekundäre Textänderung auf Grund einer den Kontext ignorierenden Umdeutung.

(d) Eine kontextgemäße Deutung muß zunächst davon ausgehen, daß in der Mischna (s. o. 4.4.1.1.a) AZ I, 2 die Meinung des R. Jischmael ganz eindeutig die heidnischen Feste allgemein betrifft, wie auch die gegenteilige Entscheidung der Weisen, daß nur die Tage vorher verboten seien, heidnische Feste im Auge hat – wie sie dann I, 3 aufgezählt werden. Weder die Tosefta noch der palästinische Talmud zeigen auch nur den leisesten Ansatz zu einer antichristlichen Polemik. Daß R. Jischmael den Sonntag gemeint haben könnte, ist somit ausgeschlossen. Konnte Samuel (bAZ 6a) aber so interpretiert haben? Die Frage ist auf Grund des Diskussionsganges im ganzen Stück B (der Übersetzung oben) zu beantworten. Es geht dabei um das Problem, ob die Sperrfrist den Festtag (bzw. die Festtage) einschließt oder nicht, ob also das Fest selbst als Tag Drei der vorangehenden Sperrfrist und als Tag Eins der folgenden Sperrfrist anzusehen ist, was eine erhebliche Erleichterung darstellen würde.

R. Jischmael war fraglos der Ansicht, daß die drei Tage die Festzeit nicht einschließen. Das bedeutet in dieser extremen Anwendung, daß erst der Tag Vier nach dem Fest wieder erlaubt ist, wenn man die Sperrfristtage allein zählt, der Tag Fünf, wenn man den Festtag als Tag Eins zählt (wie in cc).

Es waren nun offensichtlich diese auf den ersten Blick verwirrenden Zählweisen, die den Anlaß für die Umdeutung boten, Tag I, IV, V als Wochentagbezeichnungen (Sonntag, Mittwoch, Donnerstag) zu verstehen. Demnach hätte – wie Raschi meinte – R. Jischmael bzw. Samuel den Sonntag als christliches Fest gemeint und die drei Tage davor und danach als Sperrfrist angegeben, so daß mit Christen überhaupt nie ein Handel möglich wäre.

Doch paßt dazu Stück cdb) mit Tag IV und V als Mittwoch und Donnerstag nur, wenn man den Sonntag sowohl als dritten Tag der ersten und zugleich als ersten Tag der zweiten Sperrfrist rechnet[481], was als Zählverfahren aber schon in bd) abgetan wurde. Außerdem ergibt sich der wundersame Umstand, daß jüdische Halakisten in einem solchen Fall auf den Sabbat überhaupt nicht eingingen, sondern ihn wie einen normalen Wochentag behandelten – als sei an ihm irgendein Geschäftsverkehr denkbar und daher wegen des Sonntags zu verbieten.

Sowohl die Lesart *jôm nôṣrî* wie die kontextwidrige Deutung auf den Sonntag ist ein Produkt der mittelalterlichen antichristlichen Polemik, vertreten vor allem durch Raschi, der bei jeder Gelegenheit antichristliche Bemerkungen in seine Kommentare einflocht, obwohl er mit zu den Halakisten gehörte, die auf eine praktische Erleichterung der Geschäftsbeziehungen hinwirkten, indem sie die Christen von den Götzendienern der Antike unterschieden.

4.4.1.3. bAZ 7b

bAZ 7b kommt die Gemara in der Reihenfolge der Besprechung der Mischna-Sätze zur Aussage R. Jischmaels, die bereits f. 6a teilweise vorweg erörtert worden war. Nun wird die Frage aufgeworfen, ob die Sperrfrist nur vor dem Fest oder auch nach dem Fest anzusetzen ist. R. Jischmaels Satz in der Mischna behauptet das letztere, die Weisen hingegen entschieden für das erstere:

A Rabbi Jischmael sagte:
Drei (Tage) vor ihnen und drei (Tage) nach ihnen ist es verboten.
Aber die Weisen sagen:
Vor ihren Festen ist es verboten, nach ihren Festen erlaubt.

Baa) Es sagte Rab Tachlifa bar Abdimi:
Samuel hat gesagt:
ab) Tag Eins ist nach den Worten des R. Jischmael stets verboten.
ac) Aber die Weisen sagten:
Vor ihren Festen ist es verboten,
nach ihren Festen erlaubt etc.

C Sind die Weisen nicht (der Ansicht des) ersten Tannaiten (mAZ I, 1)?

Da) Sie differieren im Blick auf den Ausschluß der Feste (aus der Sperrfrist);
ba) der erste Tannait meinte ja,
bb) daß sie (die Sperrfristtage) ohne die Feste (zu zählen) sind,
und die späteren Rabbanan meinten, sie sind mit den Festen (inklusive zu zählen).

Ea) Oder möglicherweise differierten sie über die Frage des Handels;
ba) der erste Tannait meinte, daß ein (Ertrag aus einem abgeschlossenen) Handel erlaubt sei,
bb) aber die späteren Rabbanan meinten, daß ein Handel(sertrag) verboten sei.

Faa) Oder möglicherweise differierten sie in bezug auf (die Aussage des) Samuel,
ab) da Samuel gesagt hat:
in der Golah (außerhalb des Landes Israel) ist lediglich der Tag ihres Festes (selbst) verboten?
ba) Der erste Tannait vertritt die Ansicht Samuels,

bb) die späteren Rabbanan vertreten nicht die Ansicht Samuels.

Gaa) Oder möglicherweise differierten sie in bezug auf (die Aussage) Nachum des Meders,

ab) da überliefert ist:
Nachum der Meder sagte:
Es ist nur ein Tag vor ihren Festen verboten.

ba) Der erste Tannait vertritt nicht die Ansicht Nachum des Meders,

bb) aber die späteren Rabbanan vertreten die Ansicht Nachum des Meders.

Ha) Zum Text: Nachum der Meder sagte:
Es ist nur ein Tag vor ihren Festen verboten.

b) Man sagte zu ihm:
Dies Wort sollte unterdrückt und nicht gesagt worden sein!

c) Doch sind nicht die späteren Rabbanan einer Ansicht wie er?

d) Wer sind die Weisen? – Nachum der Meder ist es (den sie eigentlich zitieren)!

Die Interpretation steht vor demselben Textproblem wie bei f. 6a: *jôm ᵓa(läf)* – der Tag Eins – wurde bereits von Raschi als Sonntag verstanden, so daß demnach R. Jischmael die ganze Woche und somit überhaupt jeden Geschäftsverkehr mit Christen unterbinden wollte. Doch der Diskussionszusammenhang zeigt auch hier eindeutig, daß von Festen überhaupt die Rede ist, wobei man sehr wohl voraussetzen darf, daß kein wöchentlich wiederkehrendes Fest darunter ist. Die Diskussion greift hier außer der Mischna Traditionen auf, die – freilich nicht gleichlautender Gestalt – in der Tosefta erhalten sind, wo ebenfalls nicht die geringste Spur einer Bezugnahme auf christliche Feste zu erkennen war. So bestätigt der Befund für f. 7b jenen für f. 6a.

4.4.2. *Das Fasten am Sonntag*

4.4.2.1. mTaᶜanit IV,3

Aaa) Die Standmannschaften (am Tempel) fasteten vier Tage in der Woche,

ab) vom zweiten Tag (Montag) bis zum fünften Tag (Donnerstag).

ba) Aber sie fasteten nicht am Sabbatabend (Freitag) – wegen der Ehre des Sabbat,

bb) und nicht am ersten (Tag) der Woche (Samstag abend bis Sonntag abend),
damit sie nicht aus der Ruhe und dem Vergnügen (unmittelbar) in Mühsal und Fasten geraten und sterben.

Ba) Am ersten Tag (Sonntag) ist „Am Anfang . . ." (Gen 1,1ff. die Lesung);

b) am zweiten Tag (Montag) . . . etc.

Die Mischna erwähnt hier den ersten Wochentag zweimal ohne eine erkennbare Bezugnahme auf seine christliche Bedeutung als Sonntag; in Anbetracht des Stoffes (es geht um den Tempelkult vor 70 n. Chr.) wäre etwas anderes auch nicht zu erwarten, es sei denn als Anachronismus[482]. Die Begründung für das Nichtfasten am Sonntag wirkt rational und praktisch: Ein unmittelbarer Übergang vom Ruhetag zu einem Arbeitstag, der zugleich Fasttag ist, wäre gesundheitsgefährdend. Die Tosefta bietet zu dem Punkt keine Überlieferung.

4.4.2.2. jTa^c anit IV, 4 f. 68b

Der jTalmud erwähnt die Mischnabegründung für das Nichtfasten am Sonntag nicht, er kennt nur die Begründung mit der Ehre des Sabbat, die durch Fasten am Freitag und am Samstagabend (Abend des 1. Wochentages) beeinträchtigt würde. Da für den ersten wie den sechsten Tag kein Fastengrund angegeben ist, kann geschlossen werden, daß sowohl am ersten wie am sechsten Wochentag (Samstagabend bis Sonntagabend, Donnerstagabend bis Freitagabend) überhaupt nicht gefastet werden sollte, obgleich am Anfang als allgemeinere Regel gesagt wird, sie fasteten „jeden Tag" (abgesehen vom Sabbat natürlich).

4.4.2.3. bTa^{c}anit 27b

Aa) Die Rabbanan überlieferten:
Die Wachmannschaften *(mišmarôt)* beten für das Opfer ihrer Brüder, damit es mit Wohlgefallen angenommen werde,

ba) und die Standmannschaften *(ma^{ca}madôt)* gehen in den Versammlungsraum (Synagoge)
und halten vier Fasten in der Woche ab:

bb) Am zweiten (Tag) für die Seefahrer,
am dritten für die Wanderer in den Wüsten,
am vierten wegen der Heuschrecke . . . etc.
am fünften für Schwangere und Stillende . . . etc.

bc) Am Sabbatabend fasteten sie nicht –
wegen der Ehre des Sabbat,
und um so weniger am Sabbat selbst.

bda) Am ersten (Tag) der Woche aus welchem Grunde nicht?

bdb) Es sagte R. Jochanan (Pal., 3. Jh.):
Wegen der *NWṢRJM*[483].

bdc) Rabbi Samuel bar Nachmani (Pal., 3. Jh.) sagte:
Weil es der dritte Tag nach der Erschaffung (des Menschen) ist;

bdd) Resch Laqisch (Pal., 3. Jh.) sagte:
wegen der zusätzlichen Seele,
denn Resch Laqisch sagte (nämlich):
Eine zusätzliche Seele wird dem Menschen am Sabbatabend gegeben,
und zu Sabbatausgang wird sie von ihm (wieder) weggenommen,
denn es heißt: . . . (Ex 31, 17).

B (Es folgt die Reihe der Lesungen für die Wochentage).

Die hier in Abdb) gegebene Begründung des R. Jochanan (aber s. unten Sof XVII, 5) für das Nichtfasten am Sonntag überrascht, wenn man Mischna und jTalmud vergleicht. Aber da noch zwei weitere Begründungen gegeben werden, die reichlich weit hergeholt sind und ebenfalls palästinischen Amoräern des 3. Jh. zugeschrieben werden, ist eine nur im Babli aufgenommene palästinische Sondertradition nicht auszuschließen. In diesem Fall – und eine korrekte Textüberlieferung vorausgesetzt – läge hier der einzige talmudische Beleg für die Bezeichnung *nôṣ^{e}rîm* vor. Aber liegt wirklich die Bezeichnung für Christen vor (wie sie im Mittelalter üblich wurde), oder ein Partizipium plural masculinum von *nṣr* mit anderer Bedeutung? Oder etwa überhaupt ein Partizipium plural masculinum von *jṣr* im Nif^{c}al („Erschaffene")? Es fällt immerhin auf, daß unmittelbar darauf wie auf Grund einer Stichwortverbindung das Wort des Samuel b. Nachmani über die *j^{e}ṣîrah* (Erschaffung) des Menschen folgt. Nun ist die Textüberlieferung auch in diesem Fall nicht eindeutig, wobei für den Fall, daß *nwṣrjm* – wenn auch nicht „Christen" bezeichnend – ursprünglich wäre, christliche Zensur und jüdische Selbstzensur ganz bestimmt Änderungen verursacht haben, denn im Mittelalter hat man selbstverständlich darunter Christen verstanden[484], so wie in der Regel auch in der Moderne[485], weshalb man gern mit „Nazarener" übersetzt[486]. Ein Grund dafür, warum die Standmannschaften des Tempels wegen der Christen am Sonntag nicht gefastet haben sollten, ist allerdings nicht leicht zu finden. Man begnügt sich zum Teil mit der mittelalterlichen Begründung, die im Traktat Soferim XVII, 5 nach der Begründung mit der zusätzlichen Sabbatseele belegt ist[487]:

a) Sie fasteten nicht ...
ba) Wegen der *nwṣrjm hnkrjm* (fremden Christen = Heidenchristen)
bb) damit sie nicht sagen:
Weil wir uns am ersten (Tag) freuen, fasten sie an ihm!
c) Doch die Weisen sagten (dazu):
Zur Zeit der Standmannschaften hatte man doch wegen der Feindschaft eines Nichtjuden keine Befürchtungen!
Vielmehr (war der Grund), weil geschrieben steht: . . .
(Ex 31, 17) . . .

Die apologetische Begründung, man hätte auf die Gefühle der Christen Rücksicht genommen, entspricht der mittelalterlichen Situation; wie dieser Text selbst vermerkt, leuchtet eine solche Notwendigkeit zur Rücksichtnahme zur Zeit des Tempels nicht ein, außerdem wäre noch die Differenz zwischen Heiden- und Judenchristen relevant[488]. Aber man darf wohl noch hinzufügen: Auch nicht für die Zeit des R. Jochanan im 3. Jh. Im 4. Jh. und später mag allerdings mit der wachsenden Übermacht des Christentums der Zwang zur Vermeidung von provokativ wirkenden Verhaltensweisen so stark geworden sein, daß man sich die Entstehung einer solchen Deutung des Nichtfastens am Sonntag vorstellen kann. Wann sie dann in den bTalmud aufgenommen wurde, kann schwerlich genauer bestimmt werden[489]. Aber möglicherweise liegt es auch hier so, daß ursprünglich in R. Jochanans Aussage keine Christen gemeint waren, aber in byzantinischer Zeit selbstverständlich der Gedanke daran das Nächstliegende war. Auch eine andere Erklärung, nach der man nicht fastete, um dem christlichen Sonntag nicht dadurch eine Anerkennung zuzugestehen[490], führt letztlich zu keinem anderen Ergebnis. Wenn überhaupt an talmudische Zeit zu denken ist, dann an eine sehr späte Umdeutung, möglicherweise erst in gaonäischer Zeit anzusetzen[491].

4.5. Christliche Weltwertung und Lebensführung

Es gehört zu den beliebten Klischees, das Judentum als weltzugewandte und leibbejahende Religion dem Christentum als einer weltabgewandten und leibfeindlichen Religion gegenüberzustellen[492]. Von einer so undifferenzierten Betrachtung aus kann man zur Ansicht gelangen, daß sich rabbinische Polemiken gegen negative Weltwertung, gegen Armutsideal und asketische Tendenzen gegen das Christentum richten[493], ohne zu bedenken, daß dann auch die Gegenrechnung stimmen müßte: daß negative Weltwertung, Armutsideal und Askese im Judentum selbst[494] auf den Einfluß des Christentums zurückgehen. Doch solche Erscheinungen waren in der Spätantike keineswegs spezifisch christlich, mag auch im antiken Christentum[495], insbesondere im syrischen Raum[496], eine recht deutliche Neigung dazu vorhanden gewesen sein, wobei noch eine mögliche jüdische Beeinflussung zu erwägen ist. Denn im Judentum selbst spielten vor 70 n. Chr. asketische Strömungen eine Rolle, und nach der Tempelzerstörung wurde ungeachtet der schöpfungstheologisch begründeten positiven Weltwertung doch für die aktuelle Gegenwart, die Zeit des „Exils" und des verwüsteten Heiligtums, in sehr betonter Weise die Möglichkeit normaler Verhaltensweisen bestritten – und zwar gegen Tendenzen in breiteren Schichten, die bereit waren, sich mit den Realitäten abzufinden. Die Zahl der negativen rabbinischen Aussagen über die Zeit seit der Tempelzerstörung oder über das Leben im „Exil“ ist durchaus nicht gering (vgl. z. B. bBB 60b), und auch in der traditionellen Gegenüberstellung von Esau/Rom und Jakob/Israel wertete man die machtpolitische Realität der Gegenwart als Perversion der gottgewollten Ordnung, als Strafe und Buß-Gelegenheit. Der Triumph der Kirche unter und ab Konstantin dem Großen konfrontierte das Judentum mit einer weltbeherrschenden Macht, nicht in erster Linie mit einer weltflüchtigen Religion. Zuvor, vor allem in der Zeit der Christenverfolgungen, mochte es anders gewesen sein – doch ist es fraglich, ob man jüdischerseits die Christen wirklich vor allem als Asketen und Mönche kennenlernte, auch wenn man asketische Tendenzen in judenchristlichen Kreisen berücksichtigt[497].

Auf der anderen Seite lag es nahe, daß Juden in der christlichen Weltflucht, wie sie gerade im orientalischen Mönchtum vor Augen trat, eine schöpfungswidrige Erscheinung sahen, doch dies war auch ein innerchristlicher Streitpunkt, wobei den Kritikern – wie so oft in ähnlichen Fällen – einfach ein „jüdisches“ Urteil unterstellt wurde. Wenn z. B. jemand wie Aphraat die christliche Askese gegen jüdische Einwände verteidigte[498], kann dies zwar auf tatsächlicher jüdischer Kritik beruhen, doch nicht minder wahrscheinlich ist, daß Aphraat den jüdischen Einwand nur vorbrachte, um seine innerchristlichen theologischen Gegner in ein bestimmtes Licht zu rükken. Und auch im Blick auf die rabbinische Bejahung der Ehe und das Fortpflanzungsgebot gilt, was in bezug auf das Armutsideal gesagt wurde: Sind jene rabbinischen Zeugnisse, die von Fällen eheloser Juden zu erzählen wissen, dann Belege für christlichen Einfluß? Oder ist eine Diskussion über Ehescheidung als Entgegnung auf christliche Ansichten aufzufassen?[499] Bei den meisten dieser Texte liegt die Deutung als Kritik an innerjüdischen Tendenzen bei weitem näher. Dies um so mehr, als die gnostische Polemik gegen das kirchliche Christentum diesem gerade die mangelhafte Abwendung von der Welt zum Vorwurf machte, speziell die Befolgung des Fortpflanzungsgebots[500]. Ja, es wurde sogar der Nachweis versucht, daß Kirchenväter vereinzelt asketisch gefärbte Stoffe aus rabbinischer Überlieferung übernommen haben[501].

Eher ernst zu nehmen ist die rabbinische Kritik an einem Sündenbegriff, der etwas wie den Gedanken der „Erbsünde" voraussetzt. Hier geht es freilich bereits um mehr, um das Menschenbild und damit um das Gottesverhältnis, nicht zuletzt ist die Frage der Erlösungsbedürftigkeit mitbetroffen[502]. Zwar wird es auch im Judentum Strömungen gegeben haben, die aus dem Sündenfall Adams extremere Schlußfolgerungen zogen als die Rabbinen, denn das IV. Buch Esra enthält Belege dafür, doch wenn die Tora-Offenbarung am Sinai manchmal als ein Ereignis hingestellt wird, durch das Israel von den Folgen des Sündenfalls befreit wurde, liegt der Gedanke an eine Entgegnung auf christliche Argumentation nahe: Indem man den Gedanken einer verhängnisvollen Nachwirkung des Sündenfalls bis zu einem gewissen Grad konzedierte, bestritt man die Notwendigkeit einer Erlösung von der Sünde durch Christus – wenigstens in bezug auf Israel – und wahrte die Geltung der Tora als Erwählungsverpflichtung sowie ihren grundsätzlich positiven Charakter als Heilsweg. Aber obwohl der Sündenbegriff einen möglichen Punkt der Auseinandersetzung darstellte, enthalten die dafür in der Regel angeführten Texte keinen ausdrücklichen Hinweis auf eine Funktion in der jüdisch-christlichen Kontroverse. Der gesamte umrissene Themenbereich ist daher nur vermutungsweise in die Darstellung der jüdisch-christlichen Auseinandersetzungen der Antike miteinzubeziehen[503]. Eine konkrete Bezugnahme auf christliche Fasttage wurde zwar behauptet, doch die betreffenden Texte sind schwerlich beweiskräftig[504].

4.6. Bilder-, Heiligen- und Reliquienverehrung

Die christliche Volksfrömmigkeit im 4.–7. Jh. hatte für jüdische Augen wahrscheinlich genug Anhaltspunkte für eine Einstufung als „götzendienerisch" im herkömmlichen Sinne, denn nähere Kenntnisse der Motive und Wertungen sind kaum vorhanden gewesen, und somit blieb der Augenschein christlicher Praxis maßgebend. Allerdings ist auch in dieser Hinsicht verblüffend, wie wenig Andeutungen die rabbinische Literatur selbst enthält[505].

4.7. Taufe

mJoma VIII, 9 lautet:

Aa) Wer sagt:
aba) „Ich will sündigen und (dann) Buße tun, sündigen und Buße tun“ –
abb) dem gestattet man nicht, Buße zu tun,
aca) „ich will sündigen, und der Große Versöhnungstag sühnt“ –
acb) dem sühnt der Versöhnungstag nicht.
ba) Übertretungen, die das Verhältnis Mensch-Gott betreffen,
sühnt der Versöhnungstag,
bb) Übertretungen, die das Verhältnis zum Mitmenschen betreffen,
sühnt der Versöhnungstag nicht,
solang man nicht seinen Nächsten versöhnt hat.
Baa) Dies legte R. Eleazar b. Azarja aus (Lev 16, 30):
ab) Von all euren Sünden vor dem Herrn sollt ihr rein sein.
ba) Übertretungen, die das Verhältnis Mensch-Gott betreffen,
sühnt der Versöhnungstag,
bb) Übertretungen, die das Verhältnis zum Mitmenschen betreffen,
sühnt der Versöhnungstag nicht,
solang man seinen Mitmenschen nicht versöhnt hat.
Ca) Es sprach R. Akiba:
ba) Glücklich seid ihr Israeliten!
bb) Vor wem werdet ihr gereinigt? –
bc) Wer reinigt euch?
ca) Euer Vater, der im Himmel ist!
cb) Denn es heißt (Ez 36, 25):
Und ich sprengte auf euch reines Wasser und ihr wurdet rein,
cc) und es wird gesagt (Jer 17, 13):
miqweh Jiśraʾel Hʾ
da) – Wie ein Wasserbad *(miqweh)* die Unreinen reinigt,
db) so reinigt auch der Heilige, gepriesen sei Er, die Israeliten!

Man hat im letzten Teil dieser Mischna eine Reminiszenz an neutestamentliche Worte sehen wollen[506], insbesondere aber eine Polemik gegen christliche Ansichten über die Taufe[507]. Doch dergleichen stimmt nicht zum Kontext und müßte doch wohl anders formuliert sein. Hier geht es um das übliche seelsorgerliche Problem der Tendenz zur Veräußerlichung (formale Buß-Auffassung), R. Akibas Spruch schärft den Ernst der Buße bzw. Reinigung durch den Hinweis auf Gottes unmittelbare Einwirkung ein.

5. TORA, ERWÄHLUNG UND VERWERFUNG

5.1. Zur Einführung

Die Tora als Erwählungsverpflichtung vom Sinai, als göttliche Welt- und Lebensordnung und insofern eben auch Heilsweg, galt bereits im Frühjudentum ungeachtet des erbitterten Parteienstreites prinzipiell als eigentliche Existenzgrundlage für Israel als Gottesvolk. Dazu gehört das „Land Israel", der geographische Bereich der vollen Tora-Geltung, als der von Gott zugewiesene Raum zur Verwirklichung des Erwählungsauftrages. Es wäre jedoch verfehlt, von diesem grundsätzlichen Konsens der traditionsbewußten Gruppen aus die andauernde Infragestellung zu übersehen, die in den assimilatorischen Strömungen zutage trat und im Bündnis mit der nichtjüdischen Umwelt – und zwar vor allem mit der fremden politischen Macht – auch bedrohliche Gestalt gewinnen konnte. Nicht umsonst wetterten bereits frühjüdische Fromme gegen Frevler aus dem eigenen Volk, gegen die „Frevler am Bunde", und für die Empfindungen des rabbinischen Judentums nach 70 n. Chr. ist die schon (3.2.3.) besprochene 12. „Benediktion" des Achtzehngebets kennzeichnend: Neben der „anmaßenden" feindlichen Weltmacht sind es in erster Linie die Abtrünnigen und Kollaborateure, die der Fluch treffen soll. Für die rabbinische Sicht ging es deshalb bei einer Infragestellung der Position Israels immer auch um eine Infragestellung der Tora und umgekehrt, und selbstverständlich in jedem Fall um einen Gegensatz zwischen gottgehorsamen und gottfeindlichen Kräften, wobei ganz selbstverständlich die Umwelt vor allem mit letzteren in Zusammenhang gesehen wurde: Der heilsgeschichtstheologische Gegensatz zwischen Israel auf der einen und den „Weltvölkern" auf der anderen Seite bestimmte das Geschichtsverständnis und tritt in der Typologie des Gegensatzes Jakob : Esau[508] bzw. Israel: „Edom" auch politisch in Erscheinung. Die Herrschaft

Roms, der verhaßten Weltmacht, die den zweiten Tempel zerstörte und damit dem tempelzerstörenden Babylon gleichgesetzt und insofern auch als Initiatorin eines neuen „Exils" eingestuft wurde, das „vierte Reich" Daniels, diese Herrschaft Roms wurde an sich bereits als Infragestellung der Tora und der Erwählung Israels empfunden und stellte somit ein zentrales theologisches Problem dar, noch bevor das Christentum die Ablösung des „Alten Bundes" verkündete. Außerdem war gerade das 3. Jh. durch eine aktive heidnische (antichristliche, z. T. auch antijüdische) imperiale Ideologie gekennzeichnet[509]. Man wird dem rabbinischen Geschichtsverständnis und der rabbinischen Politik nicht gerecht, wenn man diese fundamentale Auseinandersetzung zwischen „Jakob" und „Esau" in ihrer machtpolitischen Dimension zu gering veranschlagt und dadurch übersieht, daß die christliche Infragestellung der Erwählung Israels und der Geltung der Tora für rabbinisches Empfinden kaum etwas Neues darstellte.

5.2. Die Offenbarung an die Völker

Mit dem universalen monotheistischen Anspruch war die Behauptung, die Tora gelte nur für Israel, schwer zu verbinden, und geschichtstheologisch konnte den Weltvölkern so kaum eine Verantwortung für ihr torawidriges Verhalten zugeschrieben werden. Es gibt daher in der rabbinischen Literatur Zeugnisse für zwei systembedingt widerstreitende Meinungen. Nach der einen Ansicht hätten auch die Völker eine Offenbarung empfangen, nach der zweiten wird dies im Interesse der Besonderheit und Einzigartigkeit Israels strikt geleugnet.

So begegnen Überlieferungen, die eine Verantwortung der Völker in den Geboten des sogenannten Noahbundes verankern oder die von der Annahme ausgehen, daß Gott die Tora auch den Völkern angeboten habe, diese sie aber abgelehnt hätten. Nun enthält die Bibel aber auch ein prominentes Beispiel für die Möglichkeit der Prophetie unter Nichtjuden: Bileam (Num 22 ff.), als Seher durch den Moabiter Balak zur Verfluchung Israels bestellt, segnete als Prophet gerade Israel. In der Haggada wird dieses Problem recht ausführlich und unterschiedlich behandelt, eine gewichtige Tendenz läuft darauf hinaus, daß man Bileam den Ratschlag anlastet, die Israeliten zur götzendienerischen Unzucht (Num 25) zu verführen, und verknüpft damit seine Umwandlung vom Propheten zum Zauberer. Bileam wurde so zu einer der eigentümlichsten ambivalenten Figuren der rabbinischen Überlieferung[510].

Die Behandlung des Noahbundes[511] und der Bileamsfigur zeigt, daß auch in diesem Punkt der Gegensatz Israel : Völker, also die traditionelle Zweiteilung, ausschlaggebend blieb, daher auch in dieser Frage die Herausforderung nicht in erster Linie als eine spezifisch christliche wahrgenommen wurde. Nur im Rahmen einer übergreifenden motiv- und überlieferungsgeschichtlichen Untersuchung sind gewisse Akzentverlagerungen feststellbar, die man auf die veränderte religiöse Situation zurückführen kann, also auf den christlich akzentuierten Umweltanspruch auf Offenbarung[512].

Es ist somit äußerst schwierig, am Einzeltext nachzuweisen, daß sich eine Behauptung, nur Israel verfüge über eine Offenbarung, speziell gegen das Christentum richtete[513], obwohl von einem gewissen Zeitpunkt an die „Völker" der Umgebung zumindest in Palästina zweifelsfrei überwiegend Christen waren.

Unsicher bleibt die Beurteilung von Stellen, die den Völkern zwar einen gewissen Offenbarungsbesitz zugestehen, dies aber entweder zeitlich beschränken[514] oder auf eine qualitativ niedrigere Stufe stellen[515]. Das letztere geschieht vor allem anhand einer Verabsolutierung der Prophetie des Mose als der eigentlich maßgeblichen Offenbarung[516], ein Mittel, das dann im Mittelalter gegenüber Islam und Christentum voll ins Treffen geführt wurde. Dieses Argument konnte auch dem Zweck einer Zurückweisung der christlichen Überbetonung der biblischen Propheten dienen. Man berief sich in der Alten Kirche auf die biblische Prophetie ja nicht nur im Sinn einer Weissagung, sondern eben auch als Beispiel der Möglichkeit von Prophetie – im NT[517]. Die rabbinische Feststellung, daß die biblischen Propheten inhaltlich über die Tora des Mose hinaus nichts Neues offenbart hätten, braucht aber nicht antichristlich gemeint gewesen zu sein, es diente mindestens ebenso innerjüdischen Auseinandersetzungen[518], nämlich der Abwehr von Ansprüchen „prophetischen" Charakters und der Absicherung der rabbinischen Autorität, doch können manche Stellen antichristlich gedeutet werden[519]. Eindeutiger ist die Lage in jenen Fällen, da die mündliche Tora (s. unten) über die biblische Prophetie gestellt wird[520], doch mit Sicherheit ist auch dabei die antichristliche Spitze nicht nachzuweisen.

5.3. Die Tora

5.3.1. *Die Interessenlage*

Angesichts der kirchlichen Herausforderung, die als Aufhebung der Heilswegfunktion der Tora das rabbinische Selbstverständnis am empfindlichsten Punkt traf, erwartet man eine entsprechende Behandlung der Problematik in den Quellen. Doch die altkirchliche Literatur läßt nur geringe Kenntnisse der jüdischen Tora-Theologie erkennen[521] und führt die Auseinandersetzung weit mehr anhand konkreter Gebote (s. unten), da ja die Tora nicht insgesamt, sondern nur in ihren rituellen und politischen Aspekten in Frage gestellt wurde. Der Dekalog wurde ja weiterhin als gültige Offenbarung gewertet, und soweit nicht die Frage des Heilswegs und somit der Konkurrenz mit dem Erlösungswerk Christi betroffen war, konnte man auch durchaus positive Aussagen über die Tora (der Zeit des „Alten Bundes"!) machen und sich dabei auch einer Symbolsprache bedienen, die der rabbinischen nahekommt[522]. Über die positive Bedeutung (die Heilsfunktion) der Tora im zeitgenössischen Judentum wollte man hingegen anscheinend gar nicht viel wissen – das Thema erschien eben abgetan, es trat als Problem offenbar vor allem mit Judaisierenden und Judenchristen[523] in Erscheinung, die bestimmte alttestamentliche Gebote praktizierten, und als sichtbare Torapraxis der „ungläubigen" Synagoge. Auf solcher Basis war eine tiefgreifende theologische Auseinandersetzung im Sinne eines wirklichen „Dialogs" zwischen Christen und Juden kaum möglich. Daß auch die rabbinische Seite das Christentum in erster Linie nach dem

Augenschein und nicht nach seinen theologischen Motiven beurteilte, wurde bereits wiederholt deutlich. Und gewiß galt es auch, gegenüber den eigenen jüdischen Gläubigen die Bedeutung der Tora herauszustellen[524]. Und wieder ist auf die Kontinuität der Konfrontation hinzuweisen: Die Zweifel an dem positiven Charakter der Tora, an ihrer Offenbarungsqualität und am Sinn ihrer Einzelgebote waren auch von der heidnischen Polemik[525] her bereits bekannt, und in den sogenannten Minim standen den Rabbinen offensichtlich auch Juden gegenüber, die sich die heidnische Tora-Kritik am Judentum mehr oder minder zu eigen gemacht hatten. Im übrigen ist nicht zu vergessen, daß die Tora-Kritik der Gnostiker nicht nur gegen das Judentum, sondern auch gegen das Christentum zielte[526]. Ob der Streit um Marcion den Rabbinen auch bekannt wurde[527], ist zweifelhaft, die dafür angeführten Stellen lassen eine solche Festlegung nicht erkennen. Im Unterschied dazu wird z. B. expressis verbis von einem offiziellen römischen Interesse an der Tora (als Gesetzeswerk) erzählt (jBQ IV, 3f. 4b; bBQ 38a; Sifre Dt § 344).

5.3.2. *Teilweise Infragestellung der biblischen Offenbarung*

Daß die Offenbarungsautorität der biblischen Bücher im Judentum selbst nicht immer und überall im rabbinischen Sinne verstanden und angenommen wurde, ist bereits anhand der Einschätzung des Dekalogs (4.2.6.) deutlich geworden. Eine besondere Art der Einschränkung der Offenbarungsautorität war unter judenchristlichen Gruppen[528] bekannt, und da wäre nun in rabbinischen Texten eine Reaktion darauf doch naheliegend. Die Stellen, die man dafür in Anspruch nehmen wollte, lassen jedoch eine solche Bezugnahme nicht erkennen. Wenn in Tanch.B. *rʾh* I (vgl. Midr.Teh. 78, 1–2) von *pôšʿê Jiśraʾel* (Sündern Israels) die Rede ist, die die „Propheten" und „Schriften" innerhalb der Bibel nicht als „Tora" anerkennen wollen, dann braucht es sich durchaus nicht um Judenchristen zu handeln[529], die in dieser Hinsicht zudem etwas komplizierter verfuhren. Es erinnert vielmehr an den sadduzäischen Standpunkt, der nur dem Pentateuch Offenbarungscharakter zuschrieb, es trifft auf die Samaritaner zu, und es hat offenbar eben doch auch in talmudischer Zeit Strömungen gegeben, die nicht ohne weiteres den ganzen „Kanon" der Rabbinen akzeptierten. Eine Identifizierung der Korachiten in Tanch.B. *qrh* XIX ff. mit den Ebioniten ist nicht einleuchtend[530], und die Behauptung in Sifre Dt § 26/Lev.R. 31, 4/Dt.R. 2, 9, Mose habe in der Tora Fälschungen vorgenommen und Gebote gegeben, die gar nicht von Gott sind, erinnert nur vage an die judenchristliche Theorie von den gefälschten Perikopen[531]. Auf völlig unsicherem Boden bewegen sich auch Vermutungen, daß mit jenen Leuten, die sich mit teilweiser Gebotserfüllung begnügen oder als *ᶜAm ha-ᵓaräṣ* (rabbinisch Ungebildete) bezeichnet werden, Judenchristen gemeint oder mitgemeint sind[532]. Alle Erwägungen dieser Art gehen im Grund davon aus, daß es in talmudischer Zeit nur rabbinisch orientierte Juden, Judenchristen und Heidenchristen gab, daher auch die Identifizierungen in dieser Beschränkung vorgenommen werden können. Dies gilt auch für sonstige Stellen über *pôšᶜê Jiśraᵓel*, z. B. bḤag 27b par., und man kann sie in keinem Fall mit einiger Gewißheit speziell auf Judenchristen beziehen[533], was auch für den *Mûmar* bzw. *Meᵉšûmmad* in bezug auf die ganze Tora oder in bezug auf einzelne Gebote gilt[534].

5.3.3. *Aufhebung der Tora*

5.3.3.1. In der jüdischen Realität

Bevor die christliche These von der Aufhebung des „Alten Bundes" in ihrer Bedeutung als Herausforderung an die Rabbinen zur Sprache kommt, ist daran zu erinnern, daß in der politisch-rechtlichen Realität nach den Kriegen gegen Rom 66–70 und 132–135 n. Chr. und in der religiösen Praxis nach der Tempelzerstörung von 70 n. Chr. in der Tat eine bedeutsame, mehr oder minder weitreichende Aufhebung der Tora-Geltung vorhanden war[535]. Und wenn infolge der offiziellen rabbinischen Politik auch wieder ein Ausgleich mit Rom und infolgedessen auch eine gewisse jüdische Autonomie im Rechtswesen erlangt wurde, so blieb doch die Tatsache, daß mit dem Tempelkult auch ein beträchtlicher Teil der Tora-Vorschriften nicht mehr praktiziert werden konnte. Die Unterwerfung unter die Ordnung des römischen Imperiums erschien daher auch trotz aller Konzessionen und Privilegien als Zwang der gottfeindlichen Ordnung, einer Art Gegen-Tora des erfolgreichen feindlichen „Esau“[536]. Je fester gefügt sich aber die imperiale Weltordnung präsentierte, desto drängender wurde die Frage nach der Geltung der Tora, daher wird diese gerade im 2./3. Jh. so häufig diskutiert[537].

Wenn daher in rabbinischen Aussagen die Unveränderlichkeit der Tora betont[538], Gottes Interesse an Tora-Erfüllungen hervorgehoben[539], ja überhaupt die Tora-Theologie so bewußt ausgestaltet wurde, dann bedurfte es dazu nicht erst der christlichen Provokation. Die Tempelzerstörung zog nun einmal eine Fülle von rituellen Problemen nach sich, z. B. die Unmöglichkeit, weiterhin das rituelle Reinigungswasser aus der Asche der roten Kuh (Num 19) herzustellen, mit der Folge, daß Totenunreinheit nicht mehr beseitigt werden konnte. Die schadenfrohe Feststellung eines Min in bJoma 56b/57a[540] (der auf solche Riten offensichtlich pfiff), daß nun ja alle „unrein“ wären und daher von einer Gottesgegenwart keine Rede sein könne, entsprach nicht bloß der rituellen Systematik der Rabbinen, sondern traf gewiß auch das religiöse Empfinden vieler schlichter Juden ins Mark: Bedeutet dies etwa, Israel (im rabbinischen Sinne!) sei gottverlassen? Es war also nicht nur die politische Ohnmacht, die solche Gefühle aufkommen ließ, es waren nicht zuletzt Erfahrungen und Empfindungen dieser Art. Die christliche Behauptung von der Aufhebung der Tora stellte, so sehr sie (in den Augen der Christen) auch ein spezifisch christliches Theologumenon war, für die Rabbinen wohl nicht mehr als eine andere Spielart derselben Infragestellung dar[541].

5.3.3.2. Die Tora als Heilsweg

Mit dem christlichen Anspruch konfrontiert, mußte das rabbinische Judentum sicherlich die Heilswegfunktion der Tora verteidigen und unterstreichen[542]. Sind aber Stellen, in denen die Tora als Gnadengabe und als Quelle der Freude beschrieben wird, deshalb bereits Zeugnisse für eine rabbinische Reaktion auf christliche Gesetzes-Wertungen? Keiner der z. B. von M. Simon angeführten Texte[543] enthält einen konkreten Hinweis auf Christen.

R. Adda b. Chanina (Pal., 4. Jh.) soll nach bNed 22b gesagt haben: „Hätte Israel nicht gesündigt, wäre ihnen nur die Tora (der Pentateuch) und das Buch Josua gegeben worden, (letzteres) wegen der Verteilung des Landes Israel. Woher weiß man dies? – (von: Koh 1, 18) Denn wo viel Wissen, ist auch viel Verdruß." Unter der Voraussetzung, daß Propheten und Hagiographen über die Tora hinaus nichts Neues bringen, sondern nur Anleitungen zur rechten Tora-Erfüllung bieten, fällt der Ausspruch gar nicht so aus dem rabbinischen Rahmen, daß man etwa an eine Bezugnahme auf eine konkrete altkirchliche Schrift denken müßte[544]. Dies gilt noch mehr für die Parallele Koh.R. I, 13 (mit anderer Zuschreibung), wo deutlicher wird, in welchem Kontext der Gedanke beheimatet war und durchaus nicht eine gegenüber bNed 22b „abgeschwächte Tendenz" zu konstatieren ist: Es geht weit eher um ein spezifisch rabbinisches Anliegen (schriftgelehrtes Standesinteresse) als um eine Auseinandersetzung mit Nichtjuden bzw. Christen.

Und ob bPes 118a wirklich eine Entgegnung auf die paulinische Gnadenlehre darstellt[545], wenn Gottes Gnade als bereits vor der Tora-Verleihung wirksam bezeichnet wird, läßt sich aus dem Text nicht erweisen.

5.3.3.3. Die Präexistenz der Tora

Die Vorstellung von der Tora als Schöpfungsplan und Weltenordnung bedingt deren Überzeitlichkeit, die Identifizierung der Tora mit der göttlichen Weisheit erfolgte denn auch schon in vorchristlicher Zeit. Wenn daher z. B. in Gen.R. I, 1 die Tora als *re᾿šît* (Anfang, griech. *archē*) und somit als Schöpfungsmittel bzw. Schöpfungsmittler erscheint, steht dies bereits in einer langen Tradition, und wenn hier eine solche Deutung dem R. Hoschaᶜja zugeschrieben wird, der in Caesarea lebte und daher gern als möglicher (direkter oder indirekter) „Gesprächspartner" des Origenes betrachtet wird[546], so kann dies zwar eine Entgegnung auf christologische Ansprüche bedeuten[547], doch ein Beweis ist nicht möglich, denn es könnte doch ebensogut antignostisch gemeint sein[548].

Noch fragwürdiger ist die Annahme einer antichristlichen Reaktion für bNed 32a (R. Eleazar oder Eliezer), denn der Kontext enthält Ermahnungen zu korrekter Tora-Erfüllung, unmittelbar davor wird das Gebot der Beschneidung in derselben Weise als überzeitlich bezeichnet, daher ist die Vermutung, hier werde Gal 3, 17 (die Tora erst 430 Jahre nach der Verheißung gegeben) zurückgewiesen[549], ohne Anhaltspunkt. Aber auch jene Stellen, die Gott als Tora-Lernenden bzw. -praktizierenden beschreiben, haben ihren Platz eindeutig eher in der innerjüdischen Paränese als in der jüdisch-christlichen Auseinandersetzung[550].

5.3.3.4. Tora und Erzväter

Ein altkirchliches Argument für die zeitliche Begrenztheit der Tora-Geltung war der Hinweis auf die atl. Frommen vor der Sinaioffenbarung, insbesondere die Erzväter, die ohne Tora-Gebote auskamen und dennoch ein gottgefälliges Leben führten[551]. Haben die Rabbinen darauf gerade die Erzväter in betonter Weise als die Toraoffenbarung vorwegnehmenden Erfüller von Geboten dargestellt? Was dafür an Belegen angeführt wurde[552], überzeugt nicht. Dasselbe gilt für das Motiv der „Gerechten" vor der Tora-Verleihung, es gibt verschiedene Listen dafür, doch ist nicht einzusehen, warum davon z. B. Midr.Teh. 1 sich gegen „Gerechter" als Bezeichnung Christi richten solle[553]. J. Neusner hat im Blick auf Aphraats Argumentation aufgezeigt, daß eine Stelle wie bJoma 28b (Erzväter als Gebotserfüller) zwar den gegenteiligen Standpunkt vertritt, aber doch nicht so, daß man einen Zusammenhang annehmen könnte[554]. Das Verfahren, die Erfüllung von Tora-Geboten in die Väterzeit zurückzudatieren, ist ja auch nicht eine spezifisch rabbinische Argumentationsweise, sie war im Frühjudentum bereits üblich und z. B. im Jubiläenbuch konsequent zur Anwendung gelangt.

5.3.3.5. Eine neue Tora?

Die christliche Behauptung, Christus habe ein „neues Gesetz" gebracht, das das „alte" ablöste[555], hat man (s. oben 1.2.5.2.) zu Unrecht in bSabb 116a–b satirisch widerlegt finden wollen. Eine andere Stelle, die man als rabbinische Reaktion darauf deutete[556], ist Dt.R. VIII, 6. Der Midrasch zur Parascha *niṣṣabîm* (Dt 29, 9ff.) gilt im besonderen dem Thema Erfüllung der Gebote bzw. der Tora, nicht bloß en detail, sondern auch in der heilsgeschichtlichen Perspektive, wie ja auch die Prophetenlesungen zu diesem Tora-Abschnitt heilsgeschichtliche und eschatologische Inhalte haben (Jos 24, 1ff. im alten palästinischen Lesezyklus, ev. als Alternativen Jes 55, 6ff. und Mi 7, 18–20; Jes 61, 10ff. im babylonischen Zyklus). In VIII, 5 wird die welterhaltende Rolle der Tora hervorgehoben und damit die Bedeutung der Gebotserfüllung unterstrichen; in VIII, 6 heißt es:

Eine andere Erklärung (zu Dt 30, 11f.): Denn dieses Gebot ... das ich dir heute gebe, ist nicht unbegreiflich für dich und nicht fern. Nicht im Himmel ist es, daß du sagen könntest: Wer steigt für uns in den Himmel empor, um es zu holen ...

Nicht im Himmel ist es – sagte ihnen Mose, damit sie nicht sagen: Ein anderer Mose wird aufstehen und bringt uns ein anderes Gesetz vom Himmel. Schon habe ich euch kundgetan: Nicht im Himmel ist es, denn nichts davon ist im Himmel geblieben.

Der Gedanke, hier könnte Christus als zweiter Mose und das Konzept der nova lex Christi gemeint sein, mag naheliegen, wenn man das Textstück isoliert betrachtet. Dazu kommt, daß christlicherseits Dt 30, 11f. sehr wohl in einschlägiger Weise verwendbar war, weil bereits Röm 10, 4ff. in freier Weise daran anschließt[557], die Tora durch den Christus und die Botschaft von Christus ersetzend, wobei freilich noch andere Voraussetzungen im Sinne des Ascensus-Descensus-Motivs mitspielen. Aber gerade diese Thematik wird in Dt.R. VIII, 6 nicht berührt und Röm 10, 4ff. handelt nicht von einer nova lex. Aber im folgenden wird die biblische Phrase „nicht im Himmel ist es" noch weiter erklärt, einmal gegen die Astrologie, einmal in seelsorgerlich-paränetischem Sinn (es ist im Herzen, vgl. Dt 30, 14), und auch die darauffolgenden Gleichnisse ergeben (in VIII, 6 Ende und VIII, 7) keinen Anhaltspunkt für eine apologetische Bedeutung. Die Thematik des fraglichen Textstücks ist zudem durch den Dt-Vers vorgegeben und ausgesagt wird nicht mehr und nicht minder, als daß die Tora Gottes voll offenbarter Wille ist und daher auch entsprechend praktiziert werden soll. Noch instruktiver ist jedoch der Wortlaut in der Edition S. Liebermanns[558], wo die Vorzüge der Tora im Abschnitt 5 noch viel umfangreicher dargestellt sind, dabei mit der ausdrücklichen Feststellung, daß die Tora sich nur in Israel, nicht aber unter den Völkern befindet – „und wenn dir einer sagt, es gibt unter den Völkern Tora, dann glaube nicht, denn so steht es geschrieben (Lam 2, 9): „Ihr König und ihre Fürsten sind unter den Völkern, keine Tora!"

Solche Polemik könnte sich schon eher auf das Christentum beziehen, jedenfalls auf die Rolle der (griechischen) Bibel in der Umwelt. Doch dann folgt wieder ein längeres Stück über konkrete Tora-Erfüllung. Und in Abschnitt 6 werden zu „. . . nicht im Himmel" noch weitere Erklärungen hinzugefügt, die keinerlei polemischen Sinn aufweisen.

Immerhin: Der Text Dt 30, 11ff. war eine Tora-Perikope des alten palästinischen Lesezyklus und die dazugehörige Prophetenlesung war Jes 48, 14ff., ein eminent eschatologischer Text[559], sofort als Spitze gegen das Weltreich zu begreifen[560], und natürlich nach dem Aufstieg des Christentums zur Staatsreligion auch antichristlich zu verstehen, aber doch vor allem die Gebotserfüllung betreffend (v. 17ff.). Es ist nicht zu übersehen, daß Dt 30, 12 auch zur Verteidigung des rabbinischen Monopols verwendet wurde. bBM 59b[561] lehnt jeden Ersatz des rabbinischen Entscheidungsverfahrens durch irgendwelche andere Autorisationen (Wunder, Himmelsstimme) ab, bTem 16b weist damit jede Änderungsmöglichkeit der Tora durch irgendeinen Propheten zurück: Die Tora ist offenbart, verfügbar, die Tora-Gelehrsamkeit also die einzige zuständige Instanz.

5.3.3.6. Tora in der messianischen Zeit

Die nicht gerade zahlreichen rabbinischen Äußerungen über die Tora in der messianischen Zeit[562] lassen wider Erwarten ebenfalls keine Auseinandersetzung mit der christlichen Auffassung erkennen, es sei denn, man sieht in dem Beharren auf der Torageltung auch für die messianische Zeit eine Abweisung des christlichen Anspruchs. Aber das Prinzip der Überzeitlichkeit der Tora ließ ja auch im Blick auf die Heilszukunft gar kein Ende der Tora mehr zu. Es ist auch schwer möglich, aus der in jAZ II, 1 f. 40c erhaltenen Ansicht des R. Hoscha^{c}ja, wonach in der Zukunft die Noachiden alle Gebote annehmen werden, den Schluß zu ziehen, dies richte sich gegen die christliche Lehre von dem aufgehobenen Gesetz, etwa gar gegen den Kirchenvater Origenes selbst[563]. Im Text geht es um nichts anderes als um die verbreitete Skepsis gegenüber Proselyten, die Tora der Endzeit steht gar nicht zur Debatte.

5.3.4. *Die mündliche Tora*

Die Betonung der mündlichen Überlieferung im Sinne einer zweiten, autoritativ gleichwertigen Tora „vom Sinai" neben der schriftlichen Tora wurde in mehr oder minder vollem Umfang ebenfalls als Reaktion auf christliche Ansprüche und konkret auf die christliche Aneignung der „schriftlichen Tora" als des „Alten Testaments" gedeutet[564]. Grundsätzlich gilt jedoch auch hier, daß es sich zunächst um ein spezifisch rabbinisches Anliegen im Rahmen der innerjüdischen Entwicklungen nach 70 n. Chr. handelte und daß erst in einer recht späten Phase die vorgeformten Argumente auch gegen das Christentum verwendet werden konnten[565], weshalb auch nie expressis verbis von Christen die Rede ist. Abgesehen von ganz allgemein gehaltenen Aussagen zum Verhältnis zwischen schriftlicher und mündlicher Tora[566] geht es ganz konkret um die bei den „Völkern" oder „Götzendienern" verwendete griechische Übersetzung der Bibel. Schon in vorchristlicher Zeit wurden griechische Bibelübersetzungen auch außerhalb des Judentums bekannt, was einerseits die missionarische Wirkung des Judentums unterstützte und insofern von vielen sicher begrüßt wurde, andrerseits bot die inhaltliche Kenntnis der „schriftlichen Offenbarung" auch wieder Anlässe zu gezielter, konkretisierter Kritik, und nicht zuletzt kam es zu religiös fragwürdigen Verwendungen, etwa zu magischen Zwecken oder im Sinne gnostischer Spekulationen – und selbstverständlich dürfte auch die rapide Verbreitung der griechischen Bibel im Zuge der christlichen Mission einen entsprechenden Eindruck gemacht haben. Dennoch darf man die jüdische Reaktion darauf wohl nicht zu früh ansetzen: Wenn Aquila zu Beginn des 2. Jh. n. Chr. eine neue griechische Übersetzung auf Grund der pharisäisch-rabbinischen Textgestalt und nach rabbinischer Interpretation vorlegte, dann offenbar in erster Linie im Interesse der Durchsetzung des rabbinischen Anspruchs im Judentum selbst, auch in der westlichen Diaspora, mochte dies auch praktisch zugleich eine Differenzierung gegenüber der christlichen Bibel bedeuten[567]. Von den gern zitierten Stellen sprechen einige recht deutlich von einer Usurpation der schriftlichen Offenbarung durch die „Völker", im Zusammenhang damit sogar von einem Konkurrenzanspruch der „Völker" auf die Funktion als „Israel", und diesen dann durch den Hinweis auf die mündliche Tradition als „Mysterium" Gottes und als Erwählungsmerkmal abwehren, diesen Konkurrenzanspruch weniger auf eine religiöse als auf eine politische Ursache zurückführen, nämlich auf die Herrschaft der Völker über Israel[568]. Auch in diesem Punkt wird also in der Zeit des christlichen Roms einfach die vorgegebene polemisch-apologetische Tradition gegen Rom als feindlicher Weltmacht weitergeführt, ohne daß die spezifisch christlichen Motivierungen und Anliegen eine Rolle spielen, ja ein Vergleich der erwähnten pointierten Traditionen (Anm. 568) mit sachlich vergleichbaren älteren wie in jPe^{c}a II, 6f. 17a[569] zeigt gerade, wie geringfügig die neue religiöse Umwelt die herkömmliche Argumentation zu verändern vermochte[570].

5.3.5. *Einzelaspekte*

5.3.5.1. Betonung der Gebote und Tora-Verächter

In der besonderen Betonung der Bedeutung konkreter Gebotserfüllungen eine Reaktion auf christliche Vernachlässigung der rituellen Gebote aufzuzeigen, wurde zwar gelegentlich versucht[571], doch ist in keinem Fall der Nachweis geglückt. Dasselbe gilt in bezug auf Polemiken gegen Tora-Verächter und Spötter[572]: Dabei handelt es sich weit eher um nicht- bzw. antirabbinische Personen im jüdischen Bereich als um Christen. Soweit konkrete Riten und Gebote besonders hervorgehoben werden, handelt es sich fast durchweg um solche, die bereits seit langem in der Auseinandersetzung mit der nichtjüdischen Umwelt eine Rolle spielten oder innerjüdisch umstritten waren. Sowohl die altkirchlichen Zeugnisse als auch die eventuell als Reaktionen auf christliche Anschauungen deutbaren rabbinischen Stellen betreffen zumeist biblische Sachverhalte aus dem AT oder (in christlichen Quellen) aus dem NT, so daß der Schluß gezogen werden muß, daß die Kenntnis der gelebten zeitgenössischen Praxis entweder sehr geringfügig zu veranschlagen ist oder für die Auseinandersetzungen als fast irrelevant angesehen wurde. Eine weitergehende Erforschung der jüdisch-christlichen Auseinandersetzung müßte sich also damit abfinden, daß konkrete, gezielte Stellungnahmen so gut wie völlig fehlen und sich vor allem mit der Grundstruktur der religiösen Vorstellungswelt und ihrer sich wandelnden Akzentuierung befassen, ein sehr schwieriges Unterfangen, da die rabbinische Literatur von ihrem literarischen Charakter her solche Feststellungen immer nur annäherungsweise zuläßt. Noch problematischer erscheint dies aus religionssoziologischer Sicht: Die literarisch faßbaren Anhaltspunkte stammen aus begrenzten Schichten.

5.3.5.2. Tempel und Ritualgesetz

Einer der gewichtigsten Streitpunkte im christlich-jüdischen Verhältnis war – jedenfalls für die christliche Seite – die Frage nach einem möglichen Wiederaufbau des Tempels und damit einer Wiedereinführung des Opferkults. Zweifellos betraf dies auch rabbinischerseits einen wunden Punkt, die Tempelzerstörung war heilsgeschichtstheologisch (s. unten) ein bedrückendes Problem, doch läßt sich aus den einschlägigen rabbinischen Äußerungen nur vermutungsweise eine Reaktion auf spezifisch christliche Argumente herauslesen[573]. Die deutlichsten Aussagen wären im Zusammenhang mit Kaiser Julian „Apostata" zu erwarten, der im Rahmen seiner heidnischen Kultrestitution auch den Juden wieder zu ihren herkömmlichen Kultmöglichkeiten verhelfen wollte und den Wiederaufbau des Jerusalemer Tempels befahl[574]. Bekannterweise gelang es den Christen, dieses Vorhaben zu verhindern. Verblüffend ist nun auf den ersten Blick, daß die rabbinische Literatur keine direkte Bezugnahme auf Julian enthält, die gelegentlich dafür in Anspruch genommenen Stellen, Koh.R. IX, 8[575] und jMŠ V, 2f. 56a[576], enthalten keine konkreten Hinweise auf Julian und können leichter anders gedeutet werden. Zunächst ist zu bedenken, daß für rabbinisches Bewußtsein die Tempelzerstörung und damit auch die ganze Tempelfrage in erster Linie mit der Vorstellung von der Weltmacht Rom verbunden war, welche Religion diese auch immer favorisierte. Doch hat es über den Sinn des Tempelkults und über die Hoffnung auf eine Kultrestauration auch innerjüdisch Differenzen gegeben[577]. Die Rabbinen selbst waren bereits um 70 n. Chr. trotz ihrer Bejahung des Kults theologisch in mancher Hinsicht schon so unabhängig vom Tempel und Opferkult geworden, daß der Fortbestand des Judentums auch ohne Kult gesichert war. Wenn Kaiser Julian nun den Wiederaufbau des Tempels einleitete, konnte dies in rabbinischen Kreisen schon aus zwei Gründen nur mit gemischten Gefühlen begrüßt worden sein: Einmal erfolgte diese Maßnahme als Teil einer allgemeinen heidnischen Kultrestauration, was unweigerlich die alten Ressentiments gegen den „Götzendienst" provozieren mußte, zum anderen hätte die Wiedereinführung des Kultes auch eine Wiederherstellung der priesterlichen Funktionen und Prärogative und damit eine weitgehende Infragestellung des rabbinischen Autoritäts-Monopols bedeutet. Man wußte wohl um die Problematik der fehlenden kultischen Sühne, und es mag sein, daß die theologische Akzentuierung der Opferung Isaaks (Gen 22) zum Teil der Bewältigung dieses Problems entsprang, zum Teil auch bewußt gegenüber der christlichen Begründung einer Sühne durch Jesus Christus so pointiert ausformuliert wurde[578], doch expressis verbis kommt eine solche Frontstellung nicht zum Ausdruck. Es ist aber möglich, daß durch das Christentum – wie auch bereits durch die hellenistisch-philosophische Kultkritik[579] – die innerjüdische Diskussion dann und wann verschärft wurde[580].

5.3.5.3. Ährenausraufen

A. Marmorstein[581] meinte, in Tanch.B. *nś*ᵓ 31 eine Reaktion auf Argumentationen aufzeigen zu können, die ihre Wurzel in Mt 12, 1 ff. bzw. Mk 2, 23 ff. gehabt hätten. Aber dabei pflückte er aus einer Serie von umstrittenen Äußerungen, die in Abschnitt 30 zunächst den Minim in den Mund gelegt (*ᵓim joᵓmᵉrû lᵉkah ham-mînîm*), am Schluß und dann in Abschnitt 31 irgend jemandem (*ᵓim joᵓmar lᵉkah ᵓadam*) zugeschrieben werden, diesen einen Punkt heraus, und in dieser Isolierung vom Kontext stellte er die assoziative Verbindung zu den genannten ntl. Stellen her – als ob das Verhalten Davids in I Sam 21, 4 ff. nicht überhaupt Anlaß zu Fragen geben konnte. Die beiden Serien in Tanch.B. *nś*ᵓ 30–31 (mit Parallelen) sind äußerst aufschlußreich für innerjüdische Diskussionen, doch besagen sie schwerlich etwas über das Verhältnis zum Christentum.

5.3.5.4. Händewaschen

Ebenso fragwürdig ist die Vermutung Z. Markons[582], die Betonung des rituellen Händewaschens sei eine Reaktion auf die Ablehnung dieser Praxis durch die Christen (Mt 15, 20). Die genannten Stellen (bEr 21b; bSabb 62b; bSoṭa 4b; *Däräk ᵓäräṣ zûṭa*ᵓ VIII) sagen jedoch gar nichts über eine Auseinandersetzung mit Christen aus.

5.3.5.5. Speisegebote

Ohne Frage spielten die Speisegebote in der christlichen Argumentation gegenüber dem Judentum eine beträchtliche Rolle, doch die Basis waren AT und NT, nicht die zeitgenössische jüdische Praxis[583]. Dabei boten gerade die Bestimmungen über die rituelle Schlachtung die Möglichkeit klarer Abgrenzungen. Was jedoch im Traktat Ḥullin (vgl. v. a. tḤull I, 1; II, 20f.; bḤull 13a; ferner bAZ 26b) dazu ausgeführt wird, geht über die Unterscheidung zwischen Israeliten, Nichtjuden, Minim, Samaritaner und Apostaten (*mûmar*/*m*ᵉ*šûmmad*) nicht hinaus – verständlicherweise, denn damit waren für rabbinische Maßstäbe alle auch eventuell Christen betreffenden Fragen geregelt. Anders in den frühmittelalterlichen *Tôl*ᵉ*dôt Ješû*, wo ausdrücklich Paulus für die christliche Praxis des Genusses verbotener Speisen verantwortlich gemacht wird.

5.3.5.6. Sabbatheiligung

Äußerst markant tritt in der christlichen Polemik und Apologetik die Behandlung des Sabbat in den Vordergrund[584]. Doch ergibt sich auch hier, daß für jüdisches Bewußtsein die Sabbatheiligung schon längst eine ausgesprochene Bekenntnishandlung war und gegenüber der nichtjüdischen Umwelt bereits seit vorchristlicher Zeit kontinuierlich gegenüber den heidnischen Kritikern verteidigt werden mußte[585]. Somit ist es fraglich, ob gewisse Stellen, die die Bedeutung des Sabbats herausstreichen[586], z. B. indem sie behaupten, Gott selber halte den Sabbat, wirklich die spezifisch christliche Aufhebung der Tora zur Grundlage und Zielscheibe hatten.

5.3.5.7. Beschneidung

Neben dem Sabbat stand für die christliche Auseinandersetzung mit dem Judentum natürlich die Beschneidung, das Symbol des „Alten Bundes", im Brennpunkt des Interesses[587]. Auch hier gilt, was schon für den Sabbat zu betonen war: Die Angriffe gegen die Beschneidung gehörten für jüdisches Bewußtsein schon längst zu den Hauptmerkmalen der Infragestellung durch die feindliche Umwelt, wobei die verbreitete Einschätzung der Beschneidung als strafbare Verstümmelung ein besonderes Problem darstellte[588]. Rabbinischerseits hat man die christliche Stellung dazu wohl schwerlich von der allgemeinen nichtjüdischen Wertung unterschieden, zumal – etwa bei Tertullian Adv. Jud. III, 1 ff.[589] – in ihr die heilsgeschichtstheologischen und politischen Gesichtspunkte miteinander verquickt waren. Weder in bezug auf das Sabbatgebot noch im Zusammenhang mit der Beschneidung wird in der rabbinischen Literatur die eigentliche christliche Begründung für die Aufhebung, nämlich das Kommen bzw. das Werk Christi, auch nur angedeutet – man kannte das Argument nicht, sah sich eben wieder nur der Infragestellung durch die „Völker" und insbesondere durch die feindliche Weltmacht ausgesetzt. Selbst die Kirche sah sich genötigt, die Beschneidung für die vorchristliche Zeit als gottgesetztes Bundeszeichen gegen heidnische Kritik zu verteidigen. Jedenfalls ergibt keiner der in der Forschung bisher angeführten rabbinischen Texte[590] eine klare Bezugnahme auf christliche Standpunkte, auch nicht die öfters erwähnte Stelle Gen. R. XI, 6[591].

5.4. Erwählung

5.4.1. *Betonung und Verteidigung der Erwählung*

Bund und Erwählung waren für das rabbinische Judentum untrennbar mit der Gabe der Tora als der kollektiven Erwählungsaufgabe Israels verbunden, doch konnten Absonderung und Erwählungsbewußtsein manchmal auch spezielle Anliegen darstellen. Auch dabei ist die unterschiedliche Situation im Land Israel und in der Diaspora zu beachten: Im Lande selbst tritt der Erwählungsanspruch auch in praktischen Verhaltensweisen massiver, ja fast expansiv zur Geltung, wird, weil die Heiligkeit des Landes mitbetroffen ist, im Fall der Infragestellung auch härter empfunden, in der Diaspora hingegen bleibt dieses Erwählungsbewußtsein vergleichsweise introvertiert, auch wenn dort die jüdische Gemeinde gleichzeitig in der Umwelt stärker auffiel. Überall galt es jedoch, die Tatsache der Erwählung den Nichtjuden gegenüber zu verteidigen, ob es sich dabei um die „Völker" im Sinne von Heiden[592] handelte, um Minim[593], die in assimilatorischer und synkretistischer Tendenz Absonderung und kollektive Erwählungsverpflichtung ablehnten, oder schließlich um Christen[594], wobei die Judenchristen nach gängiger Ansicht die bedeutsamste Provokation darstellten, weil sie in den Kriegen gegen Rom die Solidarität mit dem kämpfenden Judentum verletzten. Zunächst war es jedoch die heidnisch-feindliche Weltmacht Rom, die Israels Erwählungsanspruch Lügen zu strafen schien, und zahlreiche Stellen in der rabbinischen Literatur behandeln mehr oder minder deutlich die Frage, inwiefern der monotheistische Anspruch und die Behauptung der Erwählung Israels durch die faktische Macht Roms als in Frage gestellt gelten mußte. Die christliche Argumentation schließt – für rabbinisches Bewußtsein – auch hier an die herkömmliche Herausforderung durch die Umwelt an und kaum eine der Stellen, die in solchen Zusammenhängen als Reaktion auf christliche Bestreitungen der Erwählung Israels angeführt werden[595], läßt eine unverkennbar christliche Begründung – nämlich mit dem Kommen und Werk Christi – erkennen.

5.4.2. *Israel – gottverlassen bzw. verworfen?*

Der Widerspruch zwischen monotheistisch begründetem Erwählungsanspruch und politischer Realität mußte natürlich vor allem nach den beiden verlustreichen Aufständen gegen Rom (66–70 und 132–135 n. Chr.) ins Auge stechen. Offensichtlich standen die Rabbinen damit vor einem schwerwiegenden innerjüdischen seelsorgerlichen Problem, und ein guter Teil der Diskussionen, die in der rabbinischen Literatur über dieses Thema mit römischen bzw. heidnischen Gesprächspartnern geführt werden, diente gewiß mehr der Festigung der innerjüdischen Moral, als daß sie tatsächliche Gespräche wiedergeben. Dennoch ist nicht zu bezweifeln, daß Nichtjuden gesprächsweise gerade die Schwäche des Judentums als Beweis für die Fragwürdigkeit ihres religiösen Anspruchs bezeichnet haben. Die christliche Seite schloß auch darin nahtlos an vorhandene Infragestellungen an[596], daher fehlen auch bei solchen Stellen (bḤag 5b[597]; Ex.R. 31, 10[598]; MHG Lev 26, 9[599] deutliche Bezugnahmen auf das Christentum, obschon jedenfalls ab einer gewissen Zeit die Herausforderung von einer ganz christlich gewordenen Umwelt ausging. Solche Argumentationen enthalten manchmal ganz konkret den Hinweis auf die Zerstörung Jerusalems und insbesondere des Tempels[600] als eines eindeutigen Beweises dafür, daß Israel den Schutz seines Gottes nicht mehr genieße, und daher nimmt die Diskussion über die Bedeutung der Zerstörung Jerusalems und des Tempels sowohl bei Christen wie Juden der Antike einen nicht geringen Raum ein[601]. Aber auch dabei gilt, daß die einschlägigen rabbinischen Texte so vage formulieren, daß eine wirkliche Kenntnis spezifisch christlicher Argumentationen kaum vorauszusetzen ist. Dasselbe gilt für das Motiv der „Exilierung": Es wird innerjüdisch verwendet, im Sinne heilsgeschichtstheologischer Typologie, aber auch außerhalb als Argument gegen Israels Erwähltheit[602].

Von solchen Behauptungen aus wäre der Schritt zur These, Israel sei nunmehr – wegen seiner Ablehnung Christi – von Gott verworfen, nur ein kleiner Schritt. Was man dafür aus der rabbinischen Literatur anzuführen pflegt, läßt jedoch an Deutlichkeit mehr als zu wünschen übrig. Aus der Tosefta wird z. B. Soṭa VI, 6 so gedeutet[603], ebenso die Betonung der Treue Gottes zum erniedrigten Israel in jBer IX, 1 f. 13b[604]. Wenn bEr 101a ein Min dem Josua b. Chananja sagt, Israel sei (Mi 7, 4) ein Dorngestrüpp, und dieser mit dem Rest des Verses entgegnet, wonach der Schutz Gottes für Israel weiterhin verbürgt sei, berechtigt nichts zur Annahme[605], dieser Min sei ein Christ. Auch bPes 85b[606] und bTa^{c}an 20a[607] heben nur Gottes Treue und Liebe hervor. Der vieldiskutierte Text bJeb 102b[608], wo an das Stichwort der *ḥ^{a}lîṣah* (Schuhausziehen als Ritus der Leviratsehe-Ablehnung) anschließend ein Min gegenüber R. Gamliel behauptet, Gott habe Israel in Form einer *ḥ^{a}lîṣah* verworfen, und dabei Hos 5, 6 zitiert, besagt ebensowenig: Keine Silbe verrät spezifisch christliche Argumentation. Anders wäre es, wenn der Text diesen Akt der *ḥ^{a}lîṣah* irgendwie mit Christus verknüpfte. Ebenso allgemein gehalten sind die Beteuerungen der Beständigkeit des Verhältnisses zwischen Israel und Gott in bSoṭa 38b[609] und der ewigen Existenz Israels (in Dieser wie in der Kommenden Welt) in bMen 53b[610]. Nicht anders steht es mit Midraschstellen wie Ex.R. 33, 2[611], Lev.R. 6, 5[612], Num.R. 2, 16[613]; Midr. Teh. 10, 1 f.[614] und 119, 17 ff.[615] sowie mit dem Matronengleichnis des R. Josua b. Levi in Lam.R. 3, 1[616].

Wenn Tanch.B. *ṣw* I die Annahme von Opfern aus nichtjüdischer Hand entgegen sonstigen Grundsätzen abgelehnt wird, läßt sich daraus nur mühsam[617] eine spezifisch antichristliche Spitze herauslesen. In der Pesiqta d^{e}R. Kahana wurden mehrere Stellen als Abwehr des christlichen Anspruchs gedeutet, so ziemlich unbegründet cap. XVIII Anfang (Buber f. 134a), mit besseren Gründen, z. B. unter Verweis auf die Scheidungstheorie des Origenes, cap. XIX (Buber f. 139b) ein Königs- bzw. Matronengleichnis[618], doch gilt auch hier, daß ein älteres Motiv vom Gegensatz Israel : Völker verarbeitet ist, ohne daß eine spezifisch christliche Begründung der „Scheidung" hinzukäme[619]. Wenn cap. XX (Buber f. 141a) hervorhebt, daß Gottes *Š^{e}kînah* selbst mit Israel ins Exil geht, so war dies gewiß unter christlicher Herrschaft ein gezielter Trost, doch keineswegs durch ein spezifisch christliches Argument provoziert, und nicht minder vage ist cap. XX (Buber f. 142a) der Hinweis auf die Gerechten, die in Israel nach der Tempelzerstörung vorhanden waren[620]. Als midraschische Komposition insgesamt für den Erwählungsanspruch und seine Verteidigung von höchstem Interesse ist Canticum Rabbah, denn das Hohelied, im Judentum auf das Verhältnis Israel –Gott gedeutet, wurde in der Kirche als Beschreibung des Verhältnisses Gemeinde–Christus erklärt, so daß die allegorische Exegese beider Seiten gerade in dieser Thematik konkurrierte[621]. Während der Gesamteindruck des Midrasch Cant.R. nun unverkennbar apologetischen und polemischen Charakter aufweist, ergibt die Analyse im einzelnen jedoch kaum Anhaltspunkte für konkrete Kenntnisse christlicher Argumente. Für den hier zu erörternden Sachverhalt wurden Stellen wie Cant.R. I, 5–6[622], I, 14[623] und VI, 1[624] besonders hervorgehoben – doch fehlt überall eine konkrete Bezugnahme, wie man sie z. B. im Mittelalter antrifft. Selbst die spät (10. Jh.?) redigierte, aber viele ältere Traditionen enthaltende Kompilation ›Aggadat Bereshit‹, die als Ganzes ebenfalls eine Frontstellung gegenüber dem Christentum erkennen läßt[625], argumentiert in herkömmlicher Weise mit dem globalen Gegensatz Israel : Völker, z. B. XX, 4[626], obgleich die Hervorhebung des Judentums als des wahren Monotheismus eine neue Nuance erkennen läßt.[627]

Theologische Hinweise erwartet man dort, wo für die Gottverlassenheit oder Verwerfung Israels Gründe angegeben werden. Dabei genügt es selbstverständlich nicht[628], auf Stellen mit allgemeinen Behauptungen über Israels Sündhaftigkeit hinzuweisen[629]. Dies gilt nun ebenso für ein sehr beliebtes Motiv, die Anfertigung des „Goldenen Kalbes" Ex 32 als Grund für Israels Verwerfung[630], zum Teil auch als Grund für die Offenbarung der „Tora des Mose" im Sinne einer göttlichen Strafmaßnahme[631]. So ergeben auch die mit dem „Goldenen Kalb" argumentierenden Infragestellungen der Erwählung Israels eigentlich keinen Hinweis auf besondere christliche Motive, der vor allem von A. Marmorstein[632] behauptete Bezug auf christliche Argumente ist daher als fragwürdig zu beurteilen.

5.4.3. *Konkurrierender Anspruch*

Für jüdisch-rabbinisches Empfinden enthielt bereits die Machtentfaltung Roms einen mit Israels heilsgeschichtlicher Stellung konkurrierenden Anspruch, was man typologisch durch das Verhältnis zwischen Esau und Jakob so treffend zum Ausdruck brachte. In der Überzeugung, daß die Weltmacht den eigentlich für das erwählte Volk bestimmten Platz usurpiert, konnte man dem Gegner literarisch die Behauptung in den Mund legen, er selber sei „Israel", solang es nur um die Vormachtstellung, das „Erstgeburtsrecht", geht. Dennoch liegt es selbstverständlich nahe, bei einer solchen Behauptung an den christlichen Anspruch[633] zu denken, das „wahre" Israel zu sein. So etwa Cant.R. VII, 3.3[634]. Doch kann man nicht beweisen, daß dieser Text tatsächlich angesichts des christlichen Anspruchs so formuliert wurde. Dasselbe gilt für Lev.R. 4, 6[635] und

Pes.R. (Appendix: ed. Friedmann 192a)[636], Tanch.B. *šlḥ* XXV par.[637], Cant.R. II, 2[638], IV, 8 sowie die Vergleiche mit dem Licht und der Herrschaft Esaus bzw. Jakobs in Gen.R. 2, 3[639] und 6, 3[640].

Wenn in Midr.Teh. 19, 1 R. Abbahu erwähnt, daß die Weltvölker zwei Dinge nicht leugnen, die Schöpfung der Welt durch Gott in sechs Tagen und die Auferweckung der Toten durch Gott, muß dies keineswegs heißen, daß die Umwelt schon christlich war[641], das literarische Verfahren, eigene Standpunkte Nichtjuden in den Mund zu legen, ist zu verbreitet, und außerdem geht es im Kontext dann um Totenbeschwörungen. Selbst die in Cant.R. II, 13.4 und par. enthaltene Polemik gegen die „frevelhafte Herrschaft, die die Welt verleitet und durch ihre Lügen irreführt“[642], verwendet traditionelle polemische Ausdrücke – die nun freilich gegen die christliche Umwelt als besonders brauchbar und treffend empfunden werden konnten. Es ist somit Skepsis am Platz, wenn Bezugnahmen auf das Christentum als Staatskirche konstatiert werden[643], denn es dauerte noch geraume Zeit, bis man jüdischerseits darin wirklich einen bedeutsamen Wandel erkannte[644].

6. GOTTESVORSTELLUNG UND CHRISTOLOGIE

Sofern das rabbinische Judentum irgendeine Bekanntschaft mit der Christologie gemacht hat, sah es auch in dem Punkt vorwiegend eine ältere Vorstellung, nämlich jene von zwei oder mehreren göttlichen Gewalten. Während man in der älteren Fachliteratur insbesondere den Aussagen über „zwei Gewalten (im Himmel)" gern einen Bezug zur Christologie oder Trinitätslehre zuschrieb[645], ergab eine neuere Untersuchung des gesamten Vorstellungskomplexes durch A. F. Segal[646], daß die Situation bedeutend komplexer ist. Zunächst reichen innerjüdische Diskussionen bis in das Frühjudentum zurück, wo vor allem im hellenistischen Judentum die Logos-Lehre und die Vorstellung von einem Schöpfungsmittler bekannt waren, wie überhaupt stets, wenn die Gottheit selbst als betont überweltlich beschrieben wird, die Frage der Vermittlung des göttlichen Wirkens aktuell ist. Die Vorstellung von einer zweiten göttlichen Macht umfaßt somit eine breite und bunte Palette von Möglichkeiten, auch wenn man von gnostischen und christlichen Ausprägungen absieht. Man möchte nun meinen, daß im Lauf der amoräischen Zeit die Rede von den „vielen Gewalten" immer eindeutiger durch jene von einer zweiten Gewalt = Christus abgelöst wurde, doch der Befund enttäuscht, wie überhaupt kein einziger überzeugender Beleg für eine Kenntnis der Trinitätslehre aufzuzeigen ist, im Unterschied zu den jüdischen Argumenten in den altkirchlichen antijüdischen Schriften, nach denen Präexistenz, Inkarnation, Jungfrauengeburt, Gottessohnschaft, Leiden etc. offensichtlich auch jüdischerseits bekannte Vorstellungen waren[647]. Aus Serien von Minim-Stellen wie jBer IX, 1f. 12d–13a einfach das eine oder andere herauszupicken, was eventuell antitrinitarisch sein könnte[648], hat wenig Sinn, sofern nicht die gesamten Minim-Aussagen zur Gottesvorstellung ausreichend untersucht werden – und diese Aufgabe hat die Forschung noch zu erfüllen.

Stellen, die lediglich in allgemeiner Weise eine Beteiligung anderer Götter oder Gewalten an der Schöpfung ablehnen, wie etwa in Gen.R. I, 1 (R. Isaak)[649] oder bḤull 87a[650], konnten zwar später im Bedarfsfall als Widerlegung christlicher Ansichten gelesen werden, doch ihre Formulierung hatte offensichtlich andere Ursachen, nämlich intern-jüdische. Vollends im Bereich unbeweisbarer Vermutungen liegen zahlreiche Deutungen von A. Marmorstein, der sogar antimarcionitische Aussagen finden wollte[651]. Wie wenig eindeutig selbst markante Texte sein können, zeigt ein Blick auf die Erklärungen von Gen 1, 26f., wo der Plural „Lasset uns Menschen machen ..." von früh an zu Spekulationen Anlaß gab[652]. Wenn nun in Gen.R. 8, 8 dazu bemerkt wird, daß die Minim sich den Plural zunutze machten, so konnte man dies – zumindest in späterer Zeit – auf Christen mitbeziehen[653], doch in früher Zeit dachte man dabei wohl schwerlich an Christen, nicht einmal geeichte Gnostiker mußten es sein, und dies alles gilt auch für jene, die aus den zwei Thronen in Dan 7, 9 auf zwei Gewalten schlossen[654], obwohl die dagegen angeführten Schriftstellen später auch gegen christologische Lehren gut zu gebrauchen waren. Wie kompliziert die Lage war, illustriert auch der Text Sifre Dt 329[655]: Die Rabbinen differenzierten sehr wohl zwischen den zum Teil geradezu widersprüchlichen gegnerischen Ansichten, etwa die Leugnung einer Gewalt im Himmel überhaupt oder der Behauptung zweier Gewalten, doch ein weitergehendes Interesse zur Identifizierung hatten sie nicht, und auch später, als die Frontstellung fast nur mehr eine antichristliche sein konnte, genügte ihnen offensichtlich die althergebrachte Art der Polemik. Dies wird in besonders markanter Weise an den Texten deutlich, die sich gegen die Ansicht wenden, Gott habe einen Sohn. In Ex.R. 29, 5[656] richtet sich die Abwehr gegen eine „Familie" Gottes[657], also eine polytheistische Gottesvorstellung. Der „Sohn" braucht ebenso wie sonstige Aussagen über eine „zweite Gewalt" noch nichts speziell Christologisches zu bedeuten, so auch Dt.R. 2, 33 (zu 6, 4)[658], wo im Anschluß an Prov 24, 21 der Begriff *šnh* den Beiklang von „eine zweite göttliche Gewalt bekennen" erhält. Bemerkenswert ist, daß in der späten Kompilation ›Aggadat Bereshit‹ diese Überlieferung mit der homiletischen Auslegung von Ps 110, 1 verknüpft ist, einer christologisch hochbedeutsamen Bibelstelle[659], was illustriert, wie man später im Blick auf das Christentum solch älteres polemisches Traditionsgut verwertete. Hier wird übrigens die zweite göttliche Gewalt auch auf Dan 3, 25 zurückgeführt und sogar Nebukadnezar, einer der Herrscher, dem sonst gern Selbstvergottung vorgeworfen wird, als Zeuge dafür angeführt, daß die Danielstelle keinen „Sohn Gottes", sondern nur einen Engel meint, wie bereits früher in jSabb VI, Ende, f. 8d[660]. Noch deutlicher wird ›Aggadat Bereshit‹ 31[661] zu Gen 22, weil hier mit dem Gedanken, Gott könne einen Sohn haben, auch der zweite, er könnte diesen dem Tod überantworten, als absurd abgewiesen wird. Aber solch relativ deutliche Polemik führt bereits in das frühe Mittelalter hinein. Ganz unsicher ist hingegen, ob etwa Cant.R. I, 2.2 gar eine Reaktion auf eine Deutung des Origenes vorliege[662], der Midr.Teh. 22, 16 (zu 22, 1) vielleicht mit Anklang an Mt 27, 46 antichristlich (oder auch antignostisch) zu verstehen sei[663], Gen.R. 26, 5 (zu Gen 6, 2) gegen die christliche Gottessohnvorstellung so scharf polemisiere, vielleicht gar konkreter gegen die Inkarnationslehre[664], die auch in einer Reihe andrer Stellen vermutet wurde[665], oder daß Sifre Num § 143 und bMen 110a mit der Feststellung, daß in den biblischen Opfertexten nur das Tetragramm gebraucht sei, etwas mit Christologie zu tun hätten[666].

Manch angebliche Äußerungen zur Christologie besagen vom Text her einfach zuwenig, um ernstgenommen zu werden, etwa tSanh VIII, 4[667], Lev.R. 9, 3[668], Pes.R. I, 1[669], Sifre Dt § 320[670], bSukka 5b[671], Midr.Teh. 2, 9 (zu 2, 7)[672] oder bSanh 93a[673]. Desgleichen muß man bezweifeln, ob jemand bei der Erörterung über den Tod Adams in Gen.R. 9, 5 wirklich an das Erlösungswerk Christi gedacht hat[674], bei Gen.R. 25, 1 an die Himmelfahrt Christi[675] oder in Gen.R. 22, 2 an die Geburt Jesu durch Gottes Einwirkung (*ʾt Jhwh* nach Gen 4, 1), wie Z. Markon (*Hat-Talmud* . . . 175) meinte. Auch ist nicht einzusehen, wieso Pes.RK XVIII (Buber f. 134a–b) eine „verschleierte" Polemik gegen Jesu Davidsohnschaft enthalten soll, was A. Marmorstein (Religionsgesch. Studien I, 40f.) vermutete, gegen die in der Diaspora und späterhin doch ganz offen polemisiert wurde[676]. Man hat sich viel Mühe gegeben, weitere Stellen aufzuzeigen[677], doch bei genauerer Lektüre (insbesondere auch des Kontexts) erweist sich die antichristologische Tendenz nur als eine neben anderen möglichen und in der Regel nicht als ursprünglich, vielmehr als Ergebnis sekundärer Verwendung älterer Traditionen[678].

7. ESCHATOLOGIE

7.1. Allgemeines

Auf den ersten Blick erscheint es selbstverständlich, daß die Konfrontation zwischen Christentum und Judentum in der Antike nicht zuletzt darüber stattfand, daß für die Christen das Heil mit dem Kommen bzw. mit dem Erlösungswerk Christi angebrochen, die messianischen Hoffnungen des „Alten Bundes" in Christus erfüllt waren, während die nicht christusgläubigen Juden weiterhin auf die Ankunft der messianischen Zeit bzw. des Messias warteten. Manchmal meint man, diese Differenz auch auf den Gegensatz zwischen dem apokalyptisch orientierten Christentum und den nicht- oder gar antiapokalyptisch orientierten Rabbinen bringen zu können[679], doch das Verhältnis war offensichtlich komplizierter. Die Christen waren gezwungen, für die erste Ankunft Christi „Weissagungen" des AT und traditionelle jüdische Kriterien für die Endzeit als erfüllt ausgeben zu müssen, obwohl man die endgültige Erfüllung erst für die „zweite Ankunft" erwartete, die Erlösung durch Kreuz und Auferstehung bis dahin eben nicht so ohne weiteres als Erfüllung atl. Hoffnungen auszuweisen vermochte. Die jüdische Seite tat sich bei der Abwehr der christlichen Ansprüche und Schriftbeweise recht leicht, indem sie auf die Diskrepanz zur Wirklichkeit, also auf den evidentermaßen noch „unerlösten" Charakter der Welt, verwies. Die Beweislast lag also bei den Christen – und daher braucht man rabbinische Äußerungen, nach denen die messianische Zeit noch aussteht, nicht vorschnell als Reaktionen auf christliche Behauptungen von der bereits erfolgten Erlösung zu deuten. Das rabbinische Judentum stand ja keineswegs als monolithischer Block dem Christentum gegenüber. Prinzipiell teilten auch die Rabbinen das apokalyptische Geschichtsbild, und es war mehr eine Frage des jeweiligen Zeitgeistes und der äußeren Umstände, ob und wie stark sich die Überzeugung Bahn brechen konnte, die Wende zur Heilszeit sei mehr oder minder erreicht; doch wann immer eine solche Überzeugung Platz griff, erhoben sich auch zweifelnde Stimmen, die das Risiko einer pseudomessianischen Bewegung erkannten. Die rabbinische Diskussion – und dies blieb im Grunde auch späterhin so – pendelt also zwischen diesen beiden Polen. Eine konkrete Zurückweisung christlicher Behauptungen kann demnach nur dort angenommen werden, wo die angebrochene Heilszeit ausdrücklich an Jesus Christus als gekommenen Erlöser gebunden wird. Aber rabbinische Aussagen, die in der Weise deutbar wären, sind – anders als im Mittelalter – nicht vorhanden. Das unklare Verhältnis zwischen innerweltlich-endgeschichtlicher Erlösung (der „messianischen Zeit") und endgültigem, überweltlichem Heilszustand, in spätamoräischer Zeit immer häufiger „Kommende Welt" genannt, gab im rabbinischen Judentum selbst – bis weit ins Mittelalter hinein – Anlaß zu heftigen Meinungsverschiedenheiten, wobei jede Seite für sich in Anspruch nahm, die rechte Auffassung des Judentums zu verfechten, und es ist zu beachten, daß diese Diskussion untrennbar mit konkurrierenden Ansichten über Gott und mit dem Gegensatz zwischen wörtlicher und allegorischer Schriftauslegung verbunden waren. Die innerjüdische, ja selbst innerrabbinische Situation war also weit vielfältiger, als es die hellenistisch-jüdischen Argumente in der kirchlichen Literatur erkennen lassen. Ähnliches gilt in bezug auf die Funktionen des „Messias". Interessanter sind allgemeinere Tendenzen, z. B. die Einschätzung der Möglichkeit einer eschatologischen „Buße" auch für Nichtjuden, was insbesondere anhand von Ausführungen über die Buße der Niniviten im Buch Jona zum Ausdruck kam[680]. Eine betonte Verneinung echter Buße bei den Nichtjuden könnte sehr wohl eine Spitze gegen das Selbstverständnis des Christentums als einer eschatologischen Bußbewegung enthalten, doch der Grad der Beweisbarkeit ist gering. Auch die Hohelied-Interpretation, die bereits im Zusammenhang mit dem Thema der Erwählung erwähnt wurde, ist in dieser Hinsicht aufschlußreich: Hier wird ohne direkte, konkrete Bezugnahme auf einzelne christliche Theologumena ausreichend deutlich, wo die grundsätzlichen Differenzen lagen[681].

Keinesfalls darf man von literarisch bedingten Fehlanzeigen ausgehen. So ist es absurd, aus dem fast völligen Fehlen „apokalyptischer“ Inhalte in der Mischna schließen zu wollen[682], man habe damit auf die christliche Bevorzugung apokalyptischer Weltanschauung reagiert. Schwieriger ist die Entscheidung in konkreten Fällen der messianischen Bibelexegese: Wie wurden im rabbinischen Judentum jene Texte behandelt, die von Christen vorrangig auf Christus gedeutet wurden? Etwa Ps 110[683] oder Ps 2, Gen 49, 10[684] oder die Gottesknechtgestalt in Deutero-Jesaja[685]. Dies führt jedoch in auslegungsgeschichtliche Einzelfragen, die in diesem Rahmen nicht mehr verfolgt werden können, weil sie bei Berücksichtigung aller möglichen Gesichtspunkte – unter denen das christlich-jüdische Verhältnis nur einer unter vielen ist – recht komplizierte Sachverhalte darstellen. Es ist darum kein Wunder, daß man in der Forschung auch zu ausgesprochen widersprüchlichen Ergebnissen gelangen konnte. Konstatierten manche Autoren, daß die Messiasfrage im talmudischen Judentum eigentlich keine besonders hervorragende Rolle spielt, so fragt sich, welches dabei der Maßstab ist: Die Gewichtung der Frage im damaligen Christentum ist – selbst von den Begriffsinhalten im einzelnen einmal abgesehen – ja von der Gesamtstruktur der christlichen Theologie her bedingt und daher der Vorstellungswelt des Judentums nicht unbedingt gemäß. Konstatierten andere, daß in rabbinischen Texten die zukünftige Ankunft des Messias bzw. der messianischen Zeit herausgestellt wird, so bedeutet dies noch keineswegs eine Reaktion auf christliche Behauptungen – denn wie anders sollte das Judentum von seiner heilsgeschichtstheologischen Struktur her denn formulieren?

7.2. Einzeltexte

Wie fragwürdig es ist, Einzeltexte einseitig auf das christlich-jüdische Verhältnis auszulegen, kann an einigen Beispielen deutlich gemacht werden.

In bKet 111a geht es dem Kontext nach um religionsgesetzliche Bestimmungen im Zusammenhang mit dem „Land Israel“ (dem

„Heiligen Land"), und zwar im Anschluß an mKet XIII, 11. Dabei werden auch besondere Vorzüge des Heiligen Landes gerühmt. Wenn hier unter anderem dem R. Abbahu die Aussage zugeschrieben wird, daß im Lande Israel selbst eine kanaanäische Magd einen Platz in der „Kommenden Welt" erlange, zugleich damit Gen 22, 5 als „Volk wie ein Esel" statt „mit dem Esel" gedeutet wird, ist kaum einzusehen, warum dies eine antichristliche Spitze enthalten soll[686], etwa in dem Sinn, daß die christlicherseits behauptete Erlösungsbedürftigkeit gar nicht vorhanden sei, weil im Land Israel sogar eine kanaanäische Magd schon Anteil am künftigen Heil erlange. Was hier vorliegt, ist eine Verbindung zwischen einer märchenhaften Land-Verherrlichung mit einer Polemik gegen die nichtjüdische Landesbevölkerung à la Gen.R. 56, 2, wobei im Anschluß an Gen 22, 4–5 allerdings die Frage, ob die Knechte Abrahams den Berg Morija nicht gesehen haben, die Möglichkeit einer Offenbarung an die Völker (siehe oben 5.2.) bestritten wird. Ob R. Abbahu diese vorrangig antisamaritanische Tradition verallgemeinert oder gar auf Christen zugespitzt hat, läßt sich aus dem Text in bKet 111a jedenfalls nicht belegen, und auch der Vergleich mit den Parallelüberlieferungen ergibt diesbezüglich nichts.

Ein Min fragt bSanh 99a R. Abbahu, wann der Messias kommen werde, dieser antwortet polemisch mit Jes 60, 2. Die Stoßrichtung sind die „Völker", und nichts berechtigt dazu, im Min einen Christen zu sehen[687].

Genauso unsicher ist, ob bSanh 98b/99a die Bemerkung, Israel habe seinen Messias bereits im König Hiskia gehabt, etwas mit dem Christentum zu tun habe[688], oder

bSanh 98b die Deutung des R. Simlaj zu Am 5, 8 die christliche Auffassung vom „Tag des Herrn" lächerlich machen sollte[689].

7.3. Gotteskindschaft

Eng mit dem Erwählungsbewußtsein und der Gottesvorstellung hängt die Auffassung vom Frommen bzw. von Israel (kollektiv) als „Sohn Gottes" zusammen. Da nun die Christen ihre Gotteskindschaft in Christus begründeten, wäre eine jüdische Reaktion nicht verwunderlich. Was indes dafür an Stellen in Betracht gezogen wurde[690], läßt sich auch ohne Bezug auf das Christentum gut verstehen, während die mittelalterliche Diskussion auch diesbezüglich eine deutliche Sprache aufweist[691]. Die jüdischen Hauptbelege für Israels Gottessohnschaft, Ex 4, 22f. und Hos 11, 1 waren, wie die mittelalterliche Diskussion beweist, zudem eher geeignet, gegen die besondere Gottessohnschaft Christi angeführt zu werden.

7.4. Die Wunder der Endzeit

Obschon die Rabbinen selber durchaus ebenfalls wundergläubig waren, wehrten sie doch manche Argumentation mit Wundern ab – z. B. wenn damit eine neue Offenbarung „bewiesen“ werden sollte, welche die Autorität der Tora (bzw. der Rabbinen!) in Frage stellen konnte. Es ist möglich, daß derartige Aussagen auch gegen christliche Ansprüche gerichtet waren, doch im Fall einer eher volkstümlich-unterhaltsamen Wunderwettbewerbserzählung wie jSanh VII, 19, f. 25d (wo sie den Tatbestand der Zauberei mitillustrieren soll), läßt sich schwerlich eine Bezugnahme auf endzeitlich motivierte christliche Wunder- und Heilungspraxis finden[692]. Ähnliches gilt für andere Stellen[693].

7.5. Auferstehung

Schon das Gewicht, das dem Bekenntnis zur Auferstehung des Leibes als Teil der in der Tora begründeten Zukunftshoffnung in der rabbinischen Literatur zugemessen wird, bezeugt eine erhebliche Gegnerschaft innerhalb des Judentums selbst, und zwar nicht nur im Sinne des Gegensatzes zwischen Pharisäern und Sadduzäern in der Zeit vor 70 n. Chr. Sieht man von christlichen und gnostischen Kreisen einmal ab, so sind außer Samaritanern, speziell Dosithäern[694], insbesondere die Minim von Interesse, denn ihnen wird recht häufig die Bestreitung der Auferstehung bzw. der Begründung des Auferstehungsglaubens in der Tora zum Vorwurf gemacht[695]. Gerade dies spricht nun nach Ansicht mancher gegen eine Identifizierung der Minim mit Christen[696], und R. T. Herford, der ansonsten die Minim fast immer als Christen ansah, war sich dieser Schwierigkeit wohl bewußt[697], hob daher hervor, daß die Minim nur den Schriftbeweis aus der Tora bestritten hätten – dabei freilich jene Belege beiseite lassend, die den Minim die Leugnung des *ʿôlam hab-baʾ* (der zukünftigen Welt) überhaupt zuschreiben. Andere[698] versuchten einen Ansatzpunkt in der paulinischen Auferstehungslehre zu finden, diese von der rabbinischen abhebend, doch weder diese Interpretation noch die Annahme einer Reaktion auf paulinische Ansichten solcher Art sind näher zu begründen. In erster Linie ist darum an innerjüdische Meinungsunterschiede zu denken[699]. So ist z. B. nicht uninteressant, daß dem jüdischen Gewährsmann des Kelsos in der Frage der Auferstehung zwei im Grunde unterschiedliche Aussagen zugeschrieben werden[700], was nicht auf einen Fehler zurückgehen muß.

8. SCHLUSSBEMERKUNGEN

8.1. Ergebnisse und offene Fragen

Nur sehr wenige von den zahlreichen Stellen in der rabbinischen Literatur, die man als Anspielungen oder als Reaktionen auf das Christentum verstehen wollte, halten einer kritischen und kontextgerechten Überprüfung stand. Direkte Bezugnahmen auf das Neue Testament lassen sich überhaupt nicht aufweisen, und bei den vielen Texten (bzw. Teil-Texten), in denen man eine mehr oder minder deutliche Bezugnahme auf Christliches empfand, handelt es sich um alles andere als eindeutige Aussagen. Bemerkenswert ist vor allem, wie stark für jüdisch-rabbinisches Bewußtsein die Kontinuität zwischen heidnischem und christlichem römischen Reich im Vordergrund stand, nämlich so sehr, daß spezifisch christliche Anliegen als solche gar nicht zur Geltung kommen konnten. Das mochte zwar auch an der Art des Christentums gelegen haben, dem man gemeinhin begegnete, doch grundlegend war das nach wie vor maßgebliche Denkschema der Zweiteilung der Menschheit in Israel und die „Weltvölker", das Rechnen mit den vier Weltreichen à la Daniel, wobei die Konfrontation mit „Rom" („Esau"/„Edom") als viertem und letztem Weltreich das aktuelle heilsgeschichtstheologische Bewußtsein so sehr beherrschte, daß der Religion dieser Weltmacht lange keine besondere Beachtung geschenkt wurde.

Für die Rabbinen war der Kampf gegen interne oppositionelle Strömungen, vor allem gegen die *mînîm* und den *ᶜam ha-ᵓaräṣ*[701], weit aktueller. Inwieweit dabei Judenchristen mitgemeint sein konnten, ist schwer zu bemessen, weil das ja auch von der Art des jeweiligen Judenchristentums abhängt. Für eine genauere Einschätzung wäre eine umfassende kritische Untersuchung aller Zeugnisse über nicht- und antirabbinische (dissidente) Bestrebungen und Ansichten im antiken Judentum erforderlich.

8.2. Zur Auslegungsgeschichte der Bibel

In allen diesen Konfrontationen spielte die Auseinandersetzung um die Bibel eine hervorragende Rolle, und darum verspricht eine gründliche, umsichtige Prüfung der exegetischen Überlieferungen vielleicht am ehesten Hinweise und weiteren Aufschluß. Freilich ist dieses Gebiet so umfangreich, daß es hier nicht mehr weiter behandelt werden kann, nur einige Bemerkungen seien hinzugefügt. Für die Bibelexegese gilt in bezug auf Einzeltexte ebenfalls, daß man ungeachtet vieler Ähnlichkeiten mit rabbinischen Überlieferungen [702] nicht gleich an eine Abhängigkeit von letzteren denken darf, auch wenn man das grundsätzlich stärkere christliche Interesse am Judentum, die heidnische AT-Benutzung, die samaritanische Tradition und die gnostische AT-Verwertung, voll in Rechnung stellt. Aber auch umgekehrt sind nicht vorschnell christliche Einflüsse bzw. Reaktionen auf solche zu vermuten. Die gemeinsame biblische Basis war bereits zur Zeit der Trennung des frühen Christentums vom Judentum mit mehr oder weniger bewußten Auslegungstraditionen und Interpretationsmethoden so befrachtet, daß parallele Erscheinungen – insbesondere aufgrund ähnlicher Umstände – eine selbstverständliche Folge waren [703]. Sodann ist die jeweilige interne Situation mitzubedenken. Was in der christlichen Exegese auf den ersten Blick als bewußt von jüdischer Exegese abgesetzte Schrifterklärung erscheint, hat häufig genug eine vorwiegend innerkirchliche Zielsetzung [704], und es wäre naiv, ähnliches nicht auch für die rabbinischen Schrifterklärungen in einem entsprechenden Maß anzunehmen. Es genügt nicht, die allegorische Auslegung als christlich und die jüdische Auslegung als „wörtlich" einander gegenüberzustellen [705]. Obschon die Differenzen zu einem gewissen Teil mit diesen Interpretationsweisen ausgetragen werden konnten, war doch keine davon für die jeweilige Seite ausschließlich kennzeichnend. Die Hohelied-Exegese z. B. beruhte auf christlicher wie jüdischer Seite völlig auf Allegorese – und gerade dabei kommt im Gesamttenor die Konkurrenzsituation kennzeichnend zum Ausdruck, wenngleich noch immer mehr im Sinn des Gegensatzes Volk : Völker als Synagoge : Kirche [706].

Für die jüdische Seite ist eben allemal zunächst der Assoziationskontext zu beachten, in dem ein biblischer Einzeltext für antikes jüdisches Bewußtsein stand. Zu seiner Feststellung verhelfen vor allem folgende Gesichtspunkte: Die Zuordnung von Toralesungs-Perikopen und Prophetenlesungs-Perikopen[707] und die Verwendung anderer biblischer Texte bzw. Aussagen in Verbindung mit dem zu untersuchenden Einzeltext in der rabbinischen Literatur. Prüft man, mit welchen anderen biblischen Aussagen ein solcher Text – bewußt oder unbewußt – in Verbindung gebracht wurde, so ergeben sich je nach Thematik häufig ganz bestimmte Präferenzen, die testimonienartige Textgruppen bilden können. Dies gilt nicht zuletzt für die umfangreicheren Midrasch-Kompositionen, in denen oft ganze homiletische Assoziationskomplexe bezeugt sind.

Es versteht sich von selbst, daß die christliche Seite an jüdischen Auslegungstraditionen mehr interessiert war als die jüdische an christlichen, fremde Erklärungen galten den Rabbinen wohl schwerlich als legitime Erkenntnisquelle zum Verständnis der Heiligen Schrift, während umgekehrt christlicherseits jedenfalls in Einzelfällen wie bei Origenes[708] und Hieronymus[709] auch eine Nachfrage nach Sach- und Worterklärungen aus der kontinuierlichen jüdischen Überlieferung bestand.

Zu manchen biblischen Büchern, aber auch zu biblischen Einzeltexten, liegen mittlerweile bereits ausführliche auslegungsgeschichtliche Untersuchungen vor, die auch für die Bestimmung des jüdisch-christlichen Verhältnisses von Bedeutung sind. Freilich geht die Auswahl der Einzeltexte dabei oft mehr von der christlichen als von der (damaligen) jüdischen Interessenlage aus, so daß eine gewisse Einseitigkeit droht. Man müßte also für die Frage des jüdisch-christlichen Verhältnisses zunächst einmal von jenen biblischen Texten ausgehen, die in der jüdischen Auslegungstradition besondere Berücksichtigung gefunden haben, diese dem entsprechenden Befund auf christlicher Seite gegenüberstellen, in ihren jeweiligen assoziativen und literarischen Kontexten untersuchen, und danach die möglichen Vergleiche und Folgerungen ziehen.

ANMERKUNGEN

[1] JvN S. 130ff.; vor allem 148, 168ff., 172ff.

[2] S. 55, 92.

[3] S. 61, 206, 209.

[4] Siehe zuletzt N. De Lange, Origen and the Jews, Cambridge 1976.

[5] Vgl. G. Bardy, Rev. Ben. 46, 1934, 145–164.

[6] Hingegen wohl von N. De Lange, a. a. O. (Anm. 4) 30.

[7] J. P. Lewis, What Do We Mean by Jabneh? JBR 32, 1964, 125–132; P. Schäfer, Die sogenannte Synode von Jabne, Judaica 31, 1975, 54–64. 116–124; G. Stemberger, Die sogenannte „Synode von Jabne" und das frühe Christentum, Kairo 19, 1977, 14–21.

[8] J. Neusner, The Formation of Rabbinic Judaism: Yavneh (Jamnia) from A.D. 70 to 100, in: ANRW II, Bd. 19/2, Berlin 1979, 3–42.

[9] Siehe oben Anm. 7 und ferner M. H. Segal, The Promulgation of the Authoritative Text of the Hebrew Bible, JBL 72, 1953, 35–47; R. C. Newman, The Council of Jamnia and the Old Testament Canon, Westminster Theol. Journal 38, 1975/6, 319–349; S. Z. Leiman, The Canonization of Hebrew Scripture: The Talmudic and Midrashic Evidence, Hamden/Conn., 1976.

[10] Vgl. den Prolog des Jesus Sirach; Josephus, Contra Apionem I, 42 (der 22 Bücher angibt) und IV. Esra 14 (24 Bücher). Zur Zählung der Bücher s. G. W. Anderson, in: The Cambridge History of the Bible Bd. I, 1970, 135ff. Nichts berechtigt indes zur Annahme, daß Josephus und IV. Esra 14 einen Beschluß in Jabne voraussetzen.

[11] Als Musterbeispiel für diese Ansicht siehe G. F. Moore, The Definition . . . (1911).

[12] Zur möglichen Verwendung von Testimoniensammlungen siehe v. a.: J. R. Harris, Testimonies, 2 Bde. Cambridge 1916/1920; H. Windisch, Die apostolischen Väter III. Der Barnabasbrief, Tübingen 1920, 315; N. J. Hommes, Het Testimoniaboek. Studien over O.T. citaten in het N.T. en bij de Patres, Diss. Amsterdam 1935; H.-J. Schonfield, According to the Hebrews, London 1937, 154ff.; O. Guérand – P. Jouquet, Un livre d'écolier du IIIème siècle avant J.-C., Le Caire 1938 (klassische Literatur); B. Blumenkranz, Die jüdischen Beweisgründe . . . ThZ 4, 1948, 134f.; M. Simon,

Verus Israel, Paris 1948, 186ff.; C. H. Dodd, According to the Scriptures, London 1952, v. a. 53ff.; K. Stendahl, The School of St. Matthew, Kopenhagen 1954, 207ff.; R. B. Kraft, Barnabas' Isaiah Text and the "Testimony Book" Hypothesis, JBL 79, 1960, 336–350; B. Blumenkranz, Juifs et chrétiens ... Paris 1960, 82f.; B. Lindars, New Testament Apologetic. The Doctrinal Significance of the Old Testament Citations, London 1961, 1–31; A. Benoit, Irénée adversus haereses IV 17, 1–5 et les Testimonia, Stud.Patr. 4, 1961, 20–27; B. Lindars, Second Thoughts – IV. Books of Testimonies, Expository Times 75, 1964, 173–175; J. Daniélou, Études d'exégèse judéo-chrétienne. Les Testimonia, Paris 1966; N. Brox, Offenbarung, Gnosis und gnostischer Mythus bei Irenäus von Lyon, Salzburg 1966, 83; H. Chadwick, Florilegium, Reallexikon für Antike und Christentum VII, Stuttgart 1969, 1131.1160 (1146ff.); R. N. Longenecker, Biblical Exegesis in the Apostolic Period, New York 1975; A. Guillaumont, Une citation de l'Apocryphon d'Ezéchiel dans l'Exégèse au sujet de l'âme (Nag Hammadi II/6), in: M. Krause, Essays on the Nag Hammadi Texts in Honor of P. Labib, Leiden 1975, 35–39 (39); C. H. Robert, in: The Cambridge History of the Bible I, 1976, 53ff.; M. Scopello, Les citations d'Homère dans le traité de l'Exégèse de l'âme, in: M. Krause, Gnosis and Gnosticism, Leiden 1977, 3–12; A. F. Segal, Two Powers ... (1977) 127f.

[13] Siehe H. v. Campenhausen, Die Entstehung der christlichen Bibel, Tübingen 1968 (engl.: The Formation of the Christian Bible, Philadelphia [2]1977) und die Lit. dort; A. C. Sundberg, The Old Testament of the Early Church, Cambridge/Mass. 1964; ders., The "Old Testament" – A Christian Canon, CBQ 30, 1968, 143–155. Für den Manichäismus vgl. L. J. R. Ort, Mani. A Religio-Historical Description of his Personality, Leiden 1967, 106ff.

[14] H.-J. Schoeps, Theologie und Geschichte ... 145ff.

[15] Dies gilt ungeachtet der neueren umfassenden Untersuchungen zur „Kanonisierung" von I. H. Eybers, Historical Evidence on the Canon of the Old Testament with Special Reference to the Qumran Sect, 2 Bde., Diss. Duke University 1966; S. Z. Leiman, a. a. O. (Anm. 9).

[16] Allgemein: M. Douglas, Purity and Danger. An analysis of concepts of pollution and taboo, London 1966. Für AT und Frühjudentum: W. Paschen, Rein und Unrein, München 1970.

[17] A. Büchler, Sin and Atonement, Oxford 1928, 212ff. 270ff.; P. Billerbeck in Str.-B. I, 1922, 711–717; W. Bunte, Kelim, Berlin 1972; vor allem die umfassenden Darstellungen von J. Neusner, A History of the Mishnaic Law of Purities, 22 Bde., Leiden 1974ff.; ders., The Idea of Purity in An-

cient Judaism, Leiden 1973; ferner A. Oppenheimer, The ᶜam ha-aretz, Leiden 1977 (passim).

[18] Y. Yadin, *Mᵉgillat ham-miqdaš.* The Temple Scroll, 3 Bde. Jerusalem 1977; J. Maier, Die Tempelrolle vom Toten Meer, München/Basel 1978.

[19] Vgl. K. G. Kuhn, Giljonim ... (1960) 28f.; G. Lisowsky, Jadajim, Berlin 1956, 50.

[20] Dem Autor des Hebräerbriefs ging es um das „Bundesblut", und er stellte daher Ex 24 und Lev 8 zusammen.

[21] Darüber siehe den instruktiven Aufsatz von M. Haran, *Mib-bᵉᶜajôt haq-qanônîzaṣîjah šäl ham-Miqra*ᵓ, Tarbiz 26, 1955/6, 245–271 (257ff.).

[22] S. Zeitlin, An Historical Study of the Canonization of the Hebrew Scriptures, in: Studies in the Early History of Judaism II, New York 1974, 1–42 (aus PAAJR 3, 1933, 1–38).

[23] M. H. Segal, a. a. O. (Anm. 9) 42f. bemerkte zu mKelim IV, 6 wohl mit Recht, daß für das Tempelexemplar ein höherer Heiligkeitsgrad vorausgesetzt wurde. Im übrigen ist auch Aristeas § 305f. zu beachten: Die Übersetzer der Torah wuschen sich täglich vor ihrem Tagewerk und Morgengebet die Hände im Meer. Die gebotene Begründung ist nichtssagend, doch könnte die Vorstellung von der besonderen Heiligkeit der Buchrollen dahinterstehen.

[24] Wie z. B. G. Aicher, Das Alte Testament in der Mischnah, Freiburg 1906, 23ff.; besonders aber K. G. Kuhn, Giljonim ... 28ff. Die Gleichsetzung von „Händeverunreinigen" und kanonisch vertritt auch P. Schäfer, Studien ... 58ff.

[25] So auch M. Haran, a. a. O. (Anm. 21) 257ff.

[26] Dazu J. Neusner, a. a. O. (Anm. 17) Bd. XIX, Leiden 1977, 160f.

[27] S. Liebermann, *Tôseftaᵓ kifšûṭah* III. *Sedär Môᶜed*, New York 1962, 208.

[28] Vor allem: jMeg I, 11f. 71d; Sifre Dt § 160 und der Traktat Soferim. Die Schreibvorschriften werden betont als Halaka vom Sinai ausgegeben.

[29] Die Textüberlieferung ist allerdings uneinheitlich, manche Textzeugen fügen ein „nicht" ein. Die dann gegenteilige Bedeutung zieht z. B. G. Lisowsky etc., Die Tosefta ... VI/3, Stuttgart 1967, 256f., vor. J. Neusner, a. a. O. (Anm. 17) Bd. XIX, Leiden 1977, 143f., setzt es in Klammern, desgleichen ders. in: The Tosefta, Toharot, New York 1977, 333, differenziert übrigens in der Übersetzung nicht zwischen *sefär* und *mᵉgillah* (für beides: scroll). Es ist jedoch logisch, daß die Minimaltextmenge das Händeverunreinigen verursacht.

[30] Zur neueren Diskussion über die Stelle siehe v. a. S. Zeitlin, a. a. O.

(Anm. 22) 130.157f.; S. Z. Leiman, a. a. O. (Anm. 9), 102ff.; P. Schäfer, Studien ... 58ff.

[31] Vgl. auch *ᵓÔṣar hag-Geᵓônîm*, ed. B. M. Lewin, Bd. V, Jerusalem 1932/3, 14 der Text von Haj Gaon mit dem Hinweis darauf, daß man ja auch keine Priesterhebe mehr habe.

[32] So Z. Markon, *Hat-Talmûd* ... 31.

[33] Nicht plausibel ist daher auch die Vermutung, die esoterische Hoheliedexegese sei Anlaß für die Diskussion gewesen. Anders E. E. Urbach, Scripta Hierosolymitana 22, 1971, 249; N. De Lange, a. a. O. (Anm. 4) 60f.

[34] J. Mann – I. Sonne, The Bible as Read and Preached in the Old Synagogue, I, 465.

[35] H. L. Strack, Jesus ... 63 (zu Min – Häretiker: „offenbar ein aus dem Judentum hervorgegangener und doch am Alten Testament festhaltender Judenchrist"); H. Bietenhard, ThZ 4, 1948, 177; M. Simon, Verus Israel, Paris ²1964, 237.

[36] R. T. Herford, Christianity ... 157f.

[37] Giljonim ... 44 und 49f.

[38] Dazu siehe unten 1.2.4.7.

[39] Giljonim ... (1960).

[40] H. L. Strack, Jesus ... 61f.; P. Billerbeck in Str.-B. III, 11; S. Zeitlin, Aramaic Gospels in the Synagogue, JQR 32, 1942, 427–431 (371–373).

[41] G. Lisowsky etc., Die Tosefta ... VI/3, Stuttgart 1967, 259: „Rollblätter" und mit sachgerechter Widerlegung der Deutung als „Evangelien"; R. T. Herford, Christianity ... 160 ("the rolls and books of the Minim").

[42] H. L. Strack, Jesus ... 1910, 61; St. Hahn, Sifre Minim ... dachte an Tora-Kommentare mit zitierten biblischen Textabschnitten.

[43] L. Blau, Studien zum althebräischen Buchwesen, Strassburg 1902, 118f. (tSabb XIII, 5: eher Evangelien als Ränder; tJad II, 13: Evangelien; Sifre Num § 16: Evangelien – *sifrê mînîm!*); G. F. Moore, The Definition ... 119; ders., Judaism I, repr. New York 1971, 86f. 243f. (Moore datierte dies alles unter dem Aspekt der Kanonisierung in die Jabne-Periode und gelangte so zur kuriosen Annahme einer jüdischen Kanonsentscheidung über die Evangelien bereits zu einer Zeit, da diese im Christentum weder nachweisbar als „Evangelien" bezeichnet wurden noch als kanonisch galten). P. Billerbeck in Str.-B. IV, 434 (in III, 11 aber: Bücherränder!); S. Liebermann, *Tosäfät riᵓšônîm* III, Jerusalem 1939, 156f.; J. Bloch, "Outside Books", M. M. Kaplan Jubilee Volume, New York 1953, engl. 87–108 (90f.); A. Even-Shoshan, *Ham-millôn hä-ḥadaš* I, Jerusalem 1968, 345; N. De Lange, a. a. O. (Anm. 4) 54 (und 177): "The Gospels (?) and the

books of the Minim are not canonical." Ferner S. Z. Leiman, a. a. O. (Anm. 9) 190; J. Neusner, The Tosefta, Toharot, New York 1977, 333, ebenso a. a. O. (Anm. 17) Bd. XIX, Leiden 1977, 144.

[44] Giljonim . . .

[45] Zum Text siehe S. Liebermann, *Hat-Tôsefta*ᵓ, *Sedär Môᶜed*, New York 1962, 58 f. Parallelen: jSabb XVI, f. 15c; bSabb 116a; Jalquṭ Shim. II, § 488 (zu Jes 57, 8).

[46] In Sifre Num § 16 (siehe 1.2.3.g) R. Jischmael, in jSabb XVI, f. 15c anonym.

[47] In Sifre Num § 16 (siehe 1.2.3.g) Aqiba! Gleichwohl deutet J. Cohen, *Pᵉraqîm* . . . 1978, 116 tSabb XIII, 5 historisierend auf R. Tarfon als erklärtem Christenfeind – und führt dafür als Beleg sogar Sifre Num § 16 an (Anm. 348 als § 17).

[48] Eine formelhafte, schwurartige, aber abgeschliffene Redewendung, vgl. bSabb 17a; bZeb 13b; Sifre Num § 75 und insbesondere (ebenfalls R. Tarfon) jMeg 1, 12 f. 72b; mOh XVI, 1; bBM 85a.

[49] Jes 57, 8 wird auch Lam. R. Peticha 22 als Beleg für Götzendienst in Israel angeführt (Ursache für Tempelzerstörung).

[50] Siehe 1.2.3.g.

[51] Paraphrase des Sachverhalts Num 5, 23 in Form eines fingierten Zitats.

[52] Die Phrase „zwischen Israel und ihrem Vater im Himmel" ist jüngerer Traditionsbestandteil; vgl. 1.2.3.g. Zum Passus bb–bc verwies M. Friedländer, Der vorchristliche . . . 98 auf II Tim 2, 23.

[53] Ps 139, 21 f. spielt in der Polemik gegen Minim eine große Rolle. Vgl. ARN[a] 16 (gegen *mînîm*, *mᵉšûmmadîm*, Abtrünnige, und *mᵉsûrôt*, Denunzianten); Jalquṭ Shim. I § 946/Sifre Dt § 331 (zu Dt 32, 41, ein Vers mit besonderer antisamaritanischer Auslegungstradition); Jalquṭ Shim. II § 888 (zu Ps 139 selbst) nennt aber *ᵓappîqorsîm; Sᵉmaḥôt* II, 8: *kol pôreš mid-darkê ṣîbbûr* (Dissidenten in bezug auf rabbinische Normen und Praxis). Vgl. auch schon 1QS I, 10; Mt 5, 43.

[54] H. Graetz, Geschichte . . . III/2, Leipzig [5]1906, 759 (Vorläufer der Evangelien); L. Blau, a. a. O. (Anm. 43) 115 ff.; G. Hoenicke, Das Judenchristentum . . . 395 ff.; M. Jastrow, A Dictionary . . . 248 f.; S. W. Baron, A Social and Religious History . . . II, [2]1952, 133 (und 380); S. Z. Lauterbach, Jesus . . . 570; Y. Kenaᶜani, *ᵓÔṣar hal-lašôn ha-ᶜibrît* II, Jerusalem 1961, 467; S. Liebermann, *Tôseftaᵓ kifšûṭah* III. *Sedär Môᶜed*, New York 1962, 206 f.; D. Sperber, EJ XIV, Jerusalem 1971, 1521 ("gospel texts"); F. Dexinger, Kairos 21, 1979, 277 f.

[55] St. Hahn, Sifre Minim . . . 427 f.; H. Bietenhard, ThZ 4, 1948, 176 f.;

ders., Caesarea . . . 1974, 50; J. Bloch, Outside Books (Anm. 43) 103f.; Y. Baer, Zion 31, 1965/6, 128; M. Simon, Verus Israel, Paris ²1964, 237 (4. Jh.!); E. E. Urbach, *ḤZ"L*, Jerusalem 1969, 21; ders.; IEJ 9, 1959, 245.

[56] W. Bacher, Die Agada der Tannaiten XIII, MGWJ 32, 1883, 506; P. Billerbeck in: Str.-B. II, 158 (Häretiker unter Einschluß von Judenchristen) und IV, 332 (aber anders III, 11); H.-J. Schoeps, Theologie und Geschichte . . . 317f.; J. H. Greenstone, Historia Judaica 12, 1950, 93.

[57] Darüber s. JvN 249f.

[58] Vgl. O. Zöckler, Der Dialog im Dienste der Apologetik, in: Beweis des Glaubens 29 (NF 14) 1893, 211; E. Schürer, Geschichte . . . II, ⁴1907, 444f.; vorsichtiger hingegen die Formulierung in der neuen englischen Übersetzung: The History of the Jewish People in the Age of Jesus Christ, II, Edinburgh 1979, 379; H.-J. Schoeps, Theologie und Geschichte . . . 317f.; R. T. Herford, Christianity . . . 155ff.; B. Pick, Jesus . . . 4f. 58–60; Z. Markon, *Hat-Talmûd* . . . 23 (R. Tarfon war erbost darüber, daß Justin ihn mit seinen Disputen so belästigte!); Y. Cohen, *Pᵉraqîm* . . . 116; J. Neusner, A Life of Rabbi Tarfon, in: History and Torah. Essays on Jewish Learning, London 1965, 96f.; ders., A History of the Jews in Babylonia II, Leiden 1966, 73f.; J. Geberoff, Rabbi Tarfon, Missoula 1979.

[59] Darüber s. unten 1.2.4.12 zu bSabb 116a. Doch ist hervorzuheben, daß gerade der sonst gern gegen das Christentum polemisierende Raschi zu bSabb 116a folgende Deutungen angibt: *gljwnjm* = *qlpjm ḥlqjm* (leere Rollenblätter), *mjnjm* = „Götzendiener; und sie schrieben sich Tora, Propheten und Hagiographen in assyrischer Schrift und in heiliger Sprache" – also zum Verwechseln ähnlich den rabbinischen Musterexemplaren.

[60] *ʾÔṣar hag-Gᵉʾônîm* II, ed. B. M. Lewin, 102.

[61] M. Friedländer, Der vorchristliche . . . 80ff.; ders., REJ 38, 1899, 200f.; ders., Der Antichrist . . . 62ff.; ders., Die religiösen Bewegungen . . . 172.201f.

[62] G. Aicher, a. a. O. (Anm. 24) 31f.; vgl. Raschi zu bEr 97b unten (zur Mischna: *qôreʾ bᵉsefär*): „Alle Bücher, die in den alten Zeiten gemacht wurden, waren *bgljwn* – als Buchrolle wie unser *Sefär Tôrah* gemacht."

[63] H. P. Chajes, Markusstudien, Berlin 1899, 10; ders., La lingua ebraica nel christianesimo primitivo, Florenz 1905, 9; G. Hölscher, Kanonisch und apokryph, Leipzig 1905, 42f.; J. Klausner, Jesus . . . 93 (oder Evangelien); J. Hahn, Sifre Minim . . . 427f.

[64] A. Schlatter, Die Kirche Jerusalems vom Jahre 70–135, Gütersloh 1898, 16; vgl. A. Kohut, Aruch Completum, repr. New York II, 295.

[65] Siehe zur Textüberlieferung die in JvN 276, Anm. 8 genannten Titel.

Dort auch für den Raschi-Kommentar die bemerkenswerte Erläuterung: „*MJRWS* war ein Min“!

[66] S. Liebermann, Hellenism . . . 110; G. Stemberger, Das klassische Judentum, München 1979, 193 f.

[67] A. M. Honeyman, A Tannaitic Term for the Christians, JQR 38, 1947/8, 151–155, deutete hier, mJad IV, 6 und jSanh X, 1 f. 28a *mjrws* von griechisch *méros*/Sekte, *mîn* von griechisch *génos*, und dachte an Judenchristen. Vgl. zur Sache auch: J. Le Moyne, Les Sadducéens, Paris 1972, 299 ff.

[68] Die Textüberlieferung schwankt bezüglich der Schreibweise heillos.

[69] Wer? Manche meinen: die Sadduzäer. Aber *harê häm* . . . leitet ein Zitat ein, d. h. R. Jochanan b. Zakkaj zitiert eine Ansicht der *P^erûšîm*! Von der Entscheidung darüber bzw. das Subjekt von c hängt der Sinn des gesamten Diskussionszusammenhangs ab.

[70] Vgl. J. Neusner, A History of the Mishnaic Law of Purities XIX, Leiden 1977, 108.

[71] D. Daube, Three Notes Having to Do with Johanan ben Zakkaj, JThSt 11, 1960, 53–62 (53 ff.): pluralis sociativus ironicus.

[72] J. Neusner, Development of a Legend, Leiden 1970.

[73] Siehe zuletzt J. Neusner, a. a. O. (Anm. 8) 30 ff. 36 f.

[74] Y. Yadin, a. a. O. (Anm. 18) I, 261 f.; II, 160; deutsche Übersetzung: J. Maier, a. a. O. (Anm. 18) 53.

[75] Y. Yadin a. a. O. (Anm. 18 und vorige Anm.) verwies auf den Kommentar des Abraham ibn Esra zu Lev 11, 26, wonach es auch noch später strenge Auffassungen gab: „Jeder, der sie berührt – das sind die Kadaver . . . Aber es gibt eine Abart (*mîn*) von der Abart (*mîn*) der *Ṣaddûqîm*, welche sagen, daß Jeder, der sie berührt, sich auf die lebendigen (unreinen) Tiere bezieht“.

[76] J. Dérenbourg, Essai . . . 133; L. Löw, Graphische Requisiten und Erzeugnisse bei den Juden, Leipzig 1871, 134 f.; I. Epstein, Der gaonäische Kommentar zur Ordnung Tohorot, Berlin 1915, 136; L. Ginzberg, JBL 41, 1922, 126 ff.; S. Liebermann, Hellenism . . . 105 ff.; Ch. Albeck, *Šiššah sidrê ham-Mišnah. Sedär Tôhorôt,* Jerusalem/Tel Aviv 1958, 485; J. Neusner, a. a. O. (Anm. 70) 106. 153; G. Stemberger, a. a. O. (Anm. 66). Die Deutung auf Homer ist allerdings sehr früh aufgekommen.

[77] So z. B. schon L. Löw, a. a. O. (Anm. 76) 134 f.

[78] G. F. Moore, The Definition . . . 119 (verbesserte allerdings *hmjrs* zu *mînîm*); A. M. Honeyman, a. a. O. (Anm. 67) und Y. Baer, Zion 31, 1965/6, 127 ff. dachten an judenchristliche Texte.

[79] Zum antiken jüdischen Buchwesen s. die Arbeiten von L. Löw, a. a. O. (Anm. 76); L. Blau, a. a. O. (Anm. 43); R. Posner – I. Ta-Shema, The Making of the Hebrew Book, Jerusalem 1974/5. Für die biblische Zeit s. auch G. R. Driver, Semitic Writing, London ²1954; D. J. Wiseman, Books in the Ancient Near East and in the OT, in: The Cambridge History of the Bible I, 1970, 30–48; E. Würthwein, Der Text des Alten Testaments, Stuttgart 1952. Immer noch instruktiv auch S. Krauss, Talmudische Archäologie III, Leipzig 1912, 132–198. Zum Überblick s. EJ IV, Jerusalem 1971, 1220–1229; L. Koep, Buch I (technisch), Reallexikon für Antike und Christentum II, Stuttgart 1954, 664–688.

[80] Vgl. oben die Texte Sifre Num § 16 (1.2.3.g) zu Num 5, 23 und Sifre Dt § 160 (1.2.1.d) zu Dt 17, 18 u. a. m.

[81] Sof I, 1; jMeg I, 11 f. 71c–d; bSabb 108a u. ö.

[82] Abgesehen vom (spät redigierten) Traktat Soferim siehe v. a. bBB 13–14; bMen 29a und ff; jMeg I, 11 f. 71c–d; bSoṭa 35a und f.

[83] Für das Buch in der Antike allgemein s. Th. Birt, Das antike Buchwesen, Neudruck Aalen 1972 (1882); F. G. Kenyon, Books and Readers in Ancient Greece and Rome, Oxford 1932; H. L. Pinner, The World of Books in Classical Antiquity, Leiden 1948; J. Kirchner, Lexikon des Buchwesens, I–IV, Stuttgart 1952–56.

[84] Zur anzunehmenden Rollenform nichtbiblischer Schriften s. A. Spanier, Die Rollenform der Bücher im Mischnazeitalter, Soncino-Blätter 3, 1929/30, 67–72.

[85] J. Černy, Paper and Books in Ancient Egypt, London 1952.

[86] Außer dem berühmten Papyrus Nash ist jetzt v. a. auf die Funde aus der Wüste Juda zu verweisen, vgl. P. Benoit etc., Les Grottes de Murabba'at (Discoveries in the Judaean Desert II) Oxford 1961.

[87] C. H. Robert, Books in the Greco-Roman World and in the New Testament, in: The Cambridge History of the Bible I, 1970, 48–66; ferner S. Liebermann, Hellenism . . . 203–208 (er verweist u. a. auf christliche Tendenzen, die LXX-Exemplare in Analogie zu den hebräischen Heiligen Schriften anzufertigen).

[88] Die phantasievollen Ausführungen von C. C. Torrey, Documents of the Primitive Church, London/New York 1941, zeigen eher, wie unbegründet Spekulationen über judenchristliche „heilige" Schriften christlichen Inhalts sind. Vgl. gegen Torrey speziell S. Zeitlin, Aramaic Gospels in the Sÿnagogue, JQR 32, 1941/2, 427–431 (= Studies in the Early History of Judaism III, New York 1975, 369–373. Zur begründeten Annahme, daß die frühesten christlichen Schriften nicht als Rollen, sondern in pinaxartiger,

kodexartiger Form angefertigt wurden, wie profane Notizbücher, s. S. Liebermann, Hellenism 205.

[89] Zur Orientierung über den Forschungsstand betr. judenchristlicher Evangelien s. R. McL. Wilson in: Theologische Realenzyklopädie III, Berlin 1978, 327ff. Jedenfalls ist die Existenz hebräischer Evangelien höchst unwahrscheinlich und das Alter judenchristlicher Evangelien mit äußerster Vorsicht anzusetzen.

[90] Vgl. jMeg III, 1f. 73d/74a; bBB 13b–14a; Sof III, 1.5. Aber auch bGiṭṭ 60a die kontroversen Ansichten, die Tora sei rollenweise (also in fünf Rollen) gegeben worden bzw. als eine Rolle gegeben worden. Dazu kommt eine Kompromiß-Meinung, wonach die Tora zwar rollenweise gegeben, aber dann zu einer Rolle zusammengefügt worden sei. Für die Ablehnung von Einzelrollen – wobei an Schulübungstexte gedacht ist – gibt es darum auch keinen anderen begründenden Hinweis als ein kategorisches „wir schreiben keine".

[91] Vgl. Sof III, 3f.; bMen 30a; bGiṭṭ 60a; bBB 13b; jMeg III, 1f. 73d–74a.

[92] Vgl. auch die biblischen Schriftrollen aus Qumran, die Angabe Lk 4, 17; Act 8, 30 etc.

[93] Siehe E. Würthwein, a. a. O. (Anm. 79) S. 30 und Abb. 5 (S. 98 bis 99).

[94] Gegen H. Hirschberg, JBL 67, 1948, 305–318.

[95] Y. Yadin, a. a. O. (Anm. 18) I, 70f. 264f. (zu Kol. 56, 20); J. Maier a. a. O. (Anm. 18) 56.119f. Man hat beim Königs-Exemplar offenbar zumindest in bestimmten Traditionen nur an das Deuteronomium oder gar nur an das Königsgesetz gedacht.

[96] Vgl. K. Elliger, Das Buch der zwölf kleinen Propheten II, Göttingen 1959 (ATD 25) 105. Anders F. Horst, Die zwölf kleinen Propheten. Nahum bis Maleachi, Tübingen 1954 (HAT I/14), 234: Was auf ihr geschrieben steht, hat des Propheten Auge nicht feststellen können. Durch den Engel erfährt er, daß damit ein Fluch . . ."; W. Rudolph, Haggai-Sacharja 1–8 Sacharja 9–14 – Maleachi, Gütersloh 1976 (KAT XIII/4) 115ff.: „fliegende Buchrolle" (realistische Proportion 2 : 1; aus v. 3 gehe hervor, daß die Rolle mit Fluchworten beschrieben war).

Die rabbinische Auslegung verbindet entweder Sach 5, 1f. mit Ez 2, 9ff. (Fluch-Rolle), vgl. bEr 21a unten, oder sie deutet *mglh* als Symbol für den Fluch, der aus dem Tempel-Hekal-Tor hervorkommt, vgl. Lev.R. 6, 3; manchmal wird die Rolle aber auch mit der Tora identifiziert (Jalquṭ Shim. I, § 941 Ende).

[97] Dazu A. Bentzen, Der Sichel, VT 1, 1951, 216–217 mit der gewagten

These, es handle sich um ein Herrschaftssymbol. Zur Verwendung von LXX Sach 5, 1 vgl. Apc. Joh 14, 14 ff.

[98] J. Ziegler, Jeremias, Baruch, Threni, Epistula Jeremiae, Göttingen 1957 (Septuaginta vol. XV), ²1976, 391 ff.

[99] Sofern nicht kritische Ausgaben der großen Göttinger Septuaginta-Edition vorliegen, stütze ich mich auf die Angaben in J. Reider – N. Turner, An Index to Aquila, Leiden 1966. Die Angaben in älteren Werken sind z. T. irreführend.

[100] K. Hyvärinen, Die Übersetzung des Aquila, Lund 1977.

[101] J. Ziegler, Ezechiel, Göttingen 1977 (Septuaginta vol. XVI/1), 98 f.

[102] Vgl. Jalquṭ Shim. I § 941 Ende; Raschi z. St. u. a. m.

[103] J. Ziegler, Duodecim Prophetae, Göttingen (Septuaginta vol. XIII) ²1967.

[104] Vgl. die Angaben bei H. Field, Origenes Hexaplorum quae supersunt . . . fragmenta, II, Oxford 1875, 1020: Hieronymus „cerno volumen volans, quod Hebraica dicitur megella, et ab Aq. et Theod. versum est diphthéra, a Symmachos kephalís, id est, capitulum".

[105] Siehe z. B. L. Köhler – W. Baumgartner, Hebräisches und Aramäisches Lexikon zum Alten Testament, 3. Aufl. 1. Lieferung Leiden 1967, 185: „Tafel (cf. *lwḥ* Jes 30, 8) aus Metall, Holz od. Leder".

[106] Vgl. O. Kaiser, Der Prophet Jesaja, Kap. 1–12 (ATD 17), Göttingen 1963, 87, nach K. Galling (ZDPV 56, 1933, 213): „Nimm dir ein Allmende-Blatt."

[107] Vgl. a. a. O. (Anm. 105). Aber siehe auch J. Levi, Wörterbuch . . . I, ²1924, 334, der „Turban, Kopfbinde" vorschlägt, und auf *gll* hinweist.

[108] Vgl. z. B. S. D. Luzzatto, Il profeto Isaia, Padua 1855, 64: « vesti trasparenti », die mehr enthüllen als verhüllen; oder O. Kaiser, a. a. O. (Anm. 106) 36: „Schleiergewänder".

[109] J. Ziegler, Isaias, Göttingen ²1967 (Septuaginta vol. XIV), 149.

[110] Nach Reider-Turner a. a. O. (Anm. 99) 134; vgl. H. Field, a. a. O. (Anm. 104) II, 1875, 445.

[111] H. G. Liddell – R. Scott, A Greek-English Lexicon, Oxford ²1968, 1804.

[112] G. W. H. Lampe, A Patristic Greek Lexicon, Oxford 1961, 1396.

[113] S. Krauss, Griechische und lateinische Lehnwörter im Talmud, Midrasch und Targum, II, Nachdr. Hildesheim 1964 (Berlin 1899), II, 263 f.

[114] S. Liebermann, Hellenism . . . 203–208.

[115] J. Hirsch, Das Buch Jesaja, Frankfurt a. M. 1911, 53.

[116] Vgl. *Qôbāṣ perûšîm l^eSefär J^ešaʿjah* I–II, Jerusalem 1971.

[117] Vgl. die Belege bei E. Ben-Jehuda, Thesaurus totius hebraitatis, Nachdr. New York 1960, II, 779.

[118] N. Meisner, Aristeasbrief, in: Jüdische Schriften aus hellenistisch-römischer Zeit II/1, Gütersloh 1973, 67.

[119] M. Hadas, Aristeas to Philocrates, New York ²1973, 220 ff.

[120] S. Liebermann, Hellenism . . . 206.

[121] Vgl. Liddell – Scott a. a. O. (Anm. 111) 1784; G. W. H. Lampe, a. a. O. (Anm. 112) 1392. Symmachus verwendet es Ps 39 (40), 8; Jes 8, 1 und Ez 2, 9.

[122] Vgl. *Massäkät Sefär Tôrah* I, 5.

[123] A. Marmorstein, Religionsgeschichtliche Studien I, Skotschau 1910, 11; M. Simon, Verus Israel, Paris ²1964, 225; J. Bergmann, Jüdische Apologetik . . . 61.

[124] Übersetzung und Erklärung in O. Ben Ifa, Massekheth Soferim, Dison o. J. 57, ist höchst unbefriedigend.

[125] Siehe C. H. Roberts, a. a. O. (Anm. 87) 53.

[126] Zur Stelle s. M. Dibelius, Die Pastoralbriefe (HNT 13), 3. Aufl. bearbeitet von H. Campenhausen, Tübingen 1955, 92 f.

[127] C. H. Robert, a. a. O. (Anm. 87) 53 f. dachte auch an Testimoniensammlungen.

[128] Abu-l-Fathʾ Muhʿammad asch-Schahrastâni's Religionspartheien und Philosophenschulen, übers. von Th. Haarbrücker, I, Halle 1850, 246.

[129] A. a. O. 270 f.

[130] Anders G. Lisowsky etc., Die Tosefta . . . VI/3, Stuttgart 1967, 256 f.: „Das Rollblatt (eigentlich: „Gürtel, Rand", hier das der beschrifteten Rolle vorgesetzte Stück Schreibmaterials), das sich am Anfang des Buches befindet, und [zwar] soviel, wie zum Einrollen notwendig ist, macht in seiner Gänze die Hände unrein."

J. Neusner übersetzt: "The blank space which is at the beginning of the scroll and is of the breadth of the entire (scroll) imparts uncleanness to the hands", so in: A History of the Mishnaic Law of Purities, XIX, Leiden 1977, 141 f., und in: The Tosefta, Tohorot, New York 1977, 333; d. h. er zieht *kwln* („sie alle") als Objekt zu *hqjp*. Doch der Sinn ist doch wohl derselbe wie in bBB 13b/14a.

[131] Z. B. G. Lisowsky, Jadajim, Berlin 1956, 50 f.

[132] H. Danby, The Mishnah, Oxford ²1938 (Nachdruck 1972), 781.

[133] So in Ergänzung zu Danby bei J. Neusner, a. a. O. (Anm. 130), XIX, 141 f.

[134] ᵓᵓbjdk bjwm mbk, ed. D. Goldschmidt, *Sedär haq-qînôt lᵉtišᶜah bᵉ-ᵓab*, Jerusalem 1968, 156.

[135] L. Goldschmidt, Der babylonische Talmud . . . z. St. meinte allerdings im Gegenteil, er habe sich geirrt, denn tSabb XIII, 5 seien „zweifellos" Evangelien gemeint. Dagegen mit guten Gründen K. G. Kuhn, Giljonim . . . 33f.

[136] K. G. Kuhn, Giljonim . . . 52.

[137] Menachem b. Salomo ha-Meᵓiri (1249–1316), *Bêt hab-bᵉḥîrah*, *Mass. Šabbat,* Jerusalem 1965, 449, wobei er an Konvertiten als Verfasser dachte, also antijüdische Schriften seiner Zeit im Auge hatte.

[138] Das besagt indes wenig, da auch die Textzeugen für den Bablitext deutlich differieren. Vgl. z. B. Ms. Vatic. Ebr. 108. Für die Fragestellung hier ergeben die Varianten allerdings nichts.

[139] Lesart (Ms. München): bar Chama.

[140] Die ganze Phrase ac) ist eine feste Redensart, vgl. bSabb 113a u. ö.

[141] Ms. München: Rab.

[142] Ms. München: „(Er ist) auszureißen!".

[143] D. Cassel, LBdO 3, 1842, 490f.; S.M.N., a. a. O. 6, 1845, 1–5 (der Hinweis auf den Ortsnamen in bBQ 117a ist völlig unangebracht); L. Löw, *Bj ᵓbjdn wbj nṣrfj,* Hä-Chalutz 2, 1852/3, 100–101; J. Fürst, Notes lexicographiques, REJ 37, 1898, 65–71 (65f.); M. Joel, Blicke . . . II, 1883, 87f. 92f.; R. T. Herford, Christianity . . . 161ff. (*ᵓbjdn* ursprünglich von griechisch *ōdeîon*, aber hier ein christlicher Versammlungsplatz); Z. Markon, *Hat-Talmûd* . . . 474f. (obwohl mit Hinweis auf R. Chananels Kommentar z. St. mit der Deutung auf eine neutrale Disputationseinrichtung im Stil der islamischen Zeit).

[144] Zurückhaltend J. Z. Lauterbach, Jesus . . . 568ff., der die Deutung Löws für plausibel hielt. S. W. Baron, A Social and Religious History . . . II, 133 (Rab und Raba seien gegen Dispute mit Christen gewesen).

[145] L. Löw, a. a. O. (Anm. 143); M. Joel, a. a. O. (Anm. 143); R. T. Herford, a. a. O. (Anm. 143), der *nṣrfj* mit Nazoräer verknüpfte; vgl. auch J. Z. Lauterbach, a. a. O. (Anm. 144).

[146] Dagegen mit guten Gründen H. L. Strack, Jesus . . . 79f.

[147] S. M. N. a. a. O. (Anm. 143) mit phantasievoller Ausdeutung des an sich ganz sachlichen Textes; ferner L. Goldschmidt, Der babylonische Talmud . . . z. St.; J. Z. Lauterbach, a. a. O. (Anm. 143) stellte die Frage, ob Ebioniten gemeint sein können; H.-J. Schoeps, Theologie und Geschichte . . . 21f. hielt eine positive Antwort für möglich.

[148] R. T. Herford, a. a. O. (Anm. 143); vgl. auch W. Bachers Rezension

JQR 17, 1905, 179, wo aber mit Recht darauf verwiesen wird, daß es hier ja um Babylonien geht. Auch H. L. Strack, Jesus . . . 78 f. stimmte dieser Deutung zu, ebenso I. L. Levine, Caesarea . . . 83 f.

149 Dazu JvN 139 ff., 178 ff.

150 H. L. Strack, a. a. O. (Anm. 148), ist in dieser Hinsicht zu optimistisch formuliert, ebenso J. Z. Lauterbach, a. a. O. (Anm. 144).

151 Gegen I. L. Levine, Caesarea . . . 83 f.; Y. Cohen, *P^eraqîm* . . . 115 f. Dergleichen wäre nur unter der Voraussetzung denkbar, daß die Erzählung sehr spät, während der Zwangsmaßnahmen im Byzanz des 6./7. Jh., geformt worden wäre.

152 Für hebräische Bibeln in Bibliotheken vgl. Hieronymus, Apol. XVIII, 8, 8.

153 Also eben, wie Herford u. a. vermutete (s. Anm. 148), etwas wie ein *ōdeîon*; vielleicht ist auch die griechische Form *abēdōn* (für *aēdō*) vorauszusetzen („Flötenhaus?").

154 J. Neusner, A History of the Jews in Babylonia II, Leiden 1966, 72–74. Neusner selbst deutet *ʾbjdn* von parth. *apetan*.

155 R. T. Herford, Christianity . . . 165 f., und vorher schon S.M.N. (Anm. 143). Selbst H.-J. Schoeps fand dies (Theologie und Geschichte . . . 140) für erwägenswert, doch meinte er wegen der bezeugten Alkoholabstinenz der Judenchristen, es handle sich um eine „heidenchristliche Stätte". J. Neusner, a. a. O. (Anm. 154) 73 f.: Nazarener-Kirche.

156 So auch W. Bacher, JQR 17, 1905, 179; H. L. Strack, Jesus . . . 80 („unstatthaft").

157 Siehe den Hinweis bei A. Steinsaltz, *Talmûd bablî, Massäkät Šabbat*, II, Jerusalem 1969, 511.

158 Zum Teil hat die Textüberlieferung aber am Anfang: *d^eR. Meʾîr*, was eine Tradition seiner Schule anzeigen würde und dementsprechend später anzusetzen wäre, vgl. K. G. Kuhn, Giljonim . . .; aber solche Zuschreibungen sind ohnedies nicht zu ernst zu nehmen.

159 Z. B. Ms. Vatican Ebr. 108.

160 H. Laible, Jesus . . . 14.65; L. Blau, Gilyonim, JE II, New York 1903, 668 f.; R. T. Herford, Christianity . . . 162 ff.; I. Epstein, The Babylonian Talmud, Seder Mo^ced, London 1938, 571 (mit Hinweis auf Herford); S. W. Baron, A Social and Religious History . . . II, 133 (u. 380); M. Goldstein, Jesus . . . 52 f.; J. Z. Lauterbach, Jesus . . . 570; K. G. Kuhn, Giljonim . . . 32; A. Steinsaltz, a. a. O. (Anm. 157) 511.

161 Vgl. G. Friedrich, ThWNT II, Stuttgart 1935, 723 f.

162 G. Allon, *Tôl^edôt* . . . I, 172.

[163] MPL 116, Sp. 146f.: *Havongalion* mit der Übersetzung „iniquitatis revelatio".

[164] Zitiert in A. Neubauer, Medieval Jewish Chronicles, I, Oxford 1887, 190f.

[165] Siehe A. Kohut, Aruch completum, I, New York ²1955, 45 (*ʾwn*), II, 295 (*gljwn*) und VI, 179 (*ʿwn*).

[166] Hrsg. E. E. Urbach, II, Jerusalem 1947, 230.

[167] Siehe I. Davidson, Thesaurus of Medieval Hebrew Poetry, III, New York 1930, *š* Nr. 1986.

[168] Hrsg. Ch. D. Shevvel, *Rabbenû Baḥja, Beʾûr ʿal hat-Tôrah* III, Jerusalem ³1973, 294.

[169] R. T. Herford, Christianity . . . 164: "The gibe of R. Meir is a clear proof that in his time the term Evangelium was in common use." Seltsamerweise ging G. Friedrich auf das chronologische Problem nicht ein, obschon er (ThWNT II, 1935, 743) auch den altkirchlichen Sprachgebrauch skizzierte (vgl. S. 723f.).

[170] Für die Unsicherheit der Textüberlieferung vgl. H. L. Strack, Jesus . . .; Der heute oft zu beobachtende Trend, dem Text des Ms. München den Vorrang zu geben, ist irreführend. Zwar handelt es sich um eine von christlichen Zensureinwirkungen so gut wie freie Textgestalt, doch sie unterliegt bereits den Bedürfnissen der früh- und hochmittelalterlichen Polemik gegen das Christentum. Ferner siehe die JvN S. 276, Anm. 8 angeführten Hilfsmittel. Sinnmäßig irrelevante Lesarten sind im folgenden nicht berücksichtigt.

[171] Ms. Vatican Ebr. 100 ergänzt: „Einmal wollten sie . . .".

[172] M. Güdemann, Religionsgeschichtliche Studien, Leipzig 1876, 80ff., sah hier bereits eine Bezugnahme auf Mt 5, 15f. (s. unten zu Cc–d).

[173] R. T. Herford, Christianity . . . 149f., übersetzte irrtümlich "women's house".

[174] Lesart: „Teile ihr zu!"

[175] Lesart: „In der Torah."

[176] Aramäisch *ʾwrjtʾ*, aber sinnmäßig einfach „Gesetz", dem griechischen *nómos* entsprechend.

[177] Ms. München: *ʿwn gljwn*, doch ist zumindest *ʿwn* wohl aus der voraufgehenden Überlieferungseinheit eingedrungen, nachdem man dort *ʿwn gljwn* bereits als Wortspiel auf „Evangelium" verstand. Bemerkenswert ist, wie unkritisch A. Steinsaltz, a. a. O. (Anm. 157) 512 hier *ʿwn gljwn* (natürlich im Sinne von „Evangelien") voraussetzt.

[178] Die Lesart *ʾwrjtʾ ʾḥrjtʾ* entspräche exakt dem Ausdruck „Tora/Gesetz

des Mose“ zuvor, paßt also an sich am besten in den Text. M. Güdemann, a. a. O. (Anm. 172) 76 f. hielt dies denn auch für die richtige Lesung, ähnlich J. Z. Lauterbach, Jesus . . . 568, freilich in der Meinung, es sei der „Neue Bund“ der Christen gemeint, auch wenn das folgende Zitat nicht verifizierbar sei. Kaum vertretbar ist der von G. F. Moore, The Definition . . . 103 f. vorgeschlagene Mischtext *ʾwrjtʾ dʿwn gljwn*, der offenbar auch R. T. Herford vorschwebte ("the Law [of the Evangelion]") und den auch K. Hruby, Die Stellung . . . 40 voraussetzt. Zum Ausdruck „ein anderes Gesetz“ vgl. übrigens Röm 7, 23, wo – trotz der theologischen Aussage – ein juristischer Sprachgebrauch vorliegt.

[179] *sfrʾ ʾḥrjtj*. So auch in Ch. J. Kasowski, Thesaurus Talmudis I, Jerusalem 1954, 307; XVII, 1966, 595 u. ö. angeführt. Vgl. weiter unten zu Cba.

[180] Siehe unten zu Cd M. Güdemann, der annahm, daß *ḥomär* (Scheffel) zu *ḥamor* („Esel“) verlesen worden sei und „libysch“ für sekundär hielt.

[181] *špjljt lsjpjh d . . .*; vgl. zum Ausdruck bBer 10a; bEr 101a; bSuk 52b; bḤull 87a *špjl lsjpjh dqrʾ*: Schau auf das Versende! Es handelt sich also um eine feste Formel. M. Güdemann, a. a. O. (Anm. 172) 92 f. beachtete dies nicht und meinte, es habe sich um eine kleine christliche Logiensammlung gehandelt, etwa Mt 15, 17–20. Mehr kontextgemäß wäre es, eine juristische Membrane vorauszusetzen (*gillajon, diftᵉraʾ*), die oben das vorrangige römische Erbrecht und zuletzt einen Hinweis auf das jüdische Erbrecht enthielt.

[182] Diese Lesarten bevorzugen die meisten Autoren im Sinne von „Ende des Evangeliums“, obwohl es keinen guten Sinn ergibt, es sei denn, man setzt völlige Willkür voraus. Vgl. vorige Anm.

[183] *dᵉsifraʾ* (vgl. oben zu Bea und Anm. 179). So verzeichnet auch Ch. J. Kasowski a. a. O. (Anm. 179), XXXIX, 1978, 1233. E. E. Hallevi, *Ha-ʾaggadah ha-hîsṭôrît-bîjôgrafît*, Tel Aviv 1975, 299 f., setzt ebenfalls diese Lesart voraus, denkt allerdings gleichwohl an ein Evangelium bzw. an das NT.

[184] Von H. L. Strack, Jesus . . . 19 f. mit Recht als Einschub gewertet (vgl. auch Str.-B. I, 242). Der Einschub stört und stimmt nicht zum hohen literarischen Niveau der Erzählung.

[185] *wlʾ*; in manchen Textzeugen: *ʾälla* (sondern), doch dies wohl erst auf Grund der sekundären Deutung auf Evangelien. Alle, die hier eine antichristliche Polemik als ursprünglich betrachten, ziehen die Lesart „sondern“ vor, weil sie die Nähe zu Mt 5, 17 verbürgt. Y. Cohen, *Pᵉraqîm* . . . 107 möchte dies durch einen Verweis auf Sifre Dt § 175 (Falschprophetie) erhärten, doch dort geht es um die Aufforderung zum Götzendienst durch einen Falschpropheten. Andere zogen auf Grund des Sprachgebrauchs (s. unten

die Einzelerklärungen) mit Recht „und nicht" vor; vgl. M. Güdemann, a. a. O. (Anm. 172) 75 f., E. E. Hallevi, a. a. O. (Anm. 183) 299.

[186] Vgl. z. B. G. Hoenicke, Das Judenchristentum ... 393 f.; I. Levi, Rezension zu Chwolson in: REJ 61, 1911, 148; S. Zeitlin, Jesus ... 304 f. (mit moralischen Argumenten gegen die Historizität); L. Wallach, The Textual History of an Aramaic Proverb (Traces of the Ebionite Gospel), JBL 60, 1941, 403–415 (wichtig im Blick auf das Sprichwort in Cd); K. G. Kuhn, Giljonim ... 32 f.; EJ XI, Jerusalem 1971, 17.

[187] J. Klausner, Jesus ... 53 f. anerkannte dies, wollte aber inhaltlich die Datierung der Begebenheit „bald nach 70" festhalten; ähnlich K. Hruby, Die Stellung ... 40: es handle sich zwar um eine amoräische Überlieferung, „hat aber eindeutig eine Begebenheit aus der tannaitischen Periode zum Gegenstand" (was etwas zweideutig ausgedrückt ist).

[188] Siehe zuletzt vor allem die methodologisch treffende Analyse bei K. G. Kuhn, Giljonim ... 56 ff. sowie den Aufsatz von L. Wallach a. a. O. (Anm. 186). Vgl. aber auch schon Ch. Obstler, Die Religionsgespräche ... 54 ff.; Th. Zahn, Geschichte des neutestamentlichen Kanons II/1, Göttingen/Leipzig 1890, 675–679 (Satire, daher dürfen die Zitate nicht als ernsthafte Quellenangaben behandelt werden); D. H. Müller, Zum Erbrecht der Töchter, WZKM 19, 1905, 390–391 (Satire). Alle diese Autoren setzen freilich voraus, daß die antichristliche Tendenz integraler und ursprünglicher Bestandteil der Tradition ist, wodurch ihnen der Blick für den literarischen Rang und die juristische Qualität der Erzählung verstellt blieb.

[189] H. Laible, Jesus ... 62 f.; H.-J. Schoeps, Theologie und Geschichte ... 24; H. Bietenhard, ThZ 4, 1948, 177.

[190] Vgl. die Wundergeschichte bEr 63a, ferner bEr 64b (Gamliel und Samaritaner), bNed 20a–b (Imma Schalom über ihr Eheleben), bBM 59b (Gamliel beleidigt R. Eliezer, was tödliche Folgen zeitigt).

[191] mKet XIII, 3/mBB IX, 1 ist eine Aussage Rabban Gamliels zur Frage des Töchtererbrechts überliefert. Hingegen sah M. Dreifuß (LBdO 5, 1844, 205 f.) den Grund für die Nennung R. Gamliels in dessen Auseinandersetzungen mit den Judenchristen – wegen der Einführung der *Birkat ham-Mînîm* im Achtzehngebet (s. u.).

[192] A. a. O. (Anm. 186) 410.

[193] H. Graetz, Gnosticismus und Judenthum, Krotoschin 1846, 22: Ein Heidenchrist hätte schwerlich soviel vom Judentum gewußt!

[194] Y. Cohen, *P^{e}raqîm* ... 118 f. nimmt die Geschichte naiv als historisch und hält den Philosophen gar für eine „zentrale Persönlichkeit unter den Judenchristen des Landes Israel".

[195] A. Meyer in: Hennecke, Handbuch . . . 70: weil er „aus eurem Land“ sagt.

[196] Christianity . . . 146–149. Erwägenswert hielt dies auch A. Meyer a. a. O. (Anm. 195).

[197] Der Antichrist . . . 59 ff.

[198] S. Zeitlin, Jesus . . . 304 in Abwehr der meist vorausgesetzten Historizität: der historische Rabban Gamliel hätte nie einen christlichen Richter in Anspruch genommen. Dies trifft gewiß zu, sofern rein innerjüdische Belange wie in diesem Fall betroffen sind. Zeitlin wies zudem die Unterstellung einer solchen unmoralischen Handlung (Scheinklage!) entrüstet ab, besonders die des Bestechungsversuchs.

[199] So J. Z. Lauterbach, Jesus . . . 568; vgl. auch EJ XI, Jerusalem 1971, 27.

[200] M. Bloch, Das mosaisch-rabbinische Erbrecht. Jahrb. der Landes-Rabbinerschule in Budapest für 1889–90, 1890, 16; H. B. Fassel, Das mosaisch-rabbinische Civilrecht, I Wien 1852, 371; A. Gulak, *J^esôdê ham-mišpaṭ ha-ᶜibrî* III, Berlin 1922, 95 ff.; vor allem aber G. Elon, *Ham-mišpaṭ ha-ᶜibrî* II, Jerusalem 1973, 472 ff. Zu Korrekturen und weiteren Entwicklungen in nachtalmudischer Zeit siehe G. Elon 538 f. 682 ff.; S. Assaf, *Liš᾽elat ha-j^e-rûšah šäl hab-bat*, Festschrift Jakob Freimann zum 70. Geb., Berlin 1937, hebr. 8–13. Ferner: V. Aptowitzer, Spuren des Matriarchats im jüdischen Schrifttum, HUCA 5, 1928, 261–297.

[201] Für die ältere Zeit s. J. Bowker, Jesus and the Pharisees, Cambridge 1973, 64 (Kontroversen zwischen Pharisäern und Sadduzäern); A. Schwarz, La victoire des Pharisiens sur les Sadducéens en matière de droit successoral, REJ 63, 1912, 50–62. J. Le Moyne, Les Sadducéens, Paris 1972, 299 ff.

[202] S. Assaf a. a. O. (Anm. 200) 11.

[203] Vielleicht zogen manche die Autorität von Num 27 in Zweifel, weil es sich ja um eine Art Nachtrag zur Sinaioffenbarung handelt, im Sinne der Formel „Die Tora war gegeben, aber eine Halacha wurde neu geschaffen“ (vgl. bBB 110b; zum Ausdruck auch bBer 135a). Zu beachten ist zudem Codex Theodos. II, 1. 10 (von 3. II. 398), die obligatorische Ausweitung römischen Zivilrechts auf Juden (bei weiterhin möglicher innerjüdischer Schiedsgerichtsbarkeit).

[204] M. Kaser, Das römische Privatrecht, München ²1971 (= Rechtsgeschichte des Altertums III, 3/1), 91 ff.; ders. (Rechtsgeschichte des Altertums III, 3/2) München 1959, 336 ff.

[205] S. K. Mirski (Hrsg.), *Š^e᾽îltôt d^eRab ᾽Aḥaj Ga᾽ôn, Bam-Midbar-D^ebarîm*, Jerusalem 1976/7, 80 f. (*Š^e᾽îlta᾽* 153).

[206] In den Jahren unmittelbar nach den Kriegen 66–70 und 132–135 n. Chr. war der Verlust an Rechtsautonomie praktisch am krassesten. Wenn sich die Situation auch wieder änderte, blieb ebenso wie für die Martyriologie doch die Krisenerfahrung für die prinzipielle Einschätzung der römischen Rechtsordnung maßgebend.

[207] S. Krauss in JE VII, New York 1904, 171, sah in diesem Sinn hier in bSabb 116a–b "the only specifically Christian doctrine mentioned in the Talmud", nämlich "the doctrine of the abrogation of the Law", worauf die Erzählung mit einem Zitat aus dem NT selbst entgegne.

[208] J. H. Ropes, Die Sprüche Jesu . . . 115 f.; Chr. Obstler, Die Religionsgespräche . . . 54 ff.

[209] So auch K. G. Kuhn, Giljonim . . . 54, der das Zitat auf ein „Gerücht" über Evangelieninhalte zurückführen wollte (aber den „Philosophen" gleichwohl für einen Christen hielt!).

[210] M. Güdemann, Religionsgeschichtliche Studien . . . 75; Str.-B. I, 242.

[211] Ch. Obstler, Die Religionsgespräche . . . 54 ff.

[212] A. a. O. (Anm. 210).

[213] R. T. Herford, Christianity . . . 149 f. (vielleicht judenchristlich).

[214] Der Rekurs auf das „Kommen des Evangeliums" als Begründung für eine neue Praxis ist allerdings judenchristlich (für Vegetarismus) bezeugt: Epiphanius, Pan. 30, 18, 7–9 (zitiert bei A. F. J. Klijn–G. J. Reinink, Patristic Evidence . . . 188 f.), doch handelt es sich eben nicht um ein juristisches Problem.

[215] Z. B. Sifre Dt § 92, vgl. bMen 90b; bEr 96a; bJoma 48a; bRH 28b; bSukka 6b; bSanh 88b. Ferner mZeb VIII, 10; bZeb 80a, vgl. bEr 100a.

[216] Zu Mt 5, 17 siehe zuletzt auch H. Ljungmann, Das Gesetz erfüllen, Lund 1964; G. Bornkamm, Wandlungen im alt- und neutestamentlichen Gesetzesverständnis, in: Geschichte und Glaube II (Gesammelte Aufsätze IV), München 1971, 73–119 (73 ff.); W. Grundmann, Das Evangelium nach Matthäus (ThHKzNT I), Berlin ^{2}1971, 145 f.; D. Catchpole, Discipleship, the Law, and Jesus of Nazareth, Crux 11, 1973, 8–16; E. Schweizer, Das Evangelium nach Matthäus (NTD 2), Göttingen 1973, 61 ff.; U. Luz, Die Erfüllung des Gesetzes bei Matthäus, ZThK 75, 1978, 398–435.

Für bSabb 116a–b ergeben sich aus diesen Arbeiten aber keine neuen Gesichtspunkte.

[217] E. Arens, The "i/elthon" – Sayings in the Synoptic Tradition, Freiburg/Schw.–Göttingen 1976, 13 ff., 91 ff. Zu beachten ist S. 105 ff. der Hinweis, daß Mt 5, 17 nichts mit dem Prinzip der nova lex zu tun hat, sondern „implizite Christologie" darstellt.

[218] In einer bei ᶜAbd-al-Ǧabbar (gest. 1024) erhaltenen, aus nestorianischer Quelle übernommenen judenchristlichen Interpretation wird Mt 5, 17 allerdings im Sinn von Dt 4, 2 und 13, 1 – auf die Unveränderlichkeit der Geltung der Tora bezogen – verstanden. Siehe bei S. Pines, The Jewish Christians . . . 10. Doch damit ist noch keine Brücke zum angeblichen Zitat in bSabb 116a–b geschlagen, weil *plērōsai* auch in jenem Text nicht als „Hinzufügen", sondern als „vollständig erfüllen" gedeutet wird. Für kontroverstheologische Argumentationen mit Mt 5, 17 im Mittelalter vgl. auch M. Perlman, Ibn Kammunah's Examination of the Three Faiths, Berkely 1971, 82f., 88, 95.

[219] Zum juristischen Sprachgebrauch à la Dt 13, 1 (Vermindern/Hinzufügen) vgl. die Aufzählungen der 613 Verbote und Gebote, z. B. Mose b. Maimon, *Sefär ham-miṣwôt,* ed. J. D. Kafeh, Jerusalem 1971, 325f., Verbot 313 und 314). Davon ist ein nichtjuristischer Sprachgebrauch zu unterscheiden, der z. B. Koh.R. III, 14 vorliegt: Der Fromme fügt (zum Gebotenen) noch hinzu, vermindert aber nie (das Geforderte).

[220] J. Jeremias, Unbekannte Jesusworte, Gütersloh ³1963, 30ff., versuchte entgegen dem sprachlichen Befund, *lwsjpj* (hinzuzufügen) mit dem *plērōsai* von Mt 5, 17 zu vereinen (Gottes Offenbarung auf „das Vollmaß bringen").

[221] H. Laible, Jesus . . . 64 (Zitat aus dem Gedächtnis, der Philosoph täuschte die schriftliche Vorlage nur vor); K. G. Kuhn, Giljonim . . . 54f. (vom Hörensagen her bekannt).

[222] M. Güdemann, Religionsgeschichtliche Studien . . . 92f.; J. Klausner, Jesus . . . 53f.; M. Goldstein, Jesus . . . 54ff.; R. T. Herford, Christianity . . . 149f. (und dazu treffend K. G. Kuhn, Giljonim . . . 54); K. Hruby, Die Stellung . . . 40ff.

[223] An ein „Hebräerevangelium" dachte F. Delitzsch, Die Entstehung des Matthäusevangeliums, Zeitschr. der gesamten Luther. Theol. 1850, 470. J. Jeremias, a. a. O. (Anm. 220), hielt die Herkunft aus einem hebr. Mt-Evangelium für erwägenswert, vgl. auch K. Hruby, Die Stellung . . . 40ff. L. Wallach, a. a. O. (Anm. 186) 403ff. nahm dazu noch einen Einfluß von Dt 27, 26 an. Auch H.-J. Schoeps, Theologie und Geschichte . . . 146 sah hier einen ebionitischen Text von Mt 5, 17, freilich in entstellter Form; vgl. ders., RHPhR 33, 1953, 1–20, wo die Entstellung auf die Umformulierung gemäß Dt 4, 2 bzw. 13, 1 zurückgeführt wird.

[224] G. Hoenicke, Das Judenchristentum . . . 393f.; A. Meyer, in: E. Hennecke, Handbuch . . . 70f.; EJ X, Jerusalem 1971, 17.

[225] Vgl. z. B. H.-J. Schoeps, a. a. O. (Anm. 223); K. G. Kuhn, Giljonim . . . 54, Anm. 109 (*lʾwsjpj* sei falsche Interpretation des *plērōsai!*).

[226] H. L. Strack, Jesus . . . 19 f.

[227] Siehe Wallach und Schoeps a. a. O. (Anm. 223).

[228] *Hat-Talmûd* . . . 31 f.

[229] Dazu s. Wallach a. a. O. (Anm. 186).

[230] M. Güdemann, Religionsgeschichtliche Studien . . . 80; D. H. Müller, Zum Erbrecht der Töchter, WZKM 19, 1905, 390 f.; R. T. Herford, Christianity . . . 151 f.; H. L. Strack, Jesus . . . 19 f.

[231] Vgl. dagegen auch K. G. Kuhn, Giljonim . . . 55 („absurd"). Zu Mt 5, 14–16 und zum rabbinischen Vergleichsmaterial s. J. Jeremias, Die Lampe unter dem Scheffel, ZNW 39, 1940, 237–240 (nachgedruckt in: Abba, Göttingen 1966, 99–102).

[232] R. T. Herford, Christianity . . . 151 f.

[233] A. a. O. (Anm. 186). Das Umstoßen des Leuchters ist zudem als Trauerbrauch bezeugt, s. S. Liebermann, Greek in Jewish Palestine, New York 1942, 104 f.

[234] Religionsgeschichtliche Studien . . . 85 ff.; A. Meyer in: E. Hennecke, Handbuch . . . 71 griff Güdemanns Vorschlag auf und sah in der Ersetzung von „Scheffel" durch „Esel" eine besondere Bosheit Gamliels.

[235] Vgl. bMen 45b. Manche sahen im Min einen (Juden-)Christen, so M. Dreifuß, LBdO 5, 1844, 203–207; R. T. Herford, Christianity . . . 157 ff. (aber mit der Einschränkung: nicht notwendigerweise!); M. Simon, Verus Israel . . . 237; H. Bietenhard, ThZ 4, 1948, 177; H. L. Strack, Jesus . . . 63. Unbegründet ist die Angabe bei H.-J. Schoeps, Theologie und Geschichte . . . 318, daß im Gegensatz zu hier in bSabb 116a die *sifrê mînîm* noch als diskutabel gegolten hätten.

[236] Vgl. M. Haran, a. a. O. (Anm. 21) 262 ff.; J. P. Lewis, a. a. O. (Anm. 7) 257 f.; G. F. Moore, Judaism I, New York [7]1971, 247; S. Zeitlin, a. a. O. (Anm. 22).

[237] Leider auch in G. W. Andersons Beitrag ›Canonical and Non-Canonical‹ in: The Cambridge History of the Bible I, 1970, 155 ff.

[238] Vgl. M. Haran, a. a. O. (Anm. 21) 260 f.

[239] Darüber siehe P. Schäfer, Die Vorstellung vom Heiligen Geist in der rabbinischen Literatur, München 1972, 89 ff. 143 ff.

[240] Vgl. S. Zeitlin, a. a. O. (Anm. 88) 372 f.

[241] G. Lisowsky u. a., Die Tosefta . . . VI/3, Stuttgart 1967, 259.

[242] Vgl. G. W. Anderson, a. a. O. (Anm. 237) 135 ff.; zur Zahl 24 für

Buchsammlungen bzw. -einteilungen in der Antike s. S. Liebermann, Hellenism . . . 27 (note 52).

243 Vgl. dazu M. Haran, a. a. O. (Anm. 21) 245 ff.

244 Siehe oben den Überblick in 1.2.4.9.

245 K. G. Kuhn, Giljonim . . . 26 ff. interpretierte von einem Passus über die korrigierbare Fehlerzahl in jSabb XVI, 1 ausgehend und diesen Gesichtspunkt verabsolutierend den Ausdruck *biṭṭûl bêt ham-midraš* als „Störung“ des Lehrhausbetriebs durch Benützung fehlerhafter Bibelexemplare. Doch die beiden Themen sind nicht in dieser Weise verknüpft und *biṭṭûl* kann auch nicht mit „Störung“ übersetzt werden (vgl. auch mSabb XVIII, 1; mMen X, 9).

246 H. Danby, The Mishnah, Oxford 1933 (²1972) 397 (“heretical books”); G. W. Anderson, a. a. O. (Anm. 237) 156 (“works regarded as heretical such as Christian writings were called not *gᵉnûzîm* but *sᵉpārîm ḥîṣônîm*”; doch g*ᵉnûzîm* ist sowieso eine moderne Bezeichnung); R. Posner–I. Ta-Shema, The Hebrew Book, Jerusalem/New York/Paris 1975, 23 (“heretical books”).

Gegen die Annahme, ntl. bzw. judenchristl. Literatur sei gemeint, siehe u. a. G. Allon, *Tôlᵉdôt* . . . I, 172 f.

247 G. Lisowsky u. a., Die Tosefta . . . VI/3, Stuttgart 1967, 259 (zu tJad II, 13B: Ben Sira als Beispiel für sog. Apokryphen). A. J. Saldarini, Apocalyptic and Rabbinical Literature, CBQ 37, 1975, 348–358 (348 ff.) geht ganz von der Kanonfrage aus und spricht von „Apokryphen“, dies wieder mit dem terminus technicus *gnz* verbindend.

248 J. Bloch, On the Apocalyptic in Judaism, Philadelphia 1952, 76 ff. 84 f. 105; ders., Outside Books, M. M. Kaplan Jubilee Volume, New York 1953, engl. 87–108 (von Rabbinen als unjüdisch deklarierte, vor allem christliche Literatur, danach “outside the pale . . . of Judaism”); Z. Leiman, a. a. O. (Anm. 9) 191 (“all of the extracanonical literature whether heretical, apocryphal, pseudepigraphical, or apocalyptic in nature”).

249 Nur die synagogale Lesung sei verboten, meinte bereits N. Krochmal, *Môreh Nᵉbûkê haz-zᵉman,* ed. S. Rawidowicz, Berlin 1924, 119 f. Ferner L. Ginzberg, JBL 41, 1922, 129 f. Doch dies wäre für den Sanhedrin-Kontext etwas verblüffend.

Gegen Ginzberg vgl. S. Zeitlin, a. a. O. (Anm. 22): ein absolutes Leseverbot sei gemeint – aber ein solches müßte erst irgendwo nachgewiesen werden. Vgl. auch G. Allon, *Tôlᵉdôt* . . . I, 171 f.

250 L. Ginzberg, a. a. O. (Anm. 249) verstand unter *ḥîṣônîm* nicht im rabbinischen Sinn strenge Juden. Andere dachten an bḤag 15b, wo von Ben

Zoma gesagt wird, er sei *bḥwṣ*: H. Graetz, Gnosticismus und Judenthum, Krotoschin 1846, 56ff. (heterodox); H.-F. Weiss, Untersuchungen zur Kosmologie des hellenistischen und palästinensischen Judentums, Berlin 1966, 102ff. (außerhalb des Erlaubten); L. Tetzner, Megilla, Berlin 1968, 130 (zu mMeg IV, 8: Außenseiter, Separatist, der nicht der rabbinischen Autorität folgt).

[251] Vgl. Act 6, 9. Ferner die etwas despektierliche Überlieferung tMeg III, 6: Eleazar b. Zadok (um 100) und die ehemalige Synagoge der Alexandriner in Jerusalem (ausführlicher jMeg III, 1 f. 73d).

[252] Siehe JvN 55.

[253] Hellenism . . . 109.

[254] Die Textüberlieferung schwankt.

[255] Siehe JvN 61 und die Anm. 127. 128.

[256] Vgl. auch I. Epstein, The Babylonian Talmud, Seder Neziḳin III, London 1935, 680: "uncanonical books" für *s^efarîm ḥîṣônîm* und "works of Judeo-Christians" für *sifrê mînîm*.

[257] K. G. Kuhn, Giljonim . . . 40 machte diese knappe Stelle zum Angelpunkt einer unhaltbaren Hypothese: Demnach seien hier bereits nur mehr Christen gemeint – ebenso wie bḤag 15b (s. unten) – und daher handle es sich um ein Verbot der Lektüre christlicher Literatur überhaupt.

[258] *ʾasûr* (verboten) ist halakische Ausdrucksweise (Gegenteil von *muttar*, „erlaubt"), was eher dafür spricht, daß es um Bibelexemplare geht.

[259] D. Sperber, EJ 14, Jerusalem 1971, 1521, möchte allerdings – wie für bḤag 15b (s. unten) nur „häretische Schriften" gelten lassen. Vgl. dafür auch schon St. Hahn, Sifre Minim . . . 427.

[260] *ʾÔṣar hag-G^eʾônîm, Massäkät Sanhedrîn*, ed. Ch. Z. Taubes, Jerusalem 1966, 523.

[261] Vgl. L. Ginzberg, JBL 41, 1921, 129f.

[262] Vgl. in dem Sinne M. Haran, a. a. O. (Anm. 21) 245f.

[263] Zu der Frage in bḤag 14b/15a: Ben Zoma wurde gefragt: „Darf ein Priester ein schwangeres Mädchen heiraten . . .?" (vgl. Lev 21, 13) meinte L. Löw, Die Lebensalter, Szegedin 1875, 57: „Diese Frage enthält eine sarkastische Anspielung auf die christliche Relation von der Geburt Jesu." Eine so verquere Deutung ist zwar für manche antichristlichen Ausdeutungen der Neuzeit kennzeichnend, wird aber dem talmudischen Text selbst in keiner Weise gerecht.

[264] Über Acher siehe EJ II, 1971, 458f.; J. Maier, Geschichte der jüdischen Religion, Berlin 1972, 209f.; A. F. Segal, Two Powers . . . 9ff.; 60ff.

[265] Es gibt Hinweise darauf, daß man mit Formen des Wortes *ʾḥr* Abweichungen von der religiösen Norm bezeichnete.

[266] Darüber A. F. Segal, Two Powers . . . 60 ff.

[267] Vgl. D. Sperber, EJ 14, 1971, 1521.

[268] K. G. Kuhn, Giljonim . . . 40.

[269] Im Zusammenhang mit Acher vgl. H. A. Fischel, The Transformation of Wisdom in the World of the Midrash, in: R. L. Wilken, Aspects of Wisdom, Notre Dame 1975, 67–101 (77 f.); ders., Rabbinic Literature and Graeco-Roman Philosophy, Leiden 1973, 12 ff. 19 ff. 113 f.

[270] So M. Friedländer, Der Antichrist . . . 42 f.; ders., REJ 38, 1899, 194 ff.

[271] Siehe JvN 56 f. Gegen Herford siehe schon W. Bacher, JQR 17, 1905, 174; M. Friedländer, Die religiösen Bewegungen . . . 211 f.

[272] So E. E. Urbach, *ḤZ"L*, Jerusalem 1969, 96 f.

[273] Dies meinten z. B. M. Friedländer, REJ 38, 1899, 194 ff.; E. E. Urbach, a. a. O. (Anm. 272).

[274] B. Blumenkranz, ThZ 4, 1948, 136 f.

[275] Vgl. M. Guttmann, Rez. zu J. Klausner, MGWJ 75, 1931, 253 (zu Tryphon in Justins Dialog); J. B. Hulen, JBL 51, 1932, 61 f.

[276] M. Lods, RHPhR 21, 1941, 1–33.

[277] I. J. Gunther, St. Paul's Opponents and their Background, Leiden 1973.

[278] H. Graetz, Geschichte . . . III/2, Leipzig [5]1906, 408 ff. (Diaspora war von der christlichen Mission mehr betroffen).

[279] C. C. Torrey, Documents of the Primitive Church, London/New York 1941; B. Pick, Jesus . . . 75 ff.; E. Stauffer, ZNW 46, 1955, 1–20. Dagegen siehe S. Zeitlin, Aramaic Gospels in the Synagogue, JQR 32, 1941/2, 427–431 (= Studies in the Early History of Judaism III, New York 1975, 369–373).

[280] P. Billerbeck, Altjüdische Religionsgespräche . . .; Ch. Obstler, Die Religionsgespräche . . .; A. Marmorstein, The Unity of God, HUCA 1, 1924, 470 ff.

[281] Zu unkritisch historisierend interpretiert die talmudischen Quellen M. D. Herr, The Historical Signification of the Dialogues between Jewish Sages and Roman Dignitaries, Scripta Hierosolymitana 22, 1971, 123 bis 150.

[282] A. B. Hulen, JBL 51, 1932; siehe auch H. Tränkl, Q.S.F. Tertulliani Adversus Judaeos, Wiesbaden 1964, xxiii; N. De Lange, Origen and the Jews . . . 87 ff.

[283] Vgl. J. Juster, Les Juifs . . . I, Paris 1941, 53 f.; M. Simon, Verus Israel . . . 208 ff.; S. W. Baron, A Social and Religious History . . . II, New York [2]1952, 133; Y. Cohen, *P^eraqîm* . . . 116 ff.

[284] B. Blumenkranz, ThZ 4, 1948.

[285] J. Neusner, Aphrahat and Judaism. The Christian-Jewish Argument in the Fourth Century, Leiden 1971, 187 ff. Sofern J. Neusner sich aber ansonsten für rabbinisches Material sehr stark auf R. T. Herfords Ausführungen stützt, ergibt sich dazu eine gewisse Spannung.

[286] H. Tränkl, a. a. O. (Anm. 282); N. De Lange, a. a. O. (Anm. 282); J. Neusner, a. a. O. (Anm. 285).

[287] Darüber s. G. Brin, The Firstling of Unclean Animals, JQR 68, 1977/8, 1–15.

[288] Nathanael 25, 1909, 68, ebenso Str.-B. I, 236.

[289] Religionsgeschichtliche Studien, Leipzig 1876, 89 ff. 136 ff.

[290] Ähnlich Ch. Obstler, Die Religionsgespräche . . . 59 f.

[291] Christianity . . . 223 f. Skeptisch auch G. Hoenicke, Das Judenchristentum . . . 398 f.

[292] A. a. O. (Anm. 291).

[293] Darüber siehe A. Jacoby, Der angebliche Eselkult der Juden und Christen, AfR 25, 1927, 265–282; N. Neher-Bernheim, The Libell of Jewish Ass Worship, Zion 28, 1962/3, 106–116; J. Bergmann, Jüdische Apologetik . . . 152 ff.; M. Guttmann, Das Judentum . . . 285 f.

[294] H. Graetz, Geschichte . . . IV, Leipzig [4]1908, 82 („er habe sich der Christengemeinde zu Kapernaum angeschlossen"); G. Hoenicke, Das Judenchristentum . . . 397 f. (betonte aber den unklaren Charakter der Geschichte); B. Pick, Jesus . . . 62 (verweist auf ältere Literatur); R. T. Herford, Christianity . . . 211 (anerkennt späte Formulierung, hält aber am Alter des Inhalts fest: vor 130 n. Chr., und an der Identifizierung mit Christen ebenfalls: "there can be no possible doubt"! Der Ritt Chaninas auf dem Esel soll "a sort of imitation of Jesus" gewesen sein!); Y. Cohen, *Peraqîm* . . . 115 (ohne Begründung).

[295] Vgl. die umsichtigere Behandlung des Textes und seiner älteren Deutungen bei J. Z. Lauterbach, Jesus . . . 564 ff. Die Deutung auf gnostizierende Minim ist eigentlich einleuchtender, vgl. auch M. Friedländer, Der Antichrist . . . 180 ff.; Die religiösen Bewegungen . . . 189 f.; Der vorchristliche . . . 76 f.

[296] J. Yoyotte, L'Égypte ancien et les origines de l'antijudaisme, Bulletin de la Société E. Renan, Paris 1962, 133 ff. (142).

[297] Siehe das Textfragment aus dem Codex Brucianus in:

C. Schmidt–V. Macdermot, The Books of Jeu and the Untitled Text in the Bruce Codex, Leiden 1978, 141.

[298] Epiphanius, Pan. 26, 10.6.

[299] J. Heinemann, *ᵓAggadôt wᵉtôlᵉdôtêhän,* Jerusalem 1974, 122 f.

[300] Die Agada der Tannaiten XIII, MGWJ 32, 1883, 497–513 (506).

[301] J. Neusner, A History of the Jews in Babylonia, II Leiden 1966, 73 f.

[302] B. Pick, Jesus . . . 38. Herford, Christianity . . . 202 f. fand hier eine Entgegnung der paulinischen Gegenüberstellung von Gesetz und Gnade. Zur Stelle s. auch L. Tetzner, Megilla, Berlin 1968, 130 f.

[303] J. Neusner, Aphrahat, Leiden 1971, 97 f. 133 f.

[304] Dazu I. Ziegler, Die Königsgleichnisse des Midrasch, Breslau 1903, 321 ff. und speziell zur Stelle S. 323 f.

[305] B. Pick, Jesus . . . 97, der nicht nur für hier einen Einfluß des NT auf die rabbinische Tradition annahm.

[306] H. Hirschberg, JBL 62, 1943, 85; ders., ebd. 67, 1948, 313 ff.

[307] L. Ginzberg, Die Haggada bei den Kirchenvätern, MGWJ 43, 1899, 66 ff.

[308] A. Büchler, Über die Minim . . . 290.

[309] A. Büchler, a. a. O. (Anm. 308: Gnostiker); A. Marmorstein, The Unity of God . . . 488 (Gnostiker); J. Blinzler, Der Prozeß Jesu . . . 157 (eher Gnostiker); M. Goldstein, Jesus . . . 84 (Polytheismus); K. Hruby, Die Stellung . . . 57 f. (Gnostiker).

[310] R. T. Herford, Christianity . . . 291 f. wollte „viele Gewalten" im Sinne von „zwei Gewalten" verstehen. H. Hirschberg, JBL 62, 1943, 82 sah darin eine Polemik gegen die paulinische Gottessohnvorstellung.

[311] Auch hier sahen manche im Min einen Christen: R. T. Herford, Christianity . . . 293 (mit Hinweis auf die Hebräerbrief-Christologie); H. Hirschberg, JBL 62, 1943, 82; M. Goldstein, Jesus . . . 128 f. (vermutungsweise); E. E. Urbach, *ḤZ"L*, Jerusalem 1969, 118. Dagegen bereits M. Friedländer, REJ 38, 1899, 195 und A. Büchler, Über die Minim . . . 290 f. Zur amoräischen Auslegung des Stoffes der Mischna Sanh IV, 5 und tSanh VIII, 7 siehe nun A. F. Segal, Two Powers . . . 1977, 109 ff. 113 ff.

[312] R. T. Herford, Christianity . . . 265. 338 f.; H. Hirschberg, JBL 62, 1943, 85; M. Simon, Mélchisédech dans la polémique entre juifs et chrétiens et dans la légende, Recherches d'histoire judéo-chrétienne, Paris 1962, 102–124 (107 f.).

[313] F. L. Horten, The Melchizedek Tradition, Cambridge 1976 (mit Diskussion der älteren Literatur).

[314] Bemerkenswerterweise fehlt Melchizedek in Jub 13 (Textlücke? Soweit der Text erhalten ist, spricht er von Priestern!).

[315] 11QMelch. Zur Bedeutung in diesem Zusammenhang siehe A. F. Segal, Two Powers . . . 193 ff.

[316] H.-M. Schenke, Erwägungen zum Rätsel des Hebräerbriefes, in: Neues Testament und christliche Existenz, Festschrift H. Braun, Tübingen 1973, 421–437 (430 ff.).

[317] G. Bardy, Melchisedek dans la tradition patristique, RB 35, 1926, 496–509; 36, 1927, 25–45 und siehe die Beiträge in dem Anm. 319 genannten Band Melchisedech, Freiburg 1979. Ferner vgl. L. Ginzberg, Die Haggada bei den Kirchenvätern, MGWJ 43, 1899, 485–504 (491 f. 495 f. 534).

[318] Siehe v. a. Nag Hammadi Codex IX/1; W. Beltz, Gnosis und Altes Testament, ZRG 28, 1976, 353–357 (über Hebr. 7, 1–28 in der Gnosis).

[319] J. J. Petuchowski, The Controversial Figure of Melchizedek, HUCA 28, 1957, 127–136; ders., Melchisedech, Urgestalt der Ökumene, in: W. Strolz (Hrsg.), Kosmische Dimensionen religiöser Erfahrung, Freiburg i. Br. 1978, 11–37; ders., in: Melchisedech, Freiburg i. Br. 1979, 11–37 (mit der älteren Literatur).

[320] Vgl. bSukka 52b; Cant.R. II, 13.4.

[321] Vgl. die Belege bei L. Ginzberg, The Legends of the Jews, V, New York ^{7}1955, 225 f. Dabei kann man für Agg.Ber. 42/1 (S. 86) am ehesten einen antichristlichen Trend in Anspruch nehmen, doch führt dies wohl schon ins Frühmittelalter.

[322] So J. Heinemann, *ʾAggadôt w^{e}tôl^{e}dôtêhän,* Jerusalem 1974, 98 ff., und A. F. Segal, Two Powers . . . 94. E. Grünwald, *D^{e}mûtô ham-m^{e}šîḥît šäl Malkîṣädäq,* Machanajim 126, 1969/70, 91 ff. dachte an die Abwehr apokalyptischer Tendenzen und Spekulationen (à la 11QMelch).

[323] A. F. Segal, Two Powers . . . 94 hält eine antichristologische Tendenz für erwägenswert.

[324] Gen.R. 43, 6 f. (vgl. die weiteren Angaben in der Ausgabe von Theodor-Albeck z. St.); Num.R. 4, 8.

[325] Vgl. Tertullian, Adv. Judaeos II, 7 ff. (Gerechte vor der Tora-Offenbarung: Adam, Abel, Henoch, Noah, Abraham, Melchizedek). Dazu paßt auch die in Gen.R. 43, 6 enthaltene Aussage des R. Isaak ha-Babli, wonach Melkizedek beschnitten auf die Welt gekommen sei.

[326] Für die ältere Diskussion siehe den Überblick bei W. Wiefel, Paulus in jüdischer Sicht, Judaica 31, 1975, 109–115. 151–172. Ferner S. Sandmel, The Genius of Paul, New York 1958; J. J. Petuchowski, Paul and Jewish Theology, Commentary 28, 1959, 231–236; S. Grayzel, Paul. Jew and Christian,

Gratz College Annual 3, 1974, 49–62; Sch. Ben Chorin, Jesus und Paulus in jüdischer Sicht, ASTI 10, 1976, 17–29; M. Barth–J. Blank, J. Bloch–F. Mussner und R. J. Z. Werblowski, Paulus – Apostat oder Apostel?, Regensburg 1977. Zur Zweiseitigkeit der Problematik s. K. Haacker, Paulus und das Judentum, Judaica 33, 1977, 161–177.

[327] A. Lindemann, Paulus im ältesten Christentum, Tübingen 1979; P. Trummer, Die Paulustradition der Pastoralbriefe, Bern/Frankfurt 1978.

[328] W. Bauer, Rechtgläubigkeit und Ketzerei im ältesten Christentum, Tübingen ²1964, 215ff.; ders. in: E. Hennecke–W. Schneemelcher, Neutestamentliche Apokryphen . . . II, 39ff.; W. Schneemelcher, Paulus in der griechischen Kirche des zweiten Jahrhunderts, ZKG 75, 1964, 1–20.

[329] E. Preuschen, Paulus als Antichrist, ZNW 2, 1901, 169–201; M. Simon, Verus Israel . . . 289f.; H.-J. Schoeps, Theologie und Geschichte . . . (s. Register); G. Strecker, Das Judenchristentum . . . 187ff.; R. T. Taylor, Attitudes of the Fathers towards Practices of Jewish Christians, Stud. Patr. 4, 1961, 504–511.

[330] S. Krauss, Das Leben Jesu . . . 157f. 176ff.; B. Heller, MGWJ 77, 1933, 198–210 (200f.); Z. E. Falk, A New Fragment of the Jewish "Life of Jesus", Immanuel 8, 1978, 72–79 (Apostelliste, z. T. nach bSanh 43a, mit Paulus).

[331] Josippon, Ende des Ms. Oxford, zitiert von A. Neubauer, Medieval Jewish Chronicles I, Oxford 1887, 190f.

[332] Nicht zu vernachlässigen ist auch die gnostische Paulus-Rezeption. Vgl. A. Böhlig, Mysterion und Wahrheit, Leiden 1968, 208ff. für den Manichäismus. In den Nag Hammadi Texten s. insbesondere Codex I (Jung)/5, 31ff. (Tractatus Tripartitus) und VII/4, 108, 30ff.

[333] Vgl. E. G. Browne, A Parallel to the Story of the Mathnawi of Jalalu-ʾad-Din Rûmi of the Jewish King who Persecuted the Christians, Islamica 2, 1926, 129–134; E. Bammel, NTS 13, 1967, 332f.; S. Pines, The Jewish Christians . . . 3.14.26ff.; dazu aber S. M. Stern, JThSt 29, 1968, 137ff.; E. Bammel, NT 10, 1968, 9.

[334] Josephus the Satirist?, JQR 67, 1976/7, 16–22.

[335] J. H. A. Michelsen, The Apostel Paulus bij Flavius Josephus, Teyler's Theol. Tijdschrift (Haarlem) 5, 1907, 167–172; Th. Zahn, Zur Lebensgeschichte des Apostels Paulus, Neue Kirchl. Zeitschr. 15, 1904, 189–200 bezog den Ausdruck auf Simon Magus.

[336] Z. Markon, *Hat-Talmûd* . . . 470ff.; zuletzt A. Guttmann, Tractate Abot – its Place in Rabbinic Literature, JQR 41, 1950/1, 181–193 (um 300 gegen den christlichen Vorwurf des Nomismus in die Mischna eingefügt).

[337] G. Hoenicke, Das Judenchristentum . . . 398f.

[338] Unbegründeterweise suchte H.-J. Schoeps, Theologie und Geschichte . . . 178 hier (wie in bSanh 99b) einen Seitenhieb auf Ebioniten mit Hilfe der Figur des Königs Manasse.

[339] Bemerkungen über Mischna 14 des dritten Abschnittes in den Pirke Abot, LBdO 7, 1846, 649f.

[340] J. Bergmann, Jüdische Apologetik . . . 143f.

[341] Oft wird übersetzt: „Gott sieht alles vorher" = bestimmt alles voraus, was aber sprachlich nicht korrekt ist, siehe dazu E. E. Urbach, *ḤZ"L* 229ff. und die folgende Anm.

[342] Siehe Anm. 341 und E. E. Urbach, *ᶜIjjûnîm bᵉdeᶜôt ḤZ"L ᶜal ha-hašgaḥah*, Sefär Jobel Y. Kaufmann, Jerusalem 1961, 122–148 (v. a. S. 124f.; unter anderem gegen Röm 8, 29f.!).

[343] J. Bergmann, Jüdische Apologetik . . . 42f.

[344] H. Graetz, Geschichte . . . IV, Leipzig ⁴1908, 421ff. (wobei er seltsamerweise gerade an Judenchristen dachte); H. Hirschberg, JBL 67, 1948, 306; ders., 62, 1943, 83f. sah auch in der gegen die Minim geprägten Formel *min ha-ᶜôlam wᵉᶜad ha-ᶜôlam* einen Bezug auf christliche Vorstellungen, doch ohne überzeugenden Grund.

[345] Christianity . . . 313. H. L. Strack, Jesus . . . 50f. ordnete die Stelle unter „Häretiker, die sicher nicht Christen sind" ein.

[346] Zur Thematik siehe S. J. Isser, The Dositheans, Leiden 1976, 89f.; A. F. Segal, Two Powers . . . 53f.; J. Maier, JvN 131; P. Schäfer, Studien . . . 245f.

[347] Vgl. N. De Lange, Origen and the Jews . . . 45.

[348] H. Hirschberg, ZRG 12, 1960, 252–256.

[349] H. Hirschberg, JBL 62, 1943, 82.

[350] A. Marmorstein, The Background of the Haggadah . . . 26f.

[351] Wie R. T. Herford, Christianity . . . 320ff. mit Verweis auf Hebr. 6, 6 und Ablehnung der Deutung auf Gnostiker (durch W. Bacher).

[352] Überblick: EJ 12, Jerusalem 1971, 1331f.

[353] J. Mann, The Bible . . . I, ²1971, 398–402; Mekilta RJ *bwʾ* Ende.

[354] Nag Hammadi Codex IX/3, 48, 8f.

[355] Für die christliche Verwendung siehe J. Gnilka, Die Verstockung Israels. Jes 6, 9–10 in der Theologie der Synoptiker, München 1961.

[356] ZRG 12, 1960, 252–256. Vgl. dazu auch JvN 285, Anm. 143.

[357] bḤag 15b; Gen.R. 65, 20 par.; Rut R. II, 13.

[358] H. Hirschberg, JBL 62, 1943, 73–87.

[359] Darüber s. JvN 292, Anm. 237.

[360] A. S. Weissmann, Wie ist Saulus zum Paulus geworden? Das Jüdische Literaturblatt 8, 1879, 109f. 113f.; dagegen J. Z. Lauterbach, Jesus . . . 559f.

[361] Str.-B. IV, 293–333 (Exkurs: Der Synagogenbann).

[362] Siehe P. Billerbeck a. a. O. (Anm. 361) 329f.

[363] C.-H. Hunzinger, Bann II, TRE 5, 1979/80, 116–167 (dort weitere Literatur); ders., Spuren pharisäischer Institutionen in der frühen rabbinischen Überlieferung, in: Tradition und Glaube, Festgabe für K. G. Kuhn, Göttingen 1971, 147–156; G. Forkman, The Limits of the Religious Community, Lund 1972.

[364] A. a. O. (Anm. 361) 330f. (wie ja auch der Ausdruck „Synagogenbann" bereits etwas irreführt); auf derselben Linie C.-H. Hunzinger, TRE 5 (s. Anm. 363), wenn er die *Birkat ham-mînîm* hier anschließt, und ähnlich auch G. Forkman, a. a. O. (Anm. 363) 90ff. 98. 106.

[365] Dazu s. die Angaben bei J. Juster, Les Juifs . . . II, 159–161.

[366] G. Leibsohn, *ᶜAl mah mᵉnaddîn, Šᵉnatôn ham-mišpaṭ, ha-ᶜibrî* 2, 1974/5, 292–342.

[367] Nach bQid 72a hat in Babylonien die Verhängung des Banns über eine Stadt die Bewohner zur Apostasie veranlaßt.

[368] Soweit auch zutreffend C.-H. Hunzinger, a. a. O. (Anm. 363); vgl. G. Forkman, a. a. O. (Anm. 363) 39ff. 127f.

[369] K. C. Caroll, The Fourth Gospel and the Exclusion of Christians from the Synagogues, BJRL 40, 1957, 19–32; G. Forkman, a. a. O. (Anm. 363) 105f.

[370] C. K. Barrett, Jews and Judaizers in the Epistles of Ignatius, in: Jews, Greeks and Christians. Essays in Honor of W. D. Davies, Leiden 1976, 220–244 (230ff.).

[371] A. Oppenheimer, The ᶜAm ha-aretz, Leiden 1977.

[372] Zu mSanh X, 1f. und die anschließenden Traditionen siehe JvN 51ff., zu mAbot III, 14 s. oben 2.3.a. Zu berücksichtigen ist vor allem tSanh VIII, 7; bSanh 38a–39b; tSanh XIII, 4–5 (dazu die sehr gewundene Argumentation bei R. T. Herford, Christianity . . . 118ff., um doch noch irgendwie Judenchristen herauslesen zu können, vgl. auch folgende Anm.; ganz unkritisch zu tSanh XIII, 5 auch wieder Y. Cohen, *Pᵉraqîm* . . . 118. Zu der Stelle und ihren Parallelen siehe P. Schäfer, Studien . . . 50ff. 278f.); bSoṭa 42a; bAZ 18a; Agg.Ber. 52/1 (S. 106); *Sedär Rabbah diBreᵓšît* 31 u. ö.

[373] A. M. Honeyman, A Tannaitic Term for the Christians, JQR 38, 1947/8, 151–155, wollte allerdings für tSanh XIII, 5; jSoṭa IX, 17f. 24c; bSoṭa 49b; bMen 99b eine Beziehung zwischen Christen und verpönter griechi-

scher Sprache sowie Denunziantentum konstatieren: "Their loyalty to Israel and the Torah was suspect and their affinities appeared rather to be with the Gentiles."

[374] So mit Recht H. Graetz, Geschichte . . . IV, Leipzig [4]1908, 217, doch erklärte er S. 95 f. die Minim als Christen und postulierte für Jabne eine radikale Scheidung.

[375] A. Schlatter, Paulus, der Bote Jesu, Stuttgart 1934, 332; J. D. M. Derrett, Cursing Jesus (1 Cor 12, 3). The Jews as religious persecutors, NTS 21, 1975, 544–554.

[376] Zu Matthäus siehe D. R. A. Hare, The Theme of Jewish Persecution of Christians in the Gospel according to St. Matthew, Cambridge 1967.

[377] Vgl. dazu schon I. Abrahams, Studies in Pharisaism and the Gospels II, London 1924, 56–71 (v. a. 56 f. 62 f.). Ferner W. H. C. Frend, The Persecutions: Some links between Judaism and the Early Church, Journal of Eccl. History 9, 1958, 141–158.

[378] N. De Lange, Origen and the Jews . . . 47. 84 ff.

[379] H. Tränkl, Q.S. F. Tertulliani Adversus Judaeos, Wiesbaden 1963, lxxiii.

[380] H. Tränkl a. a. O. (Anm. 379).

[381] C. Frend, A Note on Tertullian and the Jews, Stud. Patr. 10, 1970, 291–296.

[382] R. Freudenberger, Das Verhalten der römischen Behörden gegen die Christen im 2. Jahrhundert, dargestellt am Brief des Plinius an Trajan und dem Reskriptum Trajans und Hadrians, München [2]1969.

[383] A. a. O. (Anm. 382) 141–153; ähnlich H. Merkel, Peter's Curse, in: E. Bammel, The Trial of Jesus, London 1970, 66–71.

[384] Text auch bei H. L. Strack, Jesus . . . 8 f.

[385] J. Parkes, The Conflict . . . 79 ff.

[386] S. W. Baron, A Social and Religious History . . . II, 135 hält z. B. die Nachricht für "very likely".

[387] M. G. Kilpatrick, The Origins of the Gospel of St. Matthew, Oxford 1946, 111 ff.; R. Freudenberger, a. a. O. (Anm. 382) 151 f.

[388] Vgl. B. Hulen, JBL 51, 1932, 59 ff. (um 135 n. Chr.!).

[389] P. Benoit etc., Les Grottes de Murabba^{c}at (DJD II), Oxford 1961, 160 (Nr. 43, Zl. 4) und Pl. xlvi. Doch handelt es sich wohl eher um eine jüdische Gruppe, siehe dazu M. Black, The Patristic Accounts of Jewish Sectarianism, JBRL 41, 1959, 295–303 (287).

[390] So H. Graetz, Geschichte . . . IV, [4]1908, 141 f. (allerdings wollte er als Verfolgungsmaßnahme nur die Geißelstrafe gelten lassen); H. Laible, Je-

sus . . . 8 („erbitterter Kampf gegen die Christen"); G. Hoenicke, Das Judenchristentum . . . 244 ff.; J. Bloch, "Outside Books" (s. Anm. 248) 96 ff.; M. Avi-Yonah, Geschichte . . . 142 ff.; Y. Cohen, *P^eraqîm* . . . 123 f. Zu beachten ist in dem Zusammenhang die Angabe bei Euseb, Hist.eccl. IV, 5, 1 f. und V, 12, 1 über den ganz neuen, nämlich heidenchristlichen Charakter der Jerusalemer Gemeinde nach dem Bar Kochbakrieg.

391 H. Last, The Study of the Persecutions, Journal of Roman Studies 27, 1937, 80–92; S. L. Guterman, Religious Toleration and Persecution in Ancient Rome, London 1951; H. Grégoire, Les persécutions dans l'empire Romain, Brüssel 1951; H. Last, Christenverfolgungen, juristisch: Reallexikon für Antike und Christentum II, 1952, 1208–1228, und J. Vogt, Christenverfolgungen, historisch, ebd. 1159–1208; J. Moreau, Die Christenverfolgungen im römischen Reich, Berlin 1961; H. C. Frend, Martyrdom and Persecution in the Early Church, Oxford 1965 (v. a. 178 ff.).

392 S. W. Baron, A Social and Religious History . . . II, ²1952, 167 f.; G. G. Fox, JBR 13, 1945, 83–93; N. De Lange, Origen and the Jews . . . 47. 76 f. 84 f.; H. Tränkl, a. a. O. (Anm. 379) lxxiii; siehe aber auch schon M. Joel, Blicke . . . II, 1883, 15–36; M. Guttmann, Die Umwelt . . . 290 f.

393 Y. Baer, Scripta Hieros. 7, 1961, 79–149; J. E. Seaver, Persecution of the Jews in the Roman Empire, Lawrence 1952; S. Liebermann, Roman Legal Institutions in Early Rabbinics and in the Acta Martyrorum, JQR 35, 1944/5, 1–57 (19 ff.).

394 Frend a. a. O. (Anm. 377).

395 So auch F. M. Young, Temple Cult and Law in Early Christianity, NTS 19, 1973, 325–338 (331 f.); R. Freudenberger a. a. O. (Anm. 382) 147 ff.

396 Zur Ambivalenz der Einschätzung von Verfolgungen vgl. auch oben 1.3.5. zum Zitat Mt 17, 19. Eine fast zelotisch-orthodoxe Interpretation von bAZ 26a–b (dazu s. JvN 141 f.) als halachische Erlaubnis zu Gewalttaten ohne Gerichtsverfahren gegenüber Minim als Judenchristen bietet Y. Shezipanski, *Ham-mînîm* . . .

397 Für die talmudische Zeit siehe v. a. J. Heinemann, Prayer in the Talmud, Berlin/New York 1977, 218 ff., ferner 26 ff. 44 ff. 47 ff. 51 ff., und die Literaturangaben dort.

398 Zusammenstellung des rabbinischen Materials in Str.-B. IV, 208–249.

399 H. L. Strack, Jesus . . . 64 f. (§ 21); vgl. K. Hruby, Die Stellung . . . 22 f. Siehe zum Text v. a. P. Schäfer, Studien . . . 46 ff. Für die homiletische Verwertung des Themas s. J. Mann – I. Sonne, The Bible . . . II, New York 1966, 23 ff. (Tanch. *wjqrᵓ* II bzw. Tanch.B. III; S. 154 note 2).

[400] M. Avi-Yonah, Geschichte . . . 141 f.; V. Aptowitzer, MGWJ 74, 1930, 108 ff.; W. Bacher, Die Agada der Tannaiten I, Strassburg 1903, 83 ff.; E. Bammel, NTS 13, 1967, 330 f.; S. W. Baron, A Social and Religious History . . . II, 135; P. Billerbeck, a. a. O. (Anm. 398); J. Bergmann, Jüdische Apologetik . . . 26 ff.; H. Bietenhard, ThZ 4, 1948, 176 ff.; W. Bousset–H. Gressmann, Die Religion des Judentums im neutestamentlichen Zeitalter, Tübingen ^{4}1966, 177; Y. Cohen, *P^{e}raqîm* . . . 116; C. W. Dugmore, The Influence . . . 2 f.; I. Elbogen, The Universal Jewish Encyclopedia IV, 24; L. Finkelstein, The Development of the Amidah, JQR 16, 1925/6, 1–43. 127–170, repr. in: J. J. Petuchowski, Contributions to the Scientific Study of Jewish Liturgy, New York 1970, 91–177 (109 f.); R. Freudenberger, a. a. O. (Anm. 382) 148 f.; Ch. M. Y. Gevaryahu, *Birkat ham-mînîm*, Sinai 44, 1958/9, 367–75; L. Goppelt, Christentum und Judentum . . . 153 ff.; H. Graetz, Geschichte . . . IV, ^{4}1908, 60 f. 66. 96 f. 401 f.; R. T. Herford, Christianity . . . 125 ff. 381 ff.; K. Hruby, Die Stellung . . . 22 f.; A. Z. Idelsohn, Jewish Liturgy and its Development, repr. New York 1967 (1932), 102 f.; K. Kohler, The Origins . . . (1924) 401 f.; S. Krauss, Zur Literatur . . . (1925) 125; K. G. Kuhn, Giljonim . . . 36 f.; E. Lerle, NT 10, 1968, 32 ff.; M. Liber, Structure and History of the Tefillah, JQR 40, 1949/50, 331–357 (348 ff.); G. F. Moore, The Definition . . . 111 f.; J. Parkes, The Conflict . . . 79 ff.; B. Pick, Jesus . . . 62 ff. (gar vor 70 n. Chr.!); E. Schürer, Geschichte . . . II, 543–45; Y. Shezipanski, a. a. O. (Anm. 396) 346 f. (Minim als Judenchristen und zugleich *malšînîm* – Verleumder bei Nichtjuden); M. Simon, Verus Israel, Paris ^{2}1964, 235 f.; H. L. Strack, Jesus . . . 64 ff.

[401] I. Elbogen, Geschichte des Achtzehngebets, MGWJ 46, 1902, 353 ff.; ders., Der jüdische Gottesdienst . . . 36 f.; G. Forkman, a. a. O. (Anm. 363) 90 ff.; J. Heinemann–A. Shinan, *T^{e}fillat haq-qäba^{c} w^{e}ha-ḥôbah šäl šabbat w^{e}jm ḥôl,* Tel Aviv 1977, 26. 36 f. 61 f.; J. Heinemann, J. J. Petuchowski, Literature of the Synagogue, New York 1975, 32 ff.; R. Posner–U. Kaplan–Sh. Cohen, Jewish Liturgy, Jerusalem 1975, 83 f.; E. Schwaab, Historische Einleitung in das Achtzehngebet, Gütersloh 1913, 146; E. Werner, The Sacred Bridge, London 1959, 236 f. (mit Annahme byzantinischer Gegenmaßnahmen).

[402] Vgl. die vorsichtige Formulierung bei G. Dalman, Die Worte Jesu, Leipzig 1930, 288; ferner s. S. Liebermann, *Hat-Tôsefta$^{\supset}$ kifšûṭah, Sedär Z^{e}ra^{c}îm* I, New York 1955, 53 f.; A. Marmorstein, Religionsgeschichtliche Studien . . . 46–57; P. Schäfer, Studien . . . 48 f.; E. Schürer, The History of the Jewish People . . . II, 462 f.

[403] S. Schechter, Genizah Specimens, JQR o. s. 10, 1898, 656 f., repr. in: J. J. Petuchowski, Contributions to the Scientific Study of Jewish Liturgy, New York 1970, 373–378; dazu kommt ein weiteres Textzeugnis, aber von 1426, Ms. Oxford Bodl. 2095 für den Sedär R. Amram Gaon, s. S. D. Hedegard, Sedär R. Amram Gaᵓon I, Lund 1951, 93 (mittlere Spalte).

[404] Von den in Anm. 400 aufgeführten siehe: S. W. Baron, P. Billerbeck, W. Bousset–H. Gressmann, Y. Cohen, C. H. Dugmore, R. Freudenberger, Ch. M. Y. Gevaryahu, K. Hruby, A. Z. Idelsohn, S. Krauss, K. G. Kuhn, B. Pick, E. Schürer (aber mit der Einschränkung, daß es sich nicht um den „Urtext" handle!); M. Simon, H. L. Strack. Ferner s. H. Hirschberg, JBL 62, 1943, 77 f. (*mînîm* = paulinische Christen, *noṣᵉrîm* = Judenchristen); C.-H. Hunzinger, a. a. O. (Anm. 363) 167; J. Mann, HUCA 4, 1927, 253. 277 f.

[405] M. Avi-Yonah, Geschichte . . . 141 f. (dagegen ohne Begründung Y. Cohen, *Pᵉraqîm* . . . 116 f.); M. Friedländer, Die religiösen Bewegungen . . . 223; D. Hedegard, a. a. O. (Anm. 403) 94; G. Hoenicke, Das Judenchristentum . . . 386 ff.; I. Jocz, The Jewish People and Jesus Christ, London 1949, 57; M. Liber, a. a. O. (Anm. 400) 348 f.; J. Maier, Geschichte der jüdischen Religion, Berlin 1972, 145 f.; P. Schäfer, Studien . . . 48 f.; E. Schürer, a. a. O. (Anm. 404); E. Schwaab, a. a. O. (Anm. 401) 150 ff.

[406] Justin, Dialogus 16; 47; 93; 95; 103; 117; 133; 137; Origenes, In Ps XXXVII (XXXVI) hom. II, 8 (MPG XII, 1387); In Matth. XVI, 3 (CLS X, 469); Hieronymus, Ad Is 5, 18 f.; Ad Is 49, 7; Ad Is 52, 4 ff.; Epiphanius, Pan. 29, 9. Darüber s. auch S. Krauss, JQR o. s. 5, 1893, 130 ff., der von daher schloß, daß der Gebetstext den Ausdruck *noṣᵉrîm* enthalten haben müsse. Doch gerade Epiphanius weicht mit der Formulierung „. . . möge Gott die Nazarener verfluchen" erheblich von den bekannten hebräischen Fassungen ab. Später s. S. Krauss, Imprecation against the Minim, JQR o. s. 9, 1897, 515–517, wo er auf Jalquṭ Shim. II § 1054 verwies, wo in einem Teil der Textüberlieferung der Hinweis auf eine Verfluchung der Feinde als *zedîm* enthalten ist (Dt 33, 29), aber nach dem Gebet, was den Kirchenväter-Zeugnissen besser entspricht. Vgl. auch ders., Zur Literatur der Siddurim . . . 126 ff.

[407] So wohl mit Recht E. Schwaab, a. a. O. (Anm. 401) 150 f.

[408] Vgl. H. Graetz, a. a. O. (Anm. 400) 96 f. 401 f.; B. J. Jacobson, The Weekday Siddur, Tel Aviv 1973, 237 ff.; E. Munk, Die Welt der Gebete I, Frankfurt ²1935, 176 ff.

[409] Siehe JvN Register S. 350; ferner S. Krauss, Zur Literatur der Siddurim . . . 138 f. (Anm. 5); M. Liber, a. a. O. (Anm. 400) 349 f. mit Hinweis

auf bTaan 27b als einzigen talmudischen Beleg (dazu s. unten 4.4.2.3.); S. Krauss, JQR o. s. 5, 1893, 132 vermutete hingegen, daß das Wort aus anderen talmudischen Stellen herauszensuriert worden sei.

[410] Vgl. die Beispiele bei P. Schäfer, Studien ... 48 ff. und die Fassungen bei D. Goldschmidt, *Mäḥqᵉrê tᵉfillah û-Pijjûṭ*, Jerusalem 1979, 130 (Machzor Worms), 159 (Rom), 199 (Maimonides), 291 (sefard. 15. Jh.); 305 f. (sefard. Druck).

[411] Auch J. Neusner, A History ... II, Leiden 1966, 74 meinte, Rab sei gegen Judenchristen im Synagogengottesdienst gewesen.

[412] Dies bereitete P. Billerbeck in Str.-B. IV, 218 f. eine große Verlegenheit, und daher entschloß er sich zu einer abenteuerlichen Erklärung im Anschluß an Justin, Dial. 137 (Verspotten Christi nach dem Gebet).

[413] E. E. Hallevi, *Ha-ᵓAggadah ha-hîsṭôrît-bijôgrafît*, Tel Aviv 1975, 301 f. mit Hinweisen auf vergleichbare öffentliche Verfluchungspraktiken – aus politischen Gründen – in Athen.

[414] Für das Achtzehngebet rekonstruierte eine solche K. G. Kuhn, Achtzehnbittengebet, Vaterunser und der Reim, Stuttgart 1950, doch in keiner Weise überzeugend.

[415] Dazu siehe v. a. J. Heinemann, Prayer in the Talmud, Berlin 1977.

[416] K. Kohler, The Origin ... 271 f. dachte an christlich-gnostische Häretiker, die im Judentum zu agitieren suchten.

[417] Zur Orientierung siehe die Angaben bei J. Maier, Geschichte der jüdischen Religion, Berlin 1972, 130 ff., 151, Anm. 77 und das Register S. 609 (s. v. Liturgie), ferner vor allem die Werke von Dugmore und Werner (s. Bibliogr.).

[418] Außer den Angaben in Anm. 417 siehe v. a.: S. W. Baron, A Social and Religious History ... II, ²1952, 134 f.; J. Bergmann, Artikel ›Gebräuche‹, EJ VII, Berlin 1931, 138–145; I. Elbogen, Der jüdische Gottesdienst ... 252 ff.; J. Jacobson, *Nᵉtîb Bînah* I, Tel Aviv ³1968, 89 f.; E. Lerle, NT 10, 1968; Z. Markon, *Hat-Talmûd* ... 173 ff.; H.-L. Strack, Jesus ... 64 ff.

[419] M. Zulay, Piyyute Yannai, Berlin 1938, Qerobah Nr. 84 zu Num 8, 1 (S. 189) Zl. 22: „Die Lichter Edoms strahlen über einen Toten, die Lichter Zions sind vergessen wie ein Toter"; Qerobah Nr. 132 zu *Jôm Kippûr* (S. 339) Zl. 210 und eventuell Zl. 213. Zum Motiv s. auch St. Gero, Jewish Polemic in the Martyrium Pionii and a Jesus Passage from the Talmud, JJSt 29, 1978, 164–168; J. Maier, JvN 94 ff.

[420] M. Zulay, *Mäḥqᵉrê Jannaj, Jᵉdîᶜôt ham-makôn lᵉḥeqär haš-šîrah ha-ᶜibrît* 2, Berlin 1936, 269 f.; S. Liebermann, *Ḥazzanût Jannaj*, Sinai 4,

1938/9, 221–250 (224 f.), Z. M. Rabinowitz, *H^{a}lakah w^{eɔ}aggadah b^{e}Pijjûṭê Jannaj,* Tel Aviv 1965, 30 f.; Y. Baer, *Pešär Ḥ^{a}baqûq ûtqûfatô*, Zion 34, 1968/9, 1–42 (36). Gegen Y. Baer siehe E. Fleischer in: *^{c}Ijjûnîm bib^{c}ajôt tafqîdam hal-lîṭûrgî šäl sûgê hap-pijjût haq-qadûm,* Tarbiz 40, 1970/1, 41–63 (60 f.), der darauf verwies, daß die gezielt antichristliche Note erst nachzuweisen sei.

[421] J. Maier, *Hap-pijjûṭ „Ha-ɔôm^{e}rîm l^{e}kîlaj šô^{ac}“ w^{e}hap-pûlmûs ha-ɔanṭî-nôṣrî,* in: Studies in Aggadah, Targum and Jewish Liturgy in Memory of J. Heinemann, Jerusalem 1981, hebr. 100–110.

[422] Wobei J. Schirmann, *L^{e}tôl^{e}dôt haš-šîrah w^{e}had-dramah ha-^{c}ibrît* I, Jerusalem 1979, 63 f., einen Einfluß heidnischer antichristlicher Polemik in Erwägung zog.

[423] Was z. B. bei E. Lerle, NT 10, 1968, überhaupt nicht der Fall ist.

[424] Zur Einschätzung der Sonne siehe J. Maier, Die Sonne im religiösen Denken des antiken Judentums, ANRW II, 19/1, Berlin 1979, 346 bis 412.

[425] Zum Ganzen siehe J. Dölger, Sol Salutis, Münster ^{2}1925, 44 ff. und (im Blick auf das Judentum) 181 ff.

[426] A. Goldberg, Untersuchungen über die Vorstellung von der Schekhinah in der frühen rabbinischen Literatur, Berlin 1969, 368–370.

[427] M. Dreifuß, LBdO 7, 1844, 620 f.; M. Grünebaum, Gesammelte Aufsätze zur semitischen Sprach- und Sagenkunde, Berlin 1901, 451 f. (Judenchristen!); R. T. Herford, Christianity . . . 332 f. (unsicher, eventuell persische Feueranbeter); B. Pick, Jesus . . . 69; H.-J. Schoeps, Theologie und Geschichte . . . 141 (Heidenchristen, da Judenchristen ja Jerusalem-orientiert!).

[428] R. N. N. Rabinowicz, *Ma^{ɔa}mar* . . . 67; S. Krauss, Das Leben Jesu . . . 284.

[429] I. Epstein, The Babylonian Talmud, Seder Neziḳin II, London 1935, 125, note 7; “Jewish sectaries, here probably a sect of Jewish fire-worshippers”, vgl. Herford a. a. O. (Anm. 427).

[430] J. Guttmann, MGWJ 42, 1898, 342; R. T. Herford, Christianity . . . 199 ff.; B. Pick, Jesus . . . 68.

[431] A. Marmorstein, The Unity . . . HUCA 1, 1924, 488 (anti-gnostisch).

[432] Vgl. die vorsichtige Deutung von L. Tetzner, Megilla, Berlin 1968, 130 f.; A. Nissen, Gott und der Nächste im antiken Judentum, Tübingen 1974, 12 f.

[433] A. F. Segal, Two Powers . . . 103 f. (gegen ‚die Guten‘ als Gnostiker; vgl. Baruchbuch des Justin!).

[434] H. Graetz, Geschichte . . . IV, 61908, 97.

[435] S. Anm. 430; ferner H.-J. Schoeps, Theologie und Geschichte . . . 281 („die Guten“ = Ebioniten); K. Hruby, Die Stellung . . . 24 („die Guten“ = Christen, die ihren Glauben an Christus so rechtfertigen).

[436] L. Ginzberg, A Commentary on the Palestinian Talmud, IV, New York 1961, 275, dachte dennoch an Christen und verwies auf I Kor 9, 9, wo er die gerügte Interpretation zu finden suchte; doch dort läuft die Argumentation umgekehrt: Gott kümmert sich nicht um die Ochsen, wohl aber um die Menschen, trotz Dt 25, 4; in der Gemara wird aber die Ansicht gerügt, daß Gott sich zwar (noch) um ein Vogelnest, nicht aber um (bestimmte) Menschen kümmere, eine differenzierte Providenz walten lasse und somit nach der bGemara „Eifersucht“ unter den Geschöpfen aufkommt. Zur Diskussion um das Providenz-Problem siehe auch die Serien von gerügten Ansichten in Tanch.B. *nś*ᵓ 30–31.

[437] G. Quispel, Gnostic Studies I, Istanbul 1974, 18, verwies auf Nag Hammadi Codex I (Jung)/5 (Tractatus Tripartitus), wo eine jüdische Sekte erwähnt wird, nach der Gott Gutes wie Böses wirke.

[438] A. F. Segal, Two Powers . . . 100f.

[439] Siehe auch L. Tetzner, Megilla, Berlin 1968, 130f.

[440] Anders A. F. Segal, Two Powers . . . 153, der auf Didache 82 verweist, wo in einer Benediktion auch Jesus erwähnt wird; dies führte bereits I. Elbogen, Der jüdische Gottesdienst . . . 253 an, u. zwar mit der Annahme, ursprünglich habe statt *kûtî* (Samaritaner) *mîn* im Text gestanden, worunter er „Christ“ verstand.

[441] A. Altmann, Olam und Aion, Festschrift Jakob Freimann, Berlin 1937, 1–14 (10); P. Schäfer, Studien . . . 245f.

[442] In diesem Fall selbst R. T. Herford, Christianity . . . 313; ferner Z. Lauterbach, JQR 6, 1915/6, 314 (wollte überhaupt *ṣaddûqîm* statt *mînîm* lesen).

[443] S. J. Isser, The Dositheans, Leiden 1976, 89f.

[444] A. Marmorstein, The Unity . . . 488.

[445] H. Graetz, Geschichte . . . IV, Leipzig 41908, 421–424 (nach 135 n. Chr.); E. Werner, The Sacred Bridge . . . 278f.

[446] H. Hirschberg, JBL 62, 1943, 83f.: Paulus hätte eher eine präsentische Eschatologie vertreten, daher konnte er als Leugner der traditionellen jüdischen Heilshoffnung gelten.

[447] H. Graetz, a. a. O. (Anm. 445) 423f.: weil Christen im Namen Jesu bzw. mit *kyrios* grüßten. H. Hirschberg, JBL 67, 1948, 306.

[448] Vgl. H.-L. Strack, Jesus . . . 50f. („sicher nicht Christen“). Zweifel-

haft ist jedoch auch, ob hier vorchristliche Minim gemeint sind, wie M. Friedländer, REJ 38, 1898, 194f., dachte.

[449] S. Zeitlin, The Am Ha-Arez, JQR 23, 1932/3, 45–61 (S. 58 zu bBer 47b mit Verweis auf Mt 23, 5 und Justin, Dial. 46: Maßnahmen nach dem Bar-Kochba-Aufstand).

[450] Vgl. auch bSoṭa 22a; siehe auch B.-Z. Bokser, Pharisaic Judaism in Transition, New York 1935, 67f.

[451] Zum Text s. P. Schäfer, Studien ... 104ff. 110ff.

[452] E. Lerle, NT 10, 1968, 37.

[453] S. S. Cohon, HUCA 26, 1955, 438ff., und 447ff. für die Frontstellung gegenüber dem gnostischen Dualismus, 467ff. gegenüber Christologie und Trinitätslehre. Zum *Š^{e}maʿ* speziell auch J. Mann, HUCA 4, 1927, 245–261 (252f.; während byzantinischer Religionsverfolgungen, v. a. unter Heraclius 629ff. n. Chr.).

[454] Zur Responsion selbst s. I. Elbogen, Der jüdische Gottesdienst ... 22. 26. 495; EJ IV, Jerusalem 1971, 284f.; J. Heinemann, Prayer in the Talmud, Berlin 1977, 109f. 125. 127f. 134f. Umfassendere Behandlungen: A. Büchler, Die Priester und der Cultus im letzten Jahrzehnt des Jerusalemer Tempels, Wien 1895, 175f.; V. Aptowitzer, Geschichte einer liturgischen Formel, MGWJ 73, 1929, 93–118; E. Werner, The Doxology in Synagogue and Church, HUCA 19, 1945/6, 295–351 (282–289); A. Heilperin, *ʾ^{a}mîrat „Barûk šem k^{e}bôd malkûtô l^{e}ʿôlam wa-ʿäd“ biqrîʾat Š^{e}maʿ*, Ture Jeshurun 4/29, 1971/2, 23–25.

[455] M. Friedländer, Der Antichrist ... 51f.

[456] R. T. Herford, Christianity ... 308ff. (v. a. 311f. 314: in Jabne!); Z. Markon, *Hat-Talmûd* ... 174 (gegen die Trinitätslehre); E. Lerle, NT 10, 1968, 36; E. E. Urbach, *ḤZ"L* ... 348f.; E. Werner, a. a. O. (Anm. 454) 282f. 286f. (gegen Trinitätslehre).

[457] Siehe J. Mann, a. a. O. (Anm. 453) 282 (mit Text).

[458] St. Hahn, Sifre Minim ... 431; A. Marmorstein, Religionsgeschichtliche Studien I, 75f.

[459] H.-J. Schoeps, Theologie und Geschichte ... 179 (Konzession an die ebionitische Theorie von den falschen Perikopen?). 226 (Polemik gegen aaronidische Priesterschaft).

[460] Vgl. sogar R. T. Herford, Christianity ... 316. Im übrigen polemisiert bMeg 25b nur mehr gegen Götzendienst im eigentlichen Sinne, vgl. dazu S. Liebermann, Hellenism ... 115f.; L. Tetzner, Megilla, Berlin 1968, 134.

[461] Gegen H. Hirschberg, JBL 62, 1943, 85 (mit Verweis auf Hebr. 7, 21; 9, 7) und JBL 67, 1948, 314f.

[462] Anders H.-J. Schoeps, a. a. O. (Anm. 459) 226; H. Hirschberg, a. a. O. (Anm. 461).

[463] Siehe oben 1.2.4.4. und Anm. 93–94.

[464] H. Schneider, Der Dekalog in den Phylakterien von Qumran, BZ 3, 1959, 18–31; G. Vermes, Pre-Mishnaic Worship and the Phylacteries, VT 9, 1959, 65–72; K. G. Kuhn, Phylakterien aus Höhle 4 von Qumran, Heidelberg 1957; Y. Yadin, Tefillin from Qumran, Jerusalem 1969; M. Baillet, Nouveaux phylactères de Qumran (xQ Phyl 1–4), RQ 7, 1970, 403–415; J. T. Milik in: Qumran Grotte 4, vol. II, Oxford 1977, 34 ff.

[465] V. Aptowitzer, L'usage de la lecture quotidienne du Décalogue à la Synagogue et l'explication de Matthieu 19, 16–19 et 22, 35–40, REJ 88, 1929, 167–170; J. Mann, Genizah Fragments of the Palestinian Order of Service, HUCA 2, 1925, 269–338 (S. 283 f.); ders., HUCA 4, 1927, 288 ff.

[466] M. Joel, Blicke . . . I, 35 f.; H. T. Herford, Christianity . . . 308 ff.; B. Pick, Jesus . . . 66 f.; Z. Markon, *Hat-Talmûd* . . . 171; W. O. E. Oesterley, The Jewish Background of the Christian Liturgy, Oxford 1925, 81 f.; I. Elbogen, Der jüdische Gottesdienst . . . 242. 236; L. Ginzberg, a. a. O. (Anm. 436) I, 167; H. Hirschberg, JBL 62, 1943, 82; ders., JBL 67, 1948, 314 ff.; R. M. Grant, The Decalogue in Early Christianity, HThR 40, 1947, 1–17; H.-J. Schoeps, Theologie und Geschichte . . . 180 ff. (Judenchristen); S. W. Baron, A Social and Religious History . . . II, ²1958, 134 ff. 380 f.; S. Jacobson, *Neᵉtîb Bînah* I, Tel Aviv ³1968, 54 f. 87 ff. (93); E. Lerle, NT 10, 1968, 34 f.; G. Vermes, The Decalogue . . . (Forschungsgeschichte!); E. E. Urbach, *ḤZ"L* 15.349 f.; K. J. Thomas, Liturgical Citations in the Synoptics, NTS 22, 1975, 205–214; F. Dexinger, Die Sektenproblematik . . . 279 f. (eventuell auch Samaritaner!); Y. Cohen, *Pᵉraqîm* . . . 1978, 120 f.

[467] K. Berger, Die Gesetzesauslegung Jesu I, Neukirchen 1972, 138 ff. (50 ff. NT; 271 ff. Samaritaner).

[468] Darüber siehe die eingehende Untersuchung von G. Vermes, The Decalogue . . .; ferner K. Berger, a. a. O. (Anm. 467) 15 ff. 258 ff. Vgl. auch die Behauptung, die Tora sei durch Engel gegeben worden: Gal 3, 19; Act 7, 53 (vgl. 7, 38).

[469] G. F. Moore, Judaism I, 291 (und notes 64, p. 95 f.) dachte zwar auch, es seien möglicherweise Christen, sah sich aber zu einer näheren Begründung außerstande. J. Mann, HUCA 2 (s. Anm. 465) 283 f. vermutete gnostische Tendenzen (im Sinne von mSanh X, 1: die Tora ist nicht vom Himmel). Hingegen bezog Ch. M. Y. Gevaryahu, *Birkat ham-Mînîm*, Sinai 44, 1958/9, 367–375 (371 f.), die Stelle auf Sadduzäer.

[470] J. Mann, a. a. O. (Anm. 465) 283; K. Berger, a. a. O. (Anm. 467) 177ff. (Synoptiker).

[471] Anders z. B. W. O. E. Oesterley, a. a. O. (Anm. 466); H.-J. Schoeps, a. a. O. (Anm. 466); F. Dexinger, a. a. O. (Anm. 466), doch ohne ausreichende Begründung.

[472] Auch A. Marmorstein, Jeschurun 12, 1925, 40ff. und HUCA 10, 1935, 187ff., nahm an, die Christen hätten eine ältere Tendenz aufgegriffen.

[473] J. Mann–I. Sonne, The Bible . . . II, New York 1966, 188 (zum hebr. Text S. 186).

[474] A. a. O. (Anm. 473) 239, note 19.

[475] Zur Sache s. E. E. Urbach, IEJ 9, 1959, 239f. ders., Eretz Israel 5, 1958, 192ff.; J. Maier, JvN 139.

[476] J. Buxtorf, Lexicon Hebraicum et Chaldaicum, Basel 1639, 1467f. (festa Christianorum).

[477] Siehe die in JvN 276, Anm. 8 genannten Hilfsmittel; ferner zur Stelle auch Ch. Merchavia, The Church . . . 332; E. E. Urbach, IEJ 9, 1959, 245.

[478] Raschi erklärt ausdrücklich, daß nach R. Jischmael drei Tage vor und drei Tage nach dem Festtag der Jesus-Anhänger als verboten gelten, somit die ganze Woche bzw. überhaupt jeder Geschäftsverkehr unterbunden sein sollte. „Tag vier" und „Tag fünf" erklärt er demgemäß als Wochentage, allerdings ohne Erklärung des Verhältnisses zum Kontext. Ähnlich noch einmal zu 7b.

[479] Ch. Merchavia, The Church . . . 332ff.

[480] Vor allem Z. Markon, *Hat-Talmûd* . . . 172; A. Mishcon in I. Epstein, The Babylonian Talmud, Seder Neziḳin IV, London 1935, 24; E. E. Urbach, IEJ 9, 1959, 245; M. Avi-Yonah, Geschichte . . . 144 (nach dem Bar-Kochba-Krieg!); J. Neusner, A History . . . II, 1966, 74. Vorsichtiger äußerten sich H. L. Strack, Jesus . . . 78; J. Z. Lauterbach, Jesus . . . 568; R. T. Herford, Christianity . . . 171f.

[481] So z. B. A. Mishcon a. a. O. (Anm. 480) im Anschluß an Raschi.

[482] Für die Zeit vor 70 n. Chr. kann selbstverständlich nicht angenommen werden, daß die christliche Sonntagsfeier Aufmerksamkeit in diesem Sinne erregte, selbst für die tannaitische Zeit ist dies noch lange fraglich. Siehe über die Feier des Sonntags P. Cotton, From Sabbath to Sunday, Bethlehem/Pa. 1933; S. Bacchiocchi, A Historical Investigation of the Rise of Sunday Observance in Early Christianity, Rom 1977; R. Goldenberg, The Jewish Sabbath in the Roman World up to the Time of Constantine the Great, ANRW II, 19/1, Berlin 1979, 414–447. Z. Markon, *Hat-Talmûd* . . . 171, meinte gegen alle Evidenz, es handle sich um eine Reminiszenz aus der Zeit des Tem-

pels, während S. W. Baron, A Social and Religious History . . . II, ²1952, 134 (und s. 380 note 6) mit Recht an der „Historizität" zweifelt.

[483] H. (Z.) Malter, The Treatise Taᶜanit of the Babylonian Talmud, Philadelphia 1928 (²1967) 424 f., ließ nicht einmal anklingen, daß die Textüberlieferung fragwürdig ist.

[484] Siehe wieder Raschi z. St., vorher auch schon Gerschom b. Jehuda. Z. Markon, *Hat-Talmûd* . . . 171, übernahm diese Deutung und sah in der Stelle gar einen Beleg für die Duldsamkeit der Juden gegenüber den Christen.

[485] J. Z. Lauterbach, Jesus . . . 567 f. ("The Christians who observe the Sunday") und s. die folgenden Anm. 486, 487, 489, 490.

[486] Vgl. z. B. H. L. Strack, Jesus . . . 78; R. T. Herford, Christianity . . . 173 wunderte sich zu Recht darüber, warum die Minim nicht genannt werden, da er darunter ja fast stets Christen verstand; B. Pick, Jesus . . . 66.

[487] O. Ben Ifa, Massekhet Soferim, Dison o. J. 195, übersetzt: « . . . de ne pas donner aux chrétiens ces gens qui pratiquent un culte idolâtre, l'occasion de nous faire ce reproche: Voyez parce que nous nous rejouissons au premier jour de la semaine, ceux-là vont se mettre à jeuner! » Übrigens fehlt der Name des R. Jochanan hier.

[488] H.-J. Schoeps, Theologie und Geschichte . . . 139 f. (ganz unsicher, ob Juden- oder Heidenchristen).

[489] Vgl. S. Mayer, Das Fasten am Sonntag, LBdO 7, 1846, 619 f., der im Unterschied zu Späteren die Problematik des Verhältnisses zu Mischna und jTalmud bereits erkannt hat.

[490] V. Aptowitzer, Bemerkungen zur Liturgie und Geschichte der Liturgie, MGWJ 74, 1930, 104–126 (110 f.: es ging darum, gerade durch Nichtfasten die Nichtanerkennung des Sonntags zu demonstrieren); ähnlich S. W. Baron, A Social and Religious History . . . II, ²1952, 134.

[491] Vgl. S. Mayer, a. a. O. (Anm. 489).

[492] Vgl. z. B. M. Lazarus, Die Ethik des Judentums, I Frankfurt 1904, 271 ff.; II, 1911, 134 ff.; T. Weiss-Rosmarin, Judaism and Christianity. The Differences, New York ⁵1965 (1943), 65 ff.

[493] So L. Löw, Gesammelte Schriften I, Szegedin 1889, 101 f.; Z. Markon, *Hat-Talmûd* . . . 23 ff. 480 f.; E. E. Urbach, Zion 16, 1950/1, 1–27.

[494] Zum Überblick siehe EJ V, Jerusalem 1971, 268 f.; J. Maier, TRE IV, Berlin 1979, 80–85. 199–204. Ferner E. Stiegmann, Rabbinic Anthropology, ANRW II, Bd. 19/2, Berlin 1979, 487–579 (551); E. E. Urbach, *ᵓAsqezîs wᵉjissûrîn bᵉtôrat ḤZ"L*, Sefär Jobel Y. Baer, Jerusalem 1961, 48–68; ders., *ḤZ"L* . . . 340 ff.

[495] G. Kretschmar, Ein Beitrag zur Frage nach dem Ursprung frühchrist-

licher Askese, ZThK 61, 1964, 26–67; P. Nagel, Die Motivierung der Askese in der alten Kirche und der Ursprung des Mönchtums, Berlin 1966; H. Baltensweiler, Die Ehe im Neuen Testament, Stuttgart/Zürich 1967; R. Gryson, Les origines du célibat ecclésiastique, Gembloux 1968; K. S. Frank (Hrsg.), Askese und Mönchtum in der Alten Kirche, Darmstadt 1975; K. Niederwimmer, Askese und Mysterium, Göttingen 1975.

[496] A. Vööbus, History of Asceticism in the Syrian Orient, Louvain 1958; S. P. Brock, Early Syrian Ascetics, Numen 20, 1973, 1–19.

[497] H.-J. Schoeps, Ehebewertung und Sexualmoral der späteren Judenchristen, Stud. Theol. 2, 1948, 99–101; ders., Theologie und Geschichte ... 188ff. (Fleischgenuß-Ablehnung). 196ff. (Armut); E. Peterson, Frühkirche ... 209ff.; G. Quispel, L'Évangile selon Thomas et les origines de l'ascèse chrétienne, in: Aspects du Judéo-Christianisme, Paris 1965, 35–51; M. Black, The Tradition of Hasidean-Essene Asceticism: Its origin and influence, in: a. a. O. 19–32.

[498] J. Neusner, Aphrahat ... 131f.; G. Richter, ZNW 35, 1936, 101–114; S. Brock, Jewish Tradition in Syriac Sources, JJSt 30, 1979, 212–32 (226).

[499] So E. Lerle, NT 10, 1968, 41 in bezug auf mGiṭṭ IX, 10 in Antithese zu Mt 5, 32; 19, 9; Mk 10, 11; Lk 16, 18; noch mehr in bGiṭṭ 90b.

[500] K. Koschorke, Die Polemik der Gnostiker ... 45f.; K. Rudolph, Die Gnosis, Göttingen 1975, 263ff.

[501] L. Ginzberg, MGWJ 43, 1899, 409–16. 461–70.

[502] I. Lévi, Le péché originel dans les anciennes sources juives, Paris 1907 (REJ 56, 307ff.); A. Marmorstein, Les Rabbins et les Evangiles, REJ 92, 1932, 31–54; E. E. Urbach, *ḤZ"L* ... 371ff.; S. S. Cohon, Original Sin, HUCA 21, 1948, 275–330.

[503] S. Liebermann, Shkiin, Jerusalem ²1970, 7f.

[504] Doch siehe H. Basser, Tannaitic References to Christian Fast Days, Tradition 16/1, 1976, 134–140.

[505] Vgl. B. Blumenkranz, ThZ 4, 1948, 145ff.: Erst im Mittelalter wird das Ziel der Polemik wirklich deutlich; J. Maier, Artikel „Bilder", TRE VI, Berlin 1980.

[506] G. Hoenicke, Das Judenchristentum ... 399f.; B. Pick, Jesus ... 84 (Mt 6, 6); L. Jacobs, A Jewish Theology, London 1973, 246f.

[507] Z. Markon, *Hat-Talmûd* ... 29; M. Dreifuß, LBdO 5, 1844, 205. Vgl. vorige Anm., ferner s. J. Blumenstein, Talmud und Tertullian, Das jüdische Literaturblatt 8, 1879, 99 (zu bSanh 98a); zu bSanh 101a siehe JvN 61f.

[508] G. D. Cohen, Esau as Symbol in Early Medieval Thought, in: A. Altmann, Jewish Medieval and Renaissance Studies, Cambr./Mass. 1967, 18–48.

[509] J. G. Gager, The Dialogue of Paganism with Judaism: from Bar Cochba to Julian, HUCA 44, 1973, 89–118; N. N. Glatzer, The Attitude to Rome in the Amoraic Period, VIth WCJSt II, Jerusalem 1976, 9–19; A. H. Cutler, Third-Century Palestinian Attitudes towards the Prospect of the Fall of Rome, Jewish Social Studies 31, 1960, 275–285.

[510] Zu Bileam s. JvN, Register. Für hier s. J. R. Baskin, Reflections of Attitudes towards Gentiles in Jewish Exegesis of Jethro, Balaam and Job, Diss. Yale Univ. 1976; J. Bravermann, Balaam . . .; J. Heinemann, *ʾAggadôt w^{e}tôl^{e}dôtêhän,* Jerusalem 1974, 119ff.; E. E. Urbach, Tarbiz 25, 1955/56, 272ff.; ders., *ḤZ“L* . . . 119f.

[511] M. Guttmann, Das Judentum . . . 98ff.; A. Kirshenbaum, *Hab-b^{e}rît ʿim b^{e}nê-Nô^{a}ḥ mûl hab-b^{e}rît b^{e}Sînaj,* Dine Israel 6, 1975/6, 31–48; U. Fixler, The Seven Commandments of the “Sons of Noah”, MA-Arbeit Bar-Ilan-University, Ramat Gan 1976.

[512] J. Heinemann, *ʾAggadôt w^{e}tôl^{e}dôtêhän,* Jerusalem 1974, 117–129. 167ff.

[513] M. Guttmann, Das Judentum . . . 189ff. (bSanh 59a: Verbot des Torastudiums für Nichtjuden); A. Marmorstein, The Background . . . 62f. (Lam.R. II, 9); E. E. Urbach, *ḤZ“L* . . . 490 (Lev.R. V, 7; R. Isaak); J. Heinemann, a. a. O. (Anm. 512) 119f. (Mekilta RJ *bḥwds* IX, R. Natan).

[514] E. E. Urbach, Tarbiz 17, 1945/6, 1–11; P. Schäfer, Die Vorstellung vom Heiligen Geist in der rabbinischen Literatur, München 1972, 76f. 89ff. 143ff. Vgl. insbesondere Lev.R. 1, 12(–13), dazu J. Heinemann, a. a. O. (Anm. 512) 121 (seit dem Bau des Zeltheiligtums gab es für die Völker keinen Hl. Geist mehr) und Lev.R. 1, 14, dazu M. Goldstein, Jesus . . . 135f.; A. M. Goldberg, Untersuchungen über die Vorstellung von der Schekhinah in der frühen rabbinischen Literatur, Berlin 1969, 329f.; K. Hruby, Die Stellung . . . 67f.

[515] J. Heinemann, a. a. O. (Anm. 512) 121 (jSoṭa V, 8f. 20d; vgl. Lev.R. 1, 13); Z. Markon, *Hat-Talmûd* . . . 470f. (Mekilta *bḥwds* II zu Ex 19, 3–9).

[516] J. Heinemann, a. a. O. (Anm. 512) 106ff. 119ff.; P. Schäfer, a. a. O. (Anm. 514) 40ff.; ders., Rivalität zwischen Engeln und Menschen, Berlin 1975, 207ff.

[517] T. W. Manson, The Argument from Prophecy, London 1964; E. E.

Urbach, Tarbiz 17, 1945/6; N. De Lange, Origen . . . 71 ff.; G. Dautzenberger, Urchristliche Prophetie, Stuttgart 1975. Für das Judenchristentum s. H.-J. Schoeps, Theologie und Geschichte . . . 159 ff.; G. Strecker, Das Judenchristentum . . . 145 ff. 175 ff.

518 B. J. Bamberger, Revelations of Torah after Sinai, HUCA 16, 1941, 97–114; N. Gelber, *Tôrat han-n^e^bû^ah bat-Talmûd, Sefär haš-Šanah liJhûdê ^Amerîqah* 1941/2, 149–166; N. N. Glatzer, A Study of the Talmudic Interpretation of Prophecy, Review of Religion 10, 1946, 115–137; J. W. Bowman, Prophets and Prophecy in Talmud and Midrash, Evangel. Quarterly 22, 1950, 107–114. 203–220. 255–275.

519 Eine Prophetie-Abwertung mit antichristlicher Tendenz fand E. E. Urbach, *ḤZ"L* . . . 271 f. in jAZ II, 8 f. 41c; jBer I, 7 f. 3b; bBer 34b (mit Verweis auf Joh 4, 47–54!); Gen.R. 82, 5; Midrasch Aggadah IX u. ö.; à la Urbach auch Y. Cohen, *P^e^raqîm* . . . 121 (bḤag 5b; bSanh 11a; Pes.RK 13, Buber f. 116a). Vgl. ferner J. Heinemann, a. a. O. (Anm. 512) 117 ff.; Ch. M. Gevaryahu, Sinai 44, 1958/9, 374 f.

520 E. E. Urbach, *ḤZ"L* . . . 271; ders., Tarbiz 17, 1945/6, 18, 1946/7; 25, 1955/6.

521 A. B. Hulen, JBL 51, 1932, 65; B. Blumenkranz, Juifs et Chrétiens . . . 239 ff.

522 N. De Lange, Origen . . . 114 ff.

523 R. E. Taylor, Attitudes of the Fathers toward Practices of Jewish Christians, Stud.Patr. 4, 1961, 504–511.

524 A. Marmorstein, Jeschurun 12, 1925, 34–53.

525 Y. Baer, Scripta Hieros. 7, 1961, 110 f. (Kelsos).

526 Für die Gnosis s. A. Böhlig, Mysterion und Wahrheit, Leiden 1968, 152 f.; K. Koschorke, Die Polemik . . . 45 ff.

527 Wie A. Marmorstein, Studies . . . 1950, 60 ff. meinte.

528 H.-J. Schoeps, Theologie und Geschichte . . . 148 ff.; G. Strecker, Das Judenchristentum . . . 162 ff.

529 Anders A. Marmorstein, Religionsgeschichtliche Studien I, 33 und ders., Studies . . . 183; H. J. Schoeps, Theologie und Geschichte . . . 167 f. in bezug auf Tanch.B. *r^h* I; ders., a. a. O. 168, auch in bezug auf Midr.Teh. 78, 1 f. Aber vgl. für Zweifel bezüglich des Offenbarungsumfangs auch Sifre Dt § 2 (zu 1, 3) oder Pseudo-Philo, Liber Ant. Bibl. 25, 13 u. ö.

530 Anders H.-J. Schoeps, a. a. O. (Anm. 529) 178.

531 H.-J. Schoeps, a. a. O. (Anm. 530) bezog den Passus in Lev.R. 31, 4 (zu 24, 2) auf ebionitischen Einfluß. S. 176 ff. nannte er im Anschluß an A. Marmorstein eine Reihe von Stellen (z. T. unzutreffend bezeichnet!), die

er als rabbinische Reaktionen auf judenchristliche Ansichten verstehen wollte, doch die Texte enthalten keinerlei Hinweis dafür.

532 S. Zeitlin, The Am Haarez, JQR 23, 1932/33, 45–61.

533 Gegen A. Marmorstein, Religionsgeschichtliche Studien I, 26ff. 34f. (mit Verweis auf Num.R. 3; Midr.Teh. 17, 14) und ders., HUCA 10, 1935 (= Studies in Jewish Theology, London 1950, 179ff.), mit Verweis auf bEr 19a, aufgegriffen von H.-J. Schoeps, Theologie und Geschichte ... 23; M. Goldstein, Jesus ... (51). Vorsichtiger urteilte M. Simon, Verus Israel, Paris ²1964, 299f.

534 Zur Sache s. J. J. Petuchowski, The Mumar, HUCA 30, 1959, 179–190; S. Zeitlin, Mumar and meshumad, JQR 54, 1963/64, 84–86 (Studies in the Early History of Judaism III, New York 1975, 246 bis 249).

535 Siehe oben 1.2.5.2. zu bSabb 116a–b. Für ein interessantes christliches Argument s. Aphraat, Dem. XII (J. Neusner, Aphrahat ... 31ff.): Die Juden feiern seit der Tempelzerstörung ihr Passah illegitim.

536 Vgl. auch die spöttische Frage bTaan 7a/bNed 50b einer „Kaisertochter" an R. Josua b. Chananja: Hätte Gott für die Tora nicht ein weniger häßliches Gefäß ausgewählt? M. Güdemann, Jüdische Apologetik, Glogau 1906, 138f., sah darin eine christliche Provokation, doch s. dagegen Ch. Obstler, Die Religionsgespräche ... 19f.; P. Billerbeck, Nathanael 25, 1909, 33.

537 Vgl. Ch. Obstler, Die Religionsgespräche ... 2.51ff., der dieses Thema aber zu voreilig in die christlich-jüdische Auseinandersetzung einordnete. Vgl. auch J. Mann, HUCA 12–13, 1937/8, 428ff.: Jüdische Häretiker des 9./10. Jh. begründen die Teilaufhebung der Tora mit der Exilierung.

538 Vgl. Cant.R. V, 11.3; Dt.R. 8, 6; bSabb 151b; bSanh 90a u. ö., z. T. unter Berufung auf die heilsgeschichtlichen Großtaten Gottes, wie etwa Midr.Teh. 145, 1 (Sinai); von M. Goldstein, Jesus ... 135f. wurde dies als antichristliche Aussage verstanden.

539 Vgl. z. B. Lam.R. II, 6f. (Buber S. 113): Gott vergißt Israels Sabbate und Feste nicht. Von A. Marmorstein, REJ 60, 1910, 213ff. als Reaktion auf die christliche These von der Aufhebung des Ritualgesetzes gedeutet.

540 Einen Christen sahen in dem Min: Ch. Obstler, Die Religionsgespräche ... 60f.; W. Bacher, Die Agada der palästinensischen Amoräer I, 17; R. T. Herford, Christianity ... 250ff. (Heidenchrist); I. Ziegler, Der Kampf ... 68f. („Ein Christ sprach zu R. Chanina" ...!); J. Bergmann, Jüdische Apologetik ... 140; P. Billerbeck, Nathanael 25, 45; A. Büchler, Über die Minim ... 278f.; H. Hirschberg, JBL 62, 1943, 82 (paulinischer

Christ); M. Simon, Verus Israel . . . 224. Dagegen s. M. Friedländer, Der Antichrist . . . 49 f.

[541] Die von A. Marmorstein, REJ 60, 1910, 213–220, als Reaktion auf die AT-Beanspruchung im Barnabasbrief angeführten Stellen rechtfertigen (sofern die Angaben überhaupt zutreffen!) vom Text und Kontext her keinerlei Deutung dieser Art.

[542] L. W. Barnard, Justinus Martyr, London 1967, 23 f.

[543] Verus Israel . . . 227 (mit z. T. irreführenden Stellenangaben).

[544] bNed 22b wurde von A. Marmorstein, Studies in Jewish Theology . . . 218 als Reaktion auf judenchristliche Aussagen (speziell in der Didaskalia Apostolorum) angeführt, H.-J. Schoeps, Theologie und Geschichte . . . 185 sah darin eine Zurückweisung des großkirchlichen Anspruchs, das Zeremonialgesetz sei als Strafe für die Sünde des Goldenen Kalbs gegeben worden, verweist ebenfalls auf die Didaskalia Apostolorum. E. E. Urbach, Tarbiz 18, 1946/7, 8 allgemeiner: wegen christlicher AT-Usurpierung; M. Avi-Yonah, Geschichte . . . 154 fand hier gar einen Bezug auf Euseb, Dem.evangel. 7, 1, 83 f.

[545] Wie E. E. Urbach, *ḤZ"L* . . . 268 ff. meinte.

[546] D. Barthélemy, Est-ce Hoshaya Rabba qui censura le «commentaire allégorique»? Colloque Nationaux du LNRS „Philon d'Alexandrie" Lyon 1966, Paris 1967, 45–78.

[547] So W. Bacher, Die Agada der paläst. Amoräer I, 157 f.; ders., JQR o. s. 3, 1891, 357–60; L. Baeck, MGWJ 69, 1925, 258–271 (= Aus zwei Jahrtausenden, Tübingen 1958, 157–175, v. a. 164 ff.); H.-F. Weiss, a. a. O. (Anm. 565) 301 ff.

[548] Vgl. A. F. Segal, Two Powers . . . 78 f.

[549] So E. Lerle, NT 10, 1968, 41.

[550] Gegen A. Marmorstein, The Old Rabbinic Doctrine of God . . . II, 1937, 65 ff. 71 f.

[551] Vgl. Justin, Dial. 16 (allg. Gesetz); Irenäus, Haer. IV, 16, 2 (Beschneidung); Tertullian, Adversus Judaeos II (und III) postulierte sogar eine höherwertige ungeschriebene Offenbarung (lex primordialis) vor der lex naturalis des Mose und argumentierte im übrigen auch mit Beschneidung und Sabbat; Euseb, Praeparatio evangelica VII, 8 (allg.); Aphraat (vgl. J. Neusner, Aphrahat . . . 136 ff.).

[552] Etwa bei M. Simon, Verus Israel . . . 226; eher in Frage käme bJoma 28b.

[553] R. Loewe, Studia Patristica 1, 1957, 500.

[554] Vgl. Anm. 551.

[555] Vgl. Barnabasbrief II, 6; Justin, Dial. 11, 2; 12, 2; 18, 3; 34, 1; 43, 1.

[556] M. Goldstein, Jesus ... 135f.; N. Wieder, The Law-Interpreter of the Dead Sea Scrolls: The Second Moses, JJS 4, 1953, 158–175; H. M. Teeple, The Mosaic Eschatological Prophet, Philadelphia 1957, 74ff. 86ff. 120; E. E. Urbach, *ḤZ"L* ... 272; K. Hruby, Die Stellung ... 68f. („Aussprüche dieser Art richten sich eindeutig gegen die christliche Vorstellung von der ‚Vollendung des Gesetzes' durch Jesus"); J. Heinemann, *ʾAggadôt wetôledôtêhän,* Jerusalem 1974, 114f. hingegen hielt eine antisamaritanische Tendenz für sinnvoller. Innerjüdische Kontrahenten nimmt auch P. Schäfer, Studien ... 199ff. an.

[557] R. N. Longenecker, Biblical Exegesis ... 108. 114 und v. a. 121f.

[558] S. Liebermann, Midrash Debarim Rabbah, Jerusalem 1940, 116ff.

[559] Der zweite Teil von Jes 48 spielt überhaupt eine bedeutende Rolle, vgl. J. Mann–I. Sonne, The Bible ... I, 354ff.; 475ff.; II, 26ff. 232. 236. Ferner s. Aggadat Bereshit 83 (84), 1–3 und 81 (82); 82 (83); N. Fried, *Hafṭarôt ʾalṭernaṭîbîjôt bePijjûṭê Jannaj ûshʾar pajṭanîm qedûmîm,* Sinai 61, 1966/7, 267–290 (272f.).

[560] Siehe v. a. 48, 20 „Babylon", das auf Rom bezogen wurde.

[561] P. Schäfer, Studien ... 199ff.

[562] P. Schäfer, Studien ... 198–213; ders., Zum Geschichtsverständnis des rabbinischen Judentums, JStJ 6, 1975, 167–188 (181ff.).

[563] So W. Bacher, Origen and R. Hoshaya, JQR o. s. 3, 1891, 357–60.

[564] H. Graetz, Geschichte ... IV, Leipzig ^{4}1908, 213 (die Mischna betone den gesetzlichen Aspekt gegenüber der gnostisch-christlichen Infragestellung); P. Billerbeck, Nathanael ... 29ff.; I. Ziegler, Der Kampf ... 70; J. Bergmann, Jüdische Apologetik ... 61ff. 94ff.; A. Marmorstein, Religionsgeschichtliche Studien I, 1910, 11ff. (ders., Jeschurun 12, 1925, 34–53 verweist allerdings auch auf jüdische Opposition gegen die mündliche Tora und verweist auf mSanh X, 1 etc.); N. De Lange, Origen and the Jews ... 49f.; E.E. Urbach, Tarbiz 18, 1946/7, 6ff.; ders., *ḤZ"L* ... 270f.; G. Stemberger, Das klassische Judentum ... 129.

[565] P. Schäfer, Studien ... 153–197.

[566] Viel zu vage sind die von A. Marmorstein, Jeschurun 12, 1925, 34–53 (z. T. falsch) angeführten Stellen bNed 22a/Koh.R. 1, 34; Gen.R. 7, 14 (6, 9?); jSanh 26a(??); Lev.R. 31, 2 zur Diskussion über das Deuteronomium (stellvertretend für mündliche Tora). Dasselbe gilt für die Angaben in M. Simon, Verus Israel ... 225, der auf A. Marmorstein (Religionsgeschichtliche Studien I) und I. Ziegler zurückgriff. Ein Bezug auf das Christentum ist an keiner Stelle anzunehmen. Nicht in den Kontext paßt ein

solcher auch jḤag I, 8 f. 76d (angeführt von J. Bergmann, Jüdische Apologetik ... 61), vgl. dazu P. Schäfer, Studien ... 166 f.

[567] Übertrieben wird die antichristliche Motivation besonders bei E. Lerle, NT 10, 1968, 41 f.; S. W. Baron, A Social and Religious History ... II, 162 ff.

[568] Tanch. B. *kî tiśśa*ᵓ XVII im Anschluß an Hos 8, 12, von A. Marmorstein, Religionsgeschichtliche Studien I, 12 als antichristlich angeführt. Vgl. auch Tanch. *kî tiśśa*ᵓ XXXIV; ferner Tanch *wjr*ᵓ V (zu Gen 18, 17) und Tanch.B. *wjr*ᵓ VI, worauf M. Avi-Yonah, Geschichte ... 174, und M. Simon, Verus Israel ... 225 verwiesen. Oft wurde auch Num.R. XIV, 5 erwähnt: A. Marmorstein, a. a. O. 12; ders., The Background ... (in: Studies in Jewish Theology, London 1950) 60 ff.; J. Bergmann, Jüdische Apologetik ... 61, noch häufiger die Parallele zu den erstgenannten Aussagen in Pes.R. V, 1 (Friedmann 14b): I. Ziegler, Der Kampf ... 70; J. Bergmann, Jüdische Apologetik ... 61; L. Baeck, HUCA 23/1, 1950/1, 558; M. Goldstein, Jesus ...; M. Simon, Verus Israel ... 225; G. Stemberger, Das Klassische Judentum ... 129 (der auch Ex.R. 47, 1 zu Ex 34, 27 nennt). Eine weitere Parallele enthält Jalquṭ Shimᶜoni II § 525. Vgl. zum Ganzen auch P. Schäfer, Studien ... 167 ff.

[569] Als antichristlich gedeutet von J. Bergmann, Jüdische Apologetik ... 61; A. Marmorstein, Religionsgeschichtliche Studien I, 11; S. Liebermann, Hellenism ... 207 f.; M. Simon, Verus Israel ... 225.

[570] Sifra *bḥwqwtj* II/8 ist in keiner Weise als Reaktion auf das Christentum deutbar, obwohl E. E. Urbach, *ḤZ"L* ... 266 f. die Stelle in dem Sinn anführt. Vgl. auch bḤag 13a u. ö.

[571] J. Bergmann, Jüdische Apologetik ... 94 ff.; P. Billerbeck, Nathanael 25, 1909, 20 f. I. L. Levine, Caesarea ... 1975, 84 verweist auf bSukka 45a.

[572] Besonders deutlich wird dies in bezug auf Koh.R. I, 8, die Erzählung über R. Jonatans Schüler und die Minim, in denen R. T. Herford, Christianity ... 215 ff. dennoch Christen sehen wollte, auch den bSabb 88a (bKet 112a) erwähnten Min hielt er für einen Christen (a. a. O. 253), J. Neusner, A History ... IV, 1969, 56 für einen Judenchristen. Ohne Begründung deutete Z. Markon, *Hat-Talmûd* ... 470 einen Passus in Sifre Dt § 33 auf die heidenchristliche Tora-Aufhebung.

Bemerkenswert ist, daß antichristliche Polemik je nach dem jeweiligen Gesichtspunkt Jesus einmal als toratreu (Justin, Dial. 67) und einmal als Toraverächter hinstellen konnte (vgl. Acta Pilati, Acta Philippi, Kaiser Julian).

[573] Dies versuchten H. Graetz, Geschichte ... IV, [4]1908, 82f.; M. Joel, Blicke ... I, 29f.; A. Marmorstein, Studies in Jewish Theology ... 37ff.; Y. Baer, Zion 31, 1965/6, 132; H. Nibley, Christian Envy of the Temple, JQR 50, 1959/60, 97–123. 229–240; F. M. Young, NTS 19, 1973, 325–338. In dem Zusammenhang wären auch eventuelle Verbindungen zwischen den in der Sache konkurrierenden Übertragungen von tempeltheologischen Vorstellungen auf das Grab Jesu (auf den Hügel Golgatha) und den rabbinischen Betonungen und Ausarbeitungen tempeltheologischer Motive zu untersuchen.

[574] M. Adler, The Emperor Julian and the Jews, JQR 5, 1893, 591–651; I. Elbogen, Der jüdische Gottesdienst ... 37f.; J. Vogt, Kaiser Julian und die Juden, Leipzig 1939; J. Levy, Julianus and the Rebuilding of the Temple, Zion 6, 1941/2, 1–32; S. W. Baron, A Social and Religious History ... II, [2]1952, 161. 393; Y. Baer, Scripta Hierosolymitana 7, 1961, 143ff.; S. P. Brock, The Rebuilding of the Temple under Julian. A new source, PEQ 108, 1976, 103–107 (Brief des Cyrill von Alexandrien, ca. 400 n. Chr.).

[575] S. Liebermann, The Martyrs of Caesarea, Annuaire de l'institut de philologie et d'histoire orientales et slaves 7, 1939–1944, 395–446 (412f. 435ff.), und im Anschluß daran S. W. Baron, A Social and Religious History ... II, 392 (note 41 zu S. 161). Doch siehe dagegen die überzeugenden Einwände von I. Sonne, Use of Rabbinic Literature as Historical Sources, JQR 36, 1945/6, 147–169 (163ff.); ders., Word and Meaning – Text and Context, JQR 37, 1946/7, 307–328 (318f.), dessen Ausführungen methodologisch überhaupt zu beherzigen sind.

[576] W. Bacher, Statement of a Contemporary of the Emperor Julian on the Rebuilding of the Temple and Jerusalem, JQR o. s. 10, 1898, 168–172.

[577] So ist z. B. die von A. Marmorstein, HUCA 10, 1935, 194 als Kritik am Christentum gedeutete Stelle Pes.R. 47 (Friedmann 190b) eher Symptom innerjüdischer Zweifel an einem Wiederaufbau; die Debatte über Hi 38, 29 entspricht im Stil den üblichen Minim-Exegesen-Widerlegungen.

[578] Zur „Aqeda“ (Opferung Isaaks) siehe J. Maier, Geschichte der jüdischen Religion, Berlin 1972, 118–121; für die frühe altkirchliche Interpretation siehe R. N. Longenecker, Biblical Exegesis ... 199f.; R. L. Wilken, Melito, the Jewish Community of Sardis, and the Sacrifice of Isaac, Theol. Studies 37, 1976, 53–69; für die mittelalterliche Diskussion: R. Schmitz, Aqedat Jiṣḥaq, Hildesheim 1979.

[579] H.-W. Attridge, First Century Cynicism in the Epistle of Heraclius, Missoula 1977. Für jüdische Reaktion vgl. A. Marmorstein, The Old Rabbinic Doctrine of God ... II, 76f. 87ff.; zum Verhältnis zur christlichen

Theologie: F. M. Young, The Idea of Sacrifice in Neoplatonic and Patristic Texts, Studia Patristica 11, 1972, 278–281.

[580] A. Marmorstein, The Old Rabbinic Doctrine of God . . . II, 76ff. 87ff.; ders., REJ 60, 1910, 219ff.; ders., The Background . . . 39ff. (marcionitische Ansichten); M. Simon, Verus Israel . . . 111ff.

[581] Religionsgeschichtliche Studien I, 39.

[582] Z. Markon, *Hat-Talmûd* . . . 28.

[583] N. De Lange, Origen . . . 39. 41. 95f.; S. Stein, The Dietary Laws in Rabbinic and Patristic Literature, Studia Patristica 2, 1958, 141–154.

[584] W. Rordorf, Sabbat und Sonntag in der Alten Kirche, Zürich 1972; L. W. Barnard, Justin Martyr, London 1967, 23ff.; N. De Lange, Origen . . . 40f. 92ff.; A. Marmorstein, Theol. Tijdschrift 49, 1915, 378ff.

[585] Ch. Obstler, Die Religionsgespräche . . . 22f. 26f.; J. H. Michael, The Jewish Sabbath in the Latin Classical Writers, AJSLL 40, 1924, 122–124; R. Goldenberg, The Jewish Sabbat in the Roman World up to the Time of Constantine the Great, ANRW II, 19/1, Berlin 1979, 414–447; P. Billerbeck, Altjüdische Religionsgespräche . . . 36ff.

[586] Siehe v. a. A. Marmorstein, Religionsgeschichtliche Studien I, 31ff.; ders., Jeschurun 12, 1925, 198ff.; ders., Studies . . . 222ff. Es geht besonders um Ex.R. 30, 9, als antichristliche Reaktion gedeutet von: R. T. Herford, Christianity . . . 228ff.; A. Marmorstein, REJ 68, 1914, 165f.; H. Hirschberg, JBL 62, 1943, 82; ders., JBL 67, 1948, 307ff., doch siehe dazu auch J. Mann, The Bible . . . I, 472ff.; P. Schäfer, Studien . . . 70f.; G. Stemberger, Die Beurteilung Roms in der rabbinischen Literatur, ANRW II, 19/2, Berlin 1979, 338–396 (385). Weiter Gen.R. 11, 1 durch A. Marmorstein, REJ 68, 1914, 165f.; jRH I, 3f. 57a–b durch M. Simon, Verus Israel . . . 226; mSabb III, 4 durch W. Bacher, JQR o. s. 3, 1891, 357ff. (Origenes!); bSanh 58b durch Z. Markon, *Hat-Talmûd* . . . 171f., und anderes mehr.

[587] L. W. Barnard, Justin Martyr, London 1967, 23ff.; N. De Lange, Origen . . . 39.90f. Speziell auf die Beschneidung bei Judenchristen wurde Ex.R. 19, 4 gedeutet: R. T. Herford, Christianity . . . 191ff.; A. Marmorstein, Religionsgeschichtliche Studien I, 32; H.-J. Schoeps, Theologie und Geschichte . . . 23.

[588] E. M. Smallwood, The Legislation of Hadrian and Antoninus Pius against Circumcision, Latomus 18, 1959, 334–347; 20, 1961, 93–96. J. Bergmann, Jüdische Apologetik . . . 102ff.; A. Marmorstein, Religionsgeschichtliche Studien I, 31ff.; Theol. Tijdschrift 49, 1915, 374ff.; ders., Studies . . ., London 1950, 179ff.; B. Blumenkranz, ThZ 4, 1948, 137.

[589] Beschneidung als Erkennungsmerkmal wegen des Verbots für Juden, Jerusalem zu betreten.

[590] E. E. Urbach, *ḤZ"L* . . . 264 verweist auf jPeᵓa I, 1 f. 16b (antipaulinisch!); interessanter ist ein Vergleich zwischen einer Aussage Rabs in bSabb 108b und Origenes (in Gen.hom III, 5) bei N. De Lange, Origen . . . 28 (und 158).

[591] Als Christen bezeichneten den hier erwähnten „Philosophen" ohne Begründung W. Bacher, JQR 3, 1891, 357–360 (mit unzutreffendem Verweis auf bSabb 116a); J. Bergmann, Jüdische Apologetik . . . 114 f. (mit Hinweis auf die Gleichzeitigkeit mit Origenes in Caesarea); P. Billerbeck, Nathanael 25, 1909, 36 (zurückhaltender!); H. Bietenhard, Caesarea . . . 23 f. (Identifizierung mit Origenes!); N. De Lange, Origen . . . 91 f. führt Justin, Dial. 19 an: Da Adam unbeschnitten zur Welt kam, ergibt sich daraus eine Abwertung der Beschneidung. Nun könnte man dazu jedoch noch alle Stellen anführen, an denen von zahlreichen Frommen behauptet wird, daß sie beschnitten (also „vollkommen") zur Welt gekommen seien. Auch die meist angeführte Parallele Pes.R. XXIII, f. 116b führt nicht weiter.

[592] P. Billerbeck, Nathanael 25, 1909, 42 f.; Ch. Obstler, Die Religionsgespräche . . . 51 ff.; A. Marmorstein, HUCA 1, 1924, 478 ff.; A. B. Hulen, JBL 51, 1932, 65; K. Hruby, Judaica 24, 1968, 232 ff.; P. Schäfer, Israel und die Völker der Welt, Frankfurter Judaistische Beiträge 4, 1976, 32–62.

[593] Vgl. dazu die frühmittelalterliche Diskussion, z.B. bei J. Mann, HUCA 12–13, 1937/8, 440 (f. 4a, 10 ff.).

[594] A. Marmorstein, REJ 60, 1910, 213–220; A. Büchler, Über die Minim . . . 280 ff.; B. Blumenkranz, ThZ 4, 1948, 137 f.; M. Simon, Verus Israel . . . 221 ff. (gegen Herford: exegetische Kontroversen haben nicht unbedingt Judenchristentum als Gegenüber); E. E. Urbach, Tarbiz 25, 1955/56; ders., *ḤZ"L* 467 ff.

[595] Gen.R. 1, 4 bei I. Ziegler, Der Kampf . . . 70 (Erwählung von der Schöpfung her); Gen.R. 63, 8 bei A. Büchler, Über die Minim . . . 278 wird die Matrone nicht als Christin betrachtet, auch nicht bei Bergmann, Jüdische Apologetik . . . 137 f. (Erstgeburtsstreit Esau–Jakob!); bḤag 3a bei S. W. Baron, A Social and Religious History . . . II, 134; bTaᶜan 3b bei I. Ziegler, Der Kampf . . . 69 (Wie die Welt nicht ohne Winde so kann sie ohne Israel nicht existieren); auch M. Simon, Verus Israel . . . 224; Koh.R. I, 1, 4 (R. Isaak: Israel bleibt wie die Welt ewig bestehen): A. Marmorstein, Judaism and Christianity . . . 194.

[596] Vgl. Kelsos in Origenes, Contra Celsum VIII, 69. Weiteres bei P. Billerbeck, Nathanael, 25, 1909, 42 ff.; N. De Lange, Origen . . . 66. 81; für

später auch O. S. Rankin, Jewish Religious Polemic, repr. New York 1970, 11 f. (Mose-Chronik: Infragestellung der Providenz Gottes über Israel).

[597] Der Text enthält eine Erzählung von einem Min am Kaiserhof, der die Verwerfung Israels mit Gebärden zum Ausdruck bringt, von R. Josua b. Chananja ebenfalls pantomimisch zurechtgewiesen und vom Kaiser schließlich bestraft wird. Statt *mîn* haben manche Textzeugen *ṣaddôqî* oder *ʾappiqôrôs.* H. Graetz, Geschichte ... IV, 450, hielt dies gar für eine historische Begebenheit. Während M. Friedländer im Min einen Gnostiker sah (Der vorchristliche jüdische Gnosticismus ... 91 f.; Der Antichrist ... 49; Die religiösen Bewegungen ... 189 f.) und andere sich vorsichtig ausdrückten (J. Bergmann Jüdische Apologetik ... 135 f. P. Billerbeck, Nathanael 25, 1909, 43; A. Büchler, Über die Minim ... 280), machten ihn viele flugs zum Christen: M. Güdemann, Religionsgeschichtliche Studien, Leipzig 1876, 139 ff.; M. Joel, Blicke ... I, 34 f.; R. T. Herford, Christianity ... 221 ff. (legendär getönt, aber auf Fakten beruhend!); Ch. Obstler, Die Religionsgespräche ... 58 f.; G. Hoenicke, Das Judenchristentum ... 392 f. (auch die Fortsetzung in bḤag 5b ziele auf das Christentum); A. Marmorstein, Studies ... 195 ff.; I. Epstein, The Babylonian Talmud, Seder Moᶜed IV, London 1938, 21 ("probably a Judeo-Christian"); H. Hirschberg, JBL 62, 1943, 82 (mit Verweis auf bJoma 56b); Y. Cohen, *Peraqîm* ... 115 f. 121. Vgl. auch M. Friedländer, Patristische Studien ... Wien 1878, 73 f. 79.

[598] Die Weltvölker zitieren angesichts der Exilierung Israels aus Jerusalem Jer 6, 30.

[599] P. Billerbeck, Nathanael 25, 1909, 42 f. (zurückhaltend); H. Hirschberg, JBL 62, 1943, 82 (antipaulinisch).

[600] tSanh XIII, 5 erwähnt Leute, „die ihre Hand nach dem *zebûl* ausstreckten", was von manchen auf eine judenchristliche Beteiligung an tempelfeindlichen Bewegungen oder Maßnahmen gedeutet wurde, doch schwerlich zu Recht, s. dazu B. Salomonsen, Die Tosefta ... IV/3, Stuttgart 1976, 207 f.; A. Marmorstein, Studies ... 195 erwähnte Ex.R. 30, 8 und (REJ 60, 1910, 217) Cant.R. VIII, 9 (vgl. ders., Religionsgeschichtliche Studien I, 21 f.); Y. Baer, Scripta Hierosolymitana 7, 1961, 139, bMQ 26a und andere, ebenso nichtssagende Stellen.

[601] A. Marmorstein, Religionsgeschichtliche Studien I, 23 f.; ders., REJ 60, 1910, 213–220; G. Hoenicke, Das Judenchristentum ... 242 f.; N. De Lange, Origen ... 77 ff.; S. G. F. Brandon, The Fall of Jerusalem and the Christian Church, London 1951; Y. Cohen, *Peraqîm* ... 110 ff. Vgl. ferner C. Thoma, Auswirkungen des jüdischen Krieges gegen Rom (66–70/73 n. Chr.) auf das rabbinische Judentum, BZ 12, 1968, 186–210;

P. Kuhn, Gottes Selbsterniedrigung, München 1968, 82ff.; ders., Gottes Trauer und Klage, Leiden 1978; E. Fascher, Jerusalems Untergang in der urchristlichen und altkirchlichen Überlieferung, ThLZ 89, 1964, 81–98; G. Braumann, Die lukanische Interpretation der Zerstörung Jerusalems, NT 6, 1963, 120–127.

[602] K. Hruby, Juden und Judentum . . . 33ff.; J. Neusner, Aphrahat . . . 136ff. 158ff. (mit bemerkenswerten Beobachtungen zur unterschiedlichen Sicht bei Christen und Juden). In diesem Zusammenhang wird oft bPes 87b zitiert, wo sich R. Hoschaᶜja und R. Chanina mit einem Min auseinandersetzen, den R. T. Herford, Christianity . . . 247ff., Ch. Obstler, Die Religionsgespräche . . . 63; A. Marmorstein, Studies . . . 193, als Christen ansahen. Dagegen s. P. Billerbeck, Nathanael 25, 1909, 46; A. Büchler, Über die Minim . . . 276f.; E. E. Urbach, *ḤZ"L* . . . 481f.

[603] J. Heinemann, *ᵓAggadôt wᵉtôlᵉdôtêhän,* Jerusalem 1974, 189.

[604] I. Ziegler, Der Kampf . . . 69.

[605] R. T. Herford, Christianity . . . 226f.; Ch. Obstler, Die Religionsgespräche . . . 58; P. Billerbeck, Nathanael 25, 1909, 47; A. Büchler, Über die Minim . . . 280f. Anders M. Friedländer, Der Antichrist . . . 50.

[606] I. Ziegler, Der Kampf . . . 69; M. Simon, Verus Israel . . . 224.

[607] A. Marmorstein, Studies . . . 193; M. Simon, Verus Israel . . . 224.

[608] Als Christen deuteten den Min hier: M. Joel, Blicke . . . I, 34ff.; R. T. Herford, Christianity . . . 235f.; Ch. Obstler, Die Religionsgespräche . . . 57f.; J. Bergmann, Jüdische Apologetik . . . 135; G. Hoenicke, Das Judenchristentum . . . 389; A. Büchler, Über die Minim . . . 280 (mit Verweis auf R. Gamliels Verkehr mit Christen – in bSabb 116a–b!); H. Hirschberg, JBL 62, 1943, 82 (paulinischer Christ); M. Simon, Verus Israel . . . 224; K. Hruby, Begriff und Funktion des Gottesvolkes in der rabbinischen Tradition, Judaica 23, 1968, 224–245 (vielleicht!); Y. Cohen, *Pᵉraqîm* . . . 115 (völlig unkritisch). Dagegen schon M. Friedländer, Der Antichrist . . . 49f., antinomistische Gnostiker vermutend.

Zur Scheidungs-These vgl. den „Ehebruch"-Vorwurf, siehe bei N. De Lange, Origen . . . 81 (Origenes, In Matth. XII, 4). A. Marmorstein nannte in diesem Zusammenhang auch Sifre Dt § 54 (Studies . . . 35) und Sifre Dt § 306 (Religionsgeschichtliche Studien I, 23–26), sowie Sifre Num § 131 (a. a. O. 19), aber gerade die relativ umfangreiche Komposition in Sifre Dt § 306 zeigt, daß kein Einzelthema spezifisch antichristlich gemünzt ist, jedoch in einer christlich gewordenen Umwelt sowohl en detail wie insgesamt der Bezug auf die christliche Infragestellung ohne weiteres möglich war.

[609] A. Marmorstein, Studies . . . 193; M. Simon, Verus Israel . . . 224.

[610] Siehe Anm. 609; Ch. Munier, L'Église dans l'Empire Romain III, Paris 1979, 168.

[611] A. Marmorstein, Studies . . . 196 f.

[612] A. Marmorstein, a. a. O. 194.

[613] I. Ziegler, Der Kampf . . . 69; A. Marmorstein, Religionsgeschichtliche Studien . . . 18 f. (Hos 1, 8). Zur Thematik siehe J. Mann–I. Sonne, The Bible . . . I, 540 f.; II, 184.

[614] H. Hirschberg, JBL 62, 1943, 82 (paulinisch!).

[615] A. Marmorstein, Studies . . . 194 f.

[616] E. E. Urbach, *ḤZ"L* . . . 474.

[617] Ders., Tarbiz 25, 1955/6, 288. Vgl. zum Thema auch A. Marmorstein, Religionsgeschichtliche Studien I, 27 ff.; Theol. Tijdschrift 49, 1915, 376 ff.

[618] Y. Baer, Scripta Hierosolymitana 7, 1961, 102 (konkret gegen Origenes).

[619] Für die christliche These vom Scheidebrief vgl. auch Aphraat, Dem. XII, 4.

[620] A. Marmorstein, Studies . . . 194.

[621] Siehe v. a. Y. Baer, Scripta Hierosolymitana 7, 1961, 99 f.; S. W. Baron, A Social and Religious History . . . II, ^{2}1952, 145 (und 386); I. Heinemann, Altjüdische Allegoristik, Jahresbericht des jüd.-theol. Seminars, Breslau 1936, 60 ff.; A. Marmorstein, REJ 60, 1910, 217 ff.; E. E. Urbach, Tarbiz 30, 1960/1; ders., Scripta Hierosolymitana 22, 1971, 247–275; W. Riedel, Die Auslegung des Hohenliedes in der jüdischen Gemeinde und der griechischen Kirche, Leipzig 1898; P. Vulliaud, Le Cantique des Cantiques d'après la tradition juive, Paris 1925. Für die christliche Seite siehe auch F. Ohly, Hoheliedstudien, Wiesbaden 1958.

[622] J. Bergmann, Jüdische Apologetik . . . 141 f.; A. Marmorstein, Religionsgeschichtliche Studien I, 17 f.; A. Büchler, Über die Minim . . . 281; Y. Baer, Scripta Hierosolymitana 7, 1961, 100 f. (mit Hinweis auf Origenes); E. E. Urbach, Tarbiz 25, 1955/6, 289; ders., *ḤZ"L* . . . 490; ders., Scripta Hierosolymitana 22, 1971, 262.

[623] M. Simon, Verus Israel . . . 228; E. E. Urbach, Scripta Hierosolymitana 22, 1971, 273; Y. Cohen, *P^{e}raqîm* . . . 122 (als I, 41).

[624] A. Marmorstein, Religionsgeschichtliche Studien I, 22; ders., REJ 60, 1910, 218.

[625] M. D. Herr, EJ II, 1971, 366.

[626] Dazu J. Mann, The Bible . . . I, 141: "Here evidently is an item of

Jewish Christian polemics: According to Christian dogmatics the Jew is destined for eternal damnation because of his non-acceptance of Jesus". Doch von "evidently" kann keine Rede sein!

[627] Zur christlichen Gegenüberstellung vgl. für den Westen Tertullian, Adversus Judaeos XIII, 24 ff., für den Osten Aphraat, Dem. XVI; XIX, 5; XXIII, 13 ff.

[628] Vgl. N. De Lange, Origen ... 77 ff. 80 f.

[629] Reaktionen auf dergleichen sah H. Hirschberg (ZRG 12, 1960, 255 f.) in bḤag 15b (grundlos!) und A. Marmorstein, Religionsgeschichtliche Studien I, 43, in Lev.R. 27 Anfang.

[630] A. Marmorstein, Jeschurun 12, 1925, 198 ff.; ders., Studies ... 179 ff. Genannt werden v. a. Ex.R. 46 (zu 34, 1), bei M. Simon, Verus Israel, 227; Ex.R. 51, bei J. Bergmann, Jüdische Apologetik ... 141; Dt.R. I, 2 par. bei A. Marmorstein, Studies ... 202 f.; Koh.R. IV, 5 bei A. Marmorstein, Studies ... 201 (vgl. Ex.R. 41, 12).

[631] Didascalia Apostolorum; Tertullian, Adversus Judaeos I, 6–8; Aphraat, Dem. XV, 8. Siehe auch R. Loewe, The Jewish Midrashim and Patristic and Scholastic Exegesis of the Bible, Studia Patristica 1, 1957, 492–514 (513 f.). Für die rabb. Literatur auch P. Kuhn, Gottes Trauer und Klage, Leiden 1979, 85 ff. Der Stoff ist beträchtlichen Umfangs, allein in Cant.R. sind in I, 12.1; II, 4.1; IV, 9; V, 5 und VI, 4.1 Partien dazu enthalten. Für die homiletische Behandlung vgl. J. Mann–I. Sonne, The Bible ... I, 527 ff.; II, 230, hebr. 33. 86. 143. 207. 223 f.

[632] A. Marmorstein, Religionsgeschichtliche Studien ... I, 20 (Tanch.B. *niṣṣabîm* VI?; Lev.R. 27, 7 f.); ders., Studies ... 195 (Pes.R. f. 147b = Kap. 32 Anfang?), 200 f. (bBer 32a), 201 (Cant.R. II, 11?), 203 f. (Ex.R. 43, 1); A. Büchler, Über die Minim ... 281 (Pesiqta 77b mit Verweis auf Cant.R. I, 6 u. a.).

[633] Vgl. Tertullian, Adversus Judaeos I, 4–8; III, 8. 12. 13. Zur Sache siehe auch S. W. Baron, A Social and Religious History ... II, 136 f.; N. De Lange, Origen ... 75 ff.; für das Frühmittelalter auch J. Mann, HUCA 12–13, 1937/8, 411 ff.

[634] A. Marmorstein, Religionsgeschichtliche Studien I, 14 f.; I. Ziegler, Der Kampf ... 70; A. Marmorstein, REJ 60, 1910, 217 ff.; M. Avi-Yonah, Geschichte ... 174 (Bezug auf innerchristliche Spaltungen!); J. Heinemann, *ʾAggadôt w^{e}tôl^{e}dôtêhän,* Jerusalem 1974, 118 f. (vgl. Gen.R. 83, 5; aber eventuell antisamaritanisch!).

[635] Ein Nichtjude fordert R. Josua b. Qorcha auf, nach dem Mehrheitsprinzip zu verfahren und die jüdische Sonderexistenz aufzugeben. P. Biller-

beck, Nathanael 25, 1909, 47 f.: ein Heide! Zur Sache vgl. die Aufforderung des Kaisers bSanh 39a.

[636] P. Billerbeck, Nathanael 25, 1909, 48 f.: Heide; E. E. Urbach, Tarbiz 25, 1955/6, 289: Reaktion auf christlichen Anspruch.

[637] A. Marmorstein, Religionsgeschichtliche Studien I, 16. Ähnlich vage und alles andere als beweiskräftig sind die Stellen, die L. Baeck, Aus drei Jahrtausenden, Tübingen 1958, 225, anführt.

[638] M. Avi-Yonah, Geschichte ... 175 (R. Abin, 4. Jh.).

[639] A. a. O. 175 f. (Art eschatologischer „Blitzkrieg" Gottes gegen Esau).

[640] A. a. O. (Anm. 638).

[641] Wie A. Marmorstein, Religionsgeschichtliche Studien I, 6 f., meinte.

[642] M. Avi-Yonah, Geschichte ... 174; mit Verweis auf bSanh 97a auch E. E. Urbach, *ḤZ"L* ... 485; siehe auch JvN 57 ff. 218 f. Vgl. ferner Pes.R. 15 (Friedmann 74b).

[643] H. Graetz, Geschichte ... IV, 1908, 303 ff.; S. W. Baron, A Social and Religious History ... II, 151 ff.; A. Ehrhardt, Constantine, Rome, and the Rabbis, BJRL 42, 1959/60, 288–312; Y. Baer, Scripta Hierosolymitana 7, 1961, 139 ff. (mit Hinweis auf bMQ 26a; jTa^can II, 2 etc.). M. Avi-Yonah, Geschichte ... 175 f. nennt Lev.R. 29, 2; Koh.R. V, 15; Gen.R. 16, 2; S. W. Baron, a. a. O. 385 jPeᵓa I, 1 f. 15c. Auf das christliche römische Reich deuten die Geschichte von Esau und seinem Gebetsmantel in jNed III, 10 f. 38a R. T. Herford, Christianity ... 210 (mit Hinweis auf Gal 3, 7) und M. Simon, Verus Israel ... 223, doch die Zitate Ob 4 und Dan 12, 3 zeigen den primär politischen Sinn der Polemik.

[644] Vgl. G. D. Cohen, Esau as a Symbol ... 28 f.

[645] P. Billerbeck, Nathanael 25, 14 ff.; S. S. Cohon, HUCA 26, 1955; R. T. Herford, Christianity ... 202. 245 ff. 261 ff.; A. Marmorstein, The Background ... (Studies ... 1 ff.) Marcionitismus; G. F. Moore, Judaism ... I, 364 f.; Ch. Obstler, Die Religionsgespräche ... 69 ff.; N. De Lange, Origen ... 43 f. (sehr vorsichtig: auch, nicht nur gegen Christologie).

[646] A. F. Segal, Two Powers in Heaven, Leiden 1977, behandelte S. 205 ff. das NT, S. 220 ff. die Kirchenväter; in bezug auf die Christologie gelangte er (3 f. 11 f. 24. 94 f. 101 f. 115. 118 f.) zu keinem wirklich eindeutigen Ergebnis, obwohl er – nicht zuletzt aufgrund der Verwendung einschlägiger Bibelstellen – an mehreren Stellen eine antichristologische Spitze vermutet. Das Christentum war (so S. 155 ff.) eine von mehreren Zielgruppen.

[647] Vgl. bei H. Graetz, Geschichte ... IV, [4]1908, 244 f., der jBer IX, 1 f. 12d–13a erwähnt; S. Dubnow, Weltgeschichte des jüdischen Volkes, III,

Berlin 1926, 164; S. S. Cohon, HUCA 26, 1955, 458ff.; vgl. dazu für den Befund in christlichen Quellen B. Blumenkranz, ThZ 4, 1948, 144f.

648 R. Simlaj: H. Graetz, Geschichte . . . IV, ⁴1908, 245 (antitrinitarisch); R. T. Herford, Christianity . . . 255ff. (Reflex echter Dispute! Gegen Christologie des Hebräerbriefs); J. Bergmann, Les éléments juifs dans les Pseudo-Clementines, REJ 46, 1903, 89–97 (97f.); Ch. Obstler, Die Religionsgespräche . . . 70ff. (vorsichtig: verschiedene Personen aus verschiedenen Zeiten als Gegenüber); I. Ziegler, Der Kampf . . . 66 (Christen); J. Levi, Wörterbuch . . . III, ²1965, 104 (Dreieinigkeit); J. Bergmann, Jüdische Apologetik . . . 89 (Häretiker, die eine Mehrheit von Göttern vertreten); P. Billerbeck, Nathanael 25, 1909, 15f. (Christen); A. Büchler, Über die Minim . . . 282 (Gnostiker oder Heidenchristen); A. Marmorstein, HUCA 1, 1924, 487. 491 (Christen oder Gnostiker); M. Goldstein, Jesus . . . 126ff. (möglicherweise Christen); M. Simon, Verus Israel . . . 231 (anti-christologisch, vgl. Justin, Dial. 62, 2!); H.-M. Schenke, Der Gott „Mensch" in der Gnosis, Göttingen 1962, 124f. (Judenchristen!); K. Hruby, Die Stellung . . . 72ff. (unsicher, aber man beachte den Gebrauch von Bibelstellen, die auch gegen Christen ins Feld geführt wurden); zur Stelle s. A. F. Segal, Two Powers . . . 124ff.

Ähnlich zur Parallele in Gen.R. 8, 9 (auch H.-F. Weiss, Untersuchungen zur Kosmologie des hellenistischen und palästinischen Judentums, Berlin 1966, 326f. (Gnostiker oder Christen); Dt.R. 2, 8. 13 (Herford, Büchler, Marmorstein).

649 A. Marmorstein, HUCA 1, 1924, 491 (Parallele Tanch.B. *br'šjt* XII); ders., Studies . . . 13f. (gnostisch, antimarcionitisch).

650 R. T. Herford, Christianity . . . 239ff. ("Jewish Christian"); A. Büchler, Über die Minim . . . 288f. (vgl. bSanh 39a: dieselbe Frage an R. Gamliel! Eher Heidenchrist als Judenchrist); M. Goldstein, Jesus . . . 85f.; K. Hruby, Die Stellung . . . 58f. (vorsichtig). Für Gnostiker bzw. andere Häretiker: M. Friedländer, Der Antichrist . . . 50; P. Billerbeck, Nathanael 25, 1909, 15; H. L. Strack, Jesus . . . 70f.

651 Studies . . . 7ff. zu Gen.R. 12, 1 par. Sifre Dt. § 307; Koh.R. II, 12, dazu auch A. F. Segal, Two Powers . . . 141ff. zur Verwendung von Dt 32, 4 gegen Häresien; ders., Studies . . . 19f. (Midrasch Aggadah, ed. Buber I, 8) und 34f.: Sifre Num § 10 (und Gen.R. 32, 3); ders., HUCA 1, 1924, 494 sah auch im Engelprotest gegen die Tora-Offenbarung eine antichristliche oder antignostische Spitze, doch s. zur Sache, P. Schäfer, Rivalität zwischen Engeln und Menschen, Berlin 1975, 111ff.

652 H.-M. Schenke, a. a. O. (Anm. 648) 112ff.; A. F. Segal, Two Pow-

ers . . . 176ff.; R. A. Baer, Philo's Use of the Categories Male and Female, Leiden 1970, 20ff.; J. Bergmann, Jüdische Apologetik . . . 87ff.; A. Büchler, Über die Minim . . . 281ff.; J. Bonsirven, Le Judaisme palestinien au temps de Jésus-Christ, I, Paris 1934, 170ff.; L. Ginzberg, MGWJ 43, 1899, 61ff. (Justin, Dial. 61: Trinität!); J. Jervell, Imago Dei, Göttingen 1960; A. Marmorstein, The Old Rabbinic Doctrine of God, II, 1937, 50. 148ff.; P. Schäfer, a. a. O. (Anm. 651) 88f. Für die christlichen Quellen s. B. Blumenkranz, Juifs et Chrétiens, Paris 1960, 227, für frühmittelalterliche jüdische Auffassungen A. Sharf, The Universe of Shabbetai Donnolo, Warminster 1976, 83ff. 87ff.

653 R. T. Herford, Christianity . . . 301ff.; A. Büchler, Über die Minim . . . 281ff. (Verweis auf Justin, Dial. 62); A. Marmorstein, HUCA 1, 1924, 492f. (eventuell antignostisch); M. Simon, Verus Israel . . . 231.

654 Etwa Mekilta RJ *šjrtʾ* IV: R. T. Herford, Christianity . . . 301; M. Goldstein, Jesus . . . 86. Vgl. für andere Deutungsmöglichkeiten A. F. Segal, Two Powers . . . 55f.; N. A. Dahl–A. F. Segal, Philo and the Rabbis on the Names of God, JStJ 9, 1978, 1–28 (16ff.): Weiterleben vorchristlicher innerjüdischer Ansichten.

Vgl. auch Mekilta RJ *bḥwdš* V, wo „Völker der Welt" statt Minim die „zwei Gewalten" vertreten; als antichristlich gedeutet von R. T. Herford, Christianity . . . 300ff.; M. Goldstein, Jesus . . . 86; K. Hruby, Die Stellung . . . 59ff. (unsicher), als antignostisch von A. Marmorstein, HUCA 1, 1924, 489f. Der ganze Abschnitt steht jedoch im Zeichen der Auseinandersetzung zwischen Israel/Gott und den Völkern überhaupt, vgl. E. E. Urbach, *ḤZ"L* . . . 472f. (gegen H. J. Schoeps); A. M. Goldberg, Untersuchungen über die Vorstellung von der Schekhinah in der frühen rabbinischen Literatur, Berlin 1969, 270f. 320f.; J. Heinemann, *ʾAggadôt wᵉtôlᵉdôtêhän*, Jerusalem 1974, 156ff.; P. Schäfer, Israel und die Völker der Welt, Frankfurter Judaistische Beiträge 4, 1976, 32–62; J. J. Petuchowski, A Sermon on Psalm 29, HUCA 48, 1977, 243–264. Für antignostisches Verständnis siehe auch K. Rudolph, Randerscheinungen des Judentums und das Problem der Entstehung der Gnosis, in: Gnosis und Gnostizismus, Darmstadt 1975, 768–797 (786); A. F. Segal, Two Powers . . . 57ff.; N. A. Dahl–A. F. Segal, a. a. O. (Anm. 654) 16ff.

655 Als antichristlich interpretieren: R. T. Herford, Christianity . . . 299ff.; A. Büchler, Über die Minim . . . 289f. (ungewiß); M. Goldstein, Jesus . . . 86f.; K. Hruby, Die Stellung . . . 60f. (unsicher). Gegen Gnostiker: A. Marmorstein, HUCA 1, 1924, 488. Gegen verschiedene Zielgruppen: A. F. Segal, Two Powers . . . 84ff. (vgl. auch 8f. und 140).

[656] Wegen R. Abbahu vermuten viele eine antichristliche Spitze, obwohl nicht nur ein „Sohn", sondern auch ein „Bruder" Gottes abgelehnt wird: M. Dreifuß, LBdO 5, 1844, 206 (differenzierte: „Vater" – gegen griechische Religion, „Bruder" – gegen die persische Religion, „Sohn" – gegen das Christentum); R. T. Herford, Christianity ... 302 ff.; J. Bergmann, Jüdische Apologetik ... 82 („Vater" und „Sohn" = antichristlich, „Bruder" = antignostisch); G. F. Moore, The Definition ... 108; A. Marmorstein, HUCA 1, 1924, 488 (antignostisch). 493 f. (ev. auch antichristlich); Z. Markon, *Hat-Talmûd* ... 175; S. Pick, in: Die Lehren des Judentums V, Leipzig 1929, 83; M. Goldstein, Jesus ... 130 f. (Problematisch: „Bruder"!); J. Z. Lauterbach, Jesus ... 552; M. Simon, Verus Israel ... 229; M. Avi-Yonah, Geschichte ... 173 f.; H.-F. Weiss, a. a. O. (Anm. 648) 324 f.; S. T. Lachs, JQR 60, 1969/70, 200 f.; K. Hruby, Die Stellung ... 75 f.; I. L. Levine, Caesarea ..., Leiden 1975, 83.

[657] So auch besonders Koh.R. IV, 8, s. die Lit. Anm. 656. Gegen die Auffassung von der christlichen Gottessohnschaft deutete die Stelle auch V. Huonder, Israel, Sohn Gottes, Freiburg/Schw.-Göttingen 1975, 94 f. Vorsichtiger A. Marmorstein, HUCA 1, 1924, 496 f. Zum literarischen Charakter s. J. Wachten, Midrasch-Analyse, Hildesheim 1978, 175 f. Ferner s. eine Jelammedenu-Stelle, zitiert bei J. Z. Lauterbach, Jesus ... 553; A. F. Segal, Two Powers ... 140 f.

[658] Antichristlich: R. T. Herford, Christianity ... 306 f.; J. Bergmann, Jüdische Apologetik ... 82 (und antignostisch); H. L. Strack, Jesus ... 77; M. Goldstein, Jesus ... 128 ff.; J. Z. Lauterbach, Jesus ... 552 f. ("This is expressly a reference to Jesus who claimed to be the son of God, sharing the rule with his father"); M. Avi-Yonah, Geschichte ... 173 f.; M. Simon, Verus Israel ... 229; K. Hruby, Die Stellung ... 74 („Echo auf die religiöse Propaganda der Christen für die Trinitätslehre"). Auch hier begegnet außer „Sohn" aber auch „Bruder", außerdem ist die Frage zu stellen, warum in einem redaktionell so umfangreichen Komplex zur Thematik – hier wäre nämlich Dt.R. II, 32–34 zu analysieren! – nicht in der Gesamtheit die antichristliche Note deutlicher zutage tritt als in einem Einzelbestandteil. Siehe auch A. F. Segal, Two Powers ... 137 ff.

[659] J. Bergmann, Jüdische Apologetik ... 83; A. Marmorstein, HUCA 1, 1924, 497; S. Pick, Die Lehren des Judentums V, Leipzig 1929, 83 f. Zu beachten ist der Zusammenhang mit Ps 110, 1. Vgl. die Zusammenstellung von Ps 110, 1; Gen 19, 24; Ps 45, 7; 82, 1; 50, 1 bei Irenäus, haer. III, 6, 1–4 gegen Marcion als Belege für die Relation Vater–Sohn, oder Tertullian, Adv. Marcionem IV, 41, 4 f. Weiteres bei W. R. G. Loader, Christ at

the Right Hand. Ps 110, 1 in the N.T., NTS 24, 1977, 199–217; R. N. Longenecker, Biblical Exegesis . . . 57. 61. 73. 86. 97. 100. 103. 164 f. 167. 175 ff. 182. Für die jüdische homiletische Verwendung: J. Mann, The Bible . . . I, 133 (Abraham gegen Christus zur Rechten Gottes?) 172. 141 f. 164. Besonders auffallend ist der gehäufte Gebrauch von Ps 110, 1 in der insgesamt antichristlich gefärbten Endfassung von *ʾAggadat Bᵉreʾshit*: Kap. XVIII; XIX; XXI; XXIV; XXVII; XXX.

660 Als antichristologisch verstehen die Stelle: R. T. Herford, Christianity . . . 302 f. ("There can be no question that the polemic here is anti-Christian"); J. Bergmann, Jüdische Apologetik . . . 83; H. L. Strack, Jesus . . . 76; S. Pick in: Die Lehren des Judentums V, Leipzig 1929, 83; H. Hirschberg, JBL 62, 1943, 82 (antipaulinisch); M. Goldstein, Jesus . . . 130 (unsicher!); J. Z. Lauterbach, Jesus . . . 551; S. W. Baron, A Social and Religious History . . . II, ²1952, 133 f. (". . . it voices against Christianity the same argument as was advanced by a representative pagan like Celsus"); M. Simon, Verus Israel . . . 229; (« une allusion transparente aux dogmes chrétiens »); E. E. Urbach, *ḤZ"L* . . . 131 f. 137 f. (gegen Hebräerbrief-Christologie); K. Hruby, Die Stellung . . . 75. Diese Deutung kommt durch Kontextmißachtung zustande, tatsächlich geht es darum, daß der Fromme über den Engeln steht, s. dazu und zu den Parallelen P. Schäfer, Rivalität zwischen Engeln und Menschen, Berlin 1975, 197 ff.

661 A. Marmorstein, HUCA 1, 1924, 497; J. Bergmann, Jüdische Apologetik . . . 83; S. Pick, in: Die Lehren des Judentums V, Leipzig 1929, 84; R. Loewe, Studia Patristica 1, 1957. Aber es ist zu beachten, daß die eigentliche Textaussage nicht eine Person betrifft, sondern Israel als „Söhne Gottes" nach Ex 4, 22: Gott kann Israel nicht preisgeben, ohne die Weltordnung zu erschüttern.

662 So E. E. Urbach, *ḤZ"L* . . . 131 f.; ders., Scripta Hierosolymitana 22, 1971, 253 f. Vgl. zur Thematik jedoch P. Schäfer, a. a. O. (Anm. 660) 44 f.

663 R. T. Herford, Christianity . . . 305 ("The Midrash, perhaps, had in mind him who prayed, 'My God, my God, why hast thou forsaken me' [Mt 27, 46]"); M. Simon, Verus Israel . . . 233.

664 M. Goldstein, Jesus . . . 87 (Simon b. Jochaj . . . "vigorously denied that God could become incarnate in a son"); J. Z. Lauterbach, Jesus . . . 552; K. Hruby, Die Stellung . . . 61 f. („Diese ungewöhnlich scharfe Stellungnahme . . . zeigt deutlich, daß es sich um eine Reaktion gegen die Inkarnationsdoktrin handelt"). Doch von Inkarnation kann keine Rede sein, außerdem steht der Plural „Göttersöhne".

665 So völlig unbegründet für bḤull 60a (Kaiser mit R. Josua b. Chananja:

Kann man Gott schauen?) M. Güdemann, Religionsgeschichtliche Studien . . . 117 f.; für Ex.R. 2, 5 (Wie konnte Gott im Dornbusch erscheinen?) A. Büchler, Über die Minim . . . 287 (vgl. Justin, Dial. 60; „der Heide mag ein Christ gewesen sein"); Mekilta RJ *šjrtʾ* IV (Welt auf Gnade gebaut): M. Goldstein, Jesus . . . 88 (ohne jeden Anhaltspunkt im Text!); Mekilta RJ *wjsᶜ* VII: ders., a. a. O. 87 f. (Allgegenwart Gottes: "It is implied here that God resides in every human being, not exclusively in a special one").

[666] R. T. Herford, Christianity . . . 297 ff. (mit Parallelen); H. Hirschberg, JBL 62, 1943, 82 (gegen paulin. Gottessohn); H. J. Schoeps, Theologie und Geschichte . . . 227 (antiebionitisch); M. Goldstein, Jesus . . . 87 (mit Parallelen). Dieselben s. a. a. O. zur Parallele bMen 110a (wo allerdings nicht *mînîm* steht, sondern *baᶜal dîn*); vgl. z. St. auch M. Friedländer, Der Antichrist . . . 52. Neuerdings wieder antichristologisch gedeutet durch K. Hruby, Die Stellung . . . 61. Da dieselbe Phrase („gebt nicht den Minim Anlaß . . .") auch bJoma 40b im Zusammenhang mit einer Diskussion über eine Opferfrage (die Böcke für den Versöhnungstag betreffend) begegnet, deutete man die Minim auch hier z. T. – ohne jeden Grund – als Christen: M. Güdemann, Religionsgeschichtliche Studien, 114; R. T. Herford, Christianity . . . 297 f.; B. Pick, Jesus . . . 58.

[667] H. Hirschberg, JBL 62, 1943, 82 (paulinischer Gottessohn); K. Hruby, Die Stellung . . . 58 f. (eventuell antichristlich, vgl. Kol 1, 15 f.; aber vielleicht gegen dualistische Tendenzen).

[668] M. Dreifuß, LBdO 5, 1844, 203–207.

[669] L. Baeck, MGWJ 69, 1925, 258–271 (Aus drei Jahrtausenden, Tübingen 1958, 168 ff. Dagegen mit gutem Grund skeptisch P. Schäfer, Zum Geschichtsverständnis des rabbinischen Judentums, JStJ 6, 1975, 167–188 (180).

[670] H. Hirschberg, JBL 62, 1943, 82; H. J. Schoeps, Theologie und Geschichte . . . 319 (bJeb 63b) – ohne Handhabe im Text.

[671] Y. Cohen, *Pᵉraqîm* . . . 121, völlig unbegründet.

[672] A. Marmorstein, HUCA 1, 1924, 496 (zu Ps 2, 7).

[673] M. Goldstein, Jesus . . . 123 f. (Typologie Josua–Jesus), doch kontextwidrig.

[674] Gegen A. Marmorstein, HUCA 1, 1924, 486 f.; E. E. Urbach, *ḤZ"L* . . . 378 f. Die Zielrichtung ist aber eher der Herrscherkult. Vgl. auch A. Marmorsteins unbegründete antichristliche Deutung von Lev.R. 27, 4 in: Religionsgeschichtliche Studien . . . 36.

[675] Disput zwischen *ʾappîqorsîm* und R. Abbahu: Starb Henoch nicht? Auf Christen deuteten: H. Graetz, Geschichte . . . IV, ⁴1908, 284; L. Ginz-

berg, MGWJ 43, 1899, 300f. (Hinweis auf Hebr. 11, 5); R. T. Herford, Christianity . . . 270f. (Hebr. 11, 5!); J. Bergmann, Jüdische Apologetik . . . 50; P. Billerbeck, Nathanael 25, 1909, 40; Z. Markon, *Hat-Talmûd* . . . 174f.; M. Avi-Yonah, Geschichte . . . 173f.; S. T. Lachs, JQR 60, 1969/70, 202f.

676 Siehe dazu M. Lods, RHPhR 21, 1941, 8f.; J. Mann, HUCA 12–13, 1937/8, 440.

677 In alphabetischer Folge: L. Baeck, MGWJ 69, 1925 (Aus drei Jahrtausenden, Tübingen 1958, 157ff.): Gen.R. I, 1; Pes.RK I; S. W. Baron, A Social and Religious History . . . II, 133f.; J. Bergmann, Jüdische Apologetik . . . 81ff.; S. Dubnow, Weltgeschichte . . . III, 164f.; L. Ginzberg, MGWJ 42, 1898, 541ff.; M. Goldstein, Jesus . . . 87ff. 129ff. H. Graetz, Geschichte . . . IV, [4]1908, 82ff.; H. Hirschberg, JBL 62, 305–318; K. Hruby, Die Stellung . . . 57ff. 77ff.; H. Laible, Jesus Christus . . . 48ff.; J. Z. Lauterbach, Jesus . . . 545ff.; J. Mann, The Bible . . . II, 188; A. Marmorstein, HUCA 1, 484ff.; Ch. Obstler, Die Religionsgespräche . . . 69ff.; S. Pick, in: Die Lehren des Judentums V, Leipzig 1929, 70ff. 83f.; Z. M. Rabinowitz, *H^alakah w^ehaggadah b^ePijjûṭê Jannaj*, Tel Aviv 1965, 29ff.; M. Simon, Verus Israel . . . 228ff.; E. E. Urbach, Tarbiz 17; ders., Tarbiz 25, 286ff. Wesentlich aufschlußreicher ist die Diaspora-Diskussion: L. Barnard, Justin Martyr, London 1967, 23f.; B. Blumenkranz, ThZ 4, 1948, 142ff.; A. B. Hulen, JBL 51, 1932, 65; N. De Lange, Origen., 43ff. 101; M. Lods, RHPhR 21, 1941, 26ff.; J. Neusner, Aphrahat, Leiden 1971, 130f.

678 Vgl. im Kontrast dazu die eindeutige und schroffe frühmittelalterliche Polemik in J. Mann, HUCA 12–13, 1937/8, 438 (fol. 3, 16f.; 4a; 13b, 4).

679 H.-J. Schoeps, Theologie und Geschichte . . . 82ff.; A. J. Saldarini, Apocalyptic and Rabbinic Literature, CBQ 37, 1975, 348–358; B. Malina, Jewish Christianity or Christian Judaism, JStS 7, 1976, 46–57.

680 Siehe E. E. Urbach, Tarbiz 20, 118–122.

681 E. E. Urbach, Tarbiz 30, 148–170.

682 So E. Lerle, NT 10, 1968, 38f. Zur Sache vgl. auch A. J. Saldarini, The Uses of Apocalyptic in the Mishna and Tosephta, CBQ 39, 1977, 396–409.

683 P. Billerbeck in: Str.-B. IV, 452–465; D. M. May, Glory at the Right Hand, Nashville 1973 (v. a. 19ff.).

684 S. Poznanski, Schiloh, Leipzig 1904; für das Mittelalter vgl. B. Blumenkranz, Juifs et Chrétiens, Paris 1960, 277ff.

685 S. R. Driver–A. Neubauer, The "Suffering Servant" of Isaiah according to Jewish Interpreters, Oxford 1877 (repr. New York 1969). Ferner:

G. Dalman, Jesaja 53, Leipzig 1890; H. A. Fischel, Die deuterojesajanischen Gottesknechtslieder in der jüdischen Auslegung, HUCA 18, 1943/44, 53–76; H. Hegermann, Jesaja 53 in Hexapla, Targum und Peschitta, Gütersloh 1954; J. Jeremias, Zur Deutung von Jes 53 im palästinischen Judentum, Mélanges Goguel, 1953, 113–119; W. Staerk, Zur Exegese von Jes 53 im Diasporajudentum, ZNW 35, 1936, 308; H. W. Wolff, Jesaja 53 im Urchristentum, Berlin ²1950.

686 J. Heinemann, *ᵓAggadôt wᵉtôlᵉdôtêhän*, Jerusalem 1974, 125 ff. Vgl. ebenfalls zum Thema Heiliges Land bKet 112a und dazu R. T. Herford, Christianity . . . 252 f.; A. Büchler, Über die Minim . . . 272, sowie bSabb 88a.

687 Wie Z. Markon, *Hat-Talmûd* . . . 174. 478 f.; S. T. Lachs, JQR 60, 1969/70, 205 f.; R. T. Herford, Christianity . . . 276 f.; Ch. Obstler, Die Religionsgespräche . . . 67; M. Goldstein, Jesus . . . 131 f.

688 So M. Goldstein, Jesus . . . 132 f.; vgl. bBer 28b und dazu ders., a. a. O. 89.

689 Ch. Obstler, Die Religionsgespräche . . . 73; P. Billerbeck, Nathanael 25, 1909, 70.

690 V. Huonder, Israel, Sohn Gottes, Freiburg/Göttingen 1975 (allerdings mit unzureichender Behandlung des Themas).

691 Vgl. etwa J. Mann, HUCA 12–13, 1937/38, 417.

692 Gegen R.T. Herford, Christianity . . . 112 ff.; J. Levy, Wörterbuch II, ²1963, 105; E. E. Urbach, *ḤZ"L* . . . 96 f.

693 Angeführt bei A. Meyer, in: E. Hennecke, Handbuch . . . zu tḤull II, 22 f.; E. E. Urbach, *ḤZ"L* . . . 96 f.; K. Hruby, Die Stellung . . . 62 ff.; I. L. Levine, Caesarea . . ., Leiden 1975, 84 (bSanh 90a); Y. Cohen, *Pᵉraqîm* . . . 114 ff.

694 A. D. Crown, Dositheans, Resurrection and a Messianic Joshua, Antichthon 1, 1967/68, 70–85; S. J. Isser, The Dositheans, Leiden 1976, 143 ff.

695 Vgl. Ch. Obstler, Die Religionsgespräche . . . 18 ff.; P. Billerbeck, Nathanael 25, 1909, 71 ff.; A. Marmorstein, Religionsgeschichtliche Studien I, 46 f. 66. 72 ff.; A. Büchler, Über die Minim . . . 292 ff.

696 Vgl. schon M. Friedländer, Der Antichrist . . . 32 ff.; ders., Die religiösen Bewegungen . . . 19 ff. 32 ff. 208 ff.; I. Ziegler, Der Kampf . . . 59.

697 R. T. Herford, Christianity . . . 232. 278 ff. 313 ff.

698 Z. B. B. Kellermann, Kritische Beiträge . . . 77 ff.

699 Siehe darüber auch J. Heinemann, *ᵓAggadôt wᵉtôlᵉdôtêhän*, Jerusalem 1974, 103 ff.

700 Origenes, Contra Celsum II, 57 und 77. Zur Sache siehe H. Chad-

wick, Origen, Celsus and the Resurrection of the Body, HThR 41, 1948, 83–102; N. De Lange, Origen . . . 46 f.

[701] Dazu siehe auch R. Yankelevitch, Jews and Gentiles . . . 233 ff.

[702] Siehe vor allem: L. W. Barnard, Justin Martyr, London 1967; A. B. Hulen, JBL 51, 1932, 65 ff.; N. De Lange, Origen . . . 89 ff. 100 ff.; Viele wichtige Beobachtungen enthalten: G. Bardy, RB 46, 1934, 145 ff. A. Levenne, The Early Syrian Fathers on Genesis, London 1951; ders., Studia Patristica 1, 1957, 484 ff.; R. Loewe, ebd. 492 ff.; St. Hidal, Interpretatio Syriaca, Lund 1974; J. P. Martin, RB 39, 1977, 327–344.

[703] Vgl. N. De Lange, Origen . . . 103 ff.

[704] Vgl. H. Tränkl, Q.S.F. Tertulliani Adversus Judaeos, Wiesbaden 1963, LXX f.; C. K. Barrett, Jews and Judaizers . . . 233 ff. 244 ff.

[705] Vgl. bei Z. Markon, *Hat-Talmûd* . . . 31 f.; B. Blumenkranz, ThZ 4, 1948, 134 ff.; S. W. Baron, A Social and Religious History . . . II, 141 ff.; M. Simon, Verus Israel . . . 177 ff. 220 ff.; H. Bietenhard, Caesarea . . . 22 ff. 48 ff. 59 ff.

[706] Y. Baer, Scripta Hierosolymitana 7, 1961, 99 ff.; E. E. Urbach, Tarbiz 30, 1960/61; Scripta Hierosolymitana 22, 1971.

[707] J. Mann–I. Sonne, The Bible as Read and Preached . . .

[708] N. De Lange, Origen . . . (hier die ältere Literatur).

[709] G. Bardy, Rev.Ben. 46, 1934, 145–164; J. Braverman, Jerome's Commentary on Daniel, Washington 1978; E. Burstein, La competence de Jérome en hébreu, REA 21, 1975, 3–12; L. Ginzberg, in: Abhandlungen . . . H. P. Chajes, Wien 1933, 22–50 (zu Kohelet); ders., in: Jewish Studies . . . G. Kohut, New York 1935, 280–314; N. D. Kelly, Jerome, New York 1976.

BIBLIOGRAPHIE

(In Ergänzung zur Bibliographie in ›Jesus von Nazareth in der talmudischen Überlieferung‹, S. 317ff.)

Albert, M. (ed.): Jacobus Sarugensis, Homélies contre les Juifs. Édition critique du texte syriaque inédit, traduction française, introduction et notes. Turnhout 1976.

Aptowitzer, V.: Bemerkungen zur Liturgie und Geschichte der Liturgie. MGWJ 74, 1930, 104–126.

Arazay, A.: The Appellation of the Jews (Joudaios, Hebraios, Israel) in the Literature from Alexander to Justinian, Diss. New York 1977.

Asmussen, J. P.: Das Christentum im Iran und sein Verhältnis zum Zoroastrismus. Stud. Theol. 16, 1962, 1–24.

Bardy, G.: La conversion au christianisme durant les premières siècles. Paris 1949.

Barnard, L. W.: The Graeco-Roman and Oriental Background of the Iconoclastic Controversy. Leiden 1974.

–: Two Studies. Early Egyptian Christianity, and Hadrian, the Jews and the Christians. Leiden 1964.

–: Apologetik I: Alte Kirche. TRE III, 1979, 371–411.

Barrett, C. K.: Jews and Judaizers in the Epistles of Ignatius, in: Jews, Greeks and Christians, Essays in honor of W. D. Davies. Leiden 1976, 220–248.

Baskin, J. R.: Reflections of Attitudes Towards the Gentiles in Jewish and Christian Exegesis of Jethro, Balaam and Job, Diss. Abstracts Intern. 37, 1976/7, 3708-A.

Basser, H.: Tannaitic References to Christian Fast Days. Tradition 16/1, 1976, 134–140.

Bauer, W.: Der Wortgottesdienst der ältesten Christenheit. Tübingen 1930.

Baum, G.: The Jews and the Gospel. London 1961; deutsch: Die Juden und das Evangelium. Einsiedeln 1963.

–: Is the New Testament Anti-Semitic? Glen Rock/N.J. 1965.

Bayet, J.: Croyances et rites dans la Rome antique. Paris 1971.

Beilner, W.: Christus und die Pharisäer. Wien 1959.
Berger, K.: Jüdisch-hellenistische Missionsliteratur und apokryphe Apostelakten, Kairos 17, 1975, 232–248.
–: Die griechische Daniel-Diegese. Leiden 1976.
Beltz, W.: Gnosis und Altes Testament. ZRG 28, 1976, 353–357.
Bergmann, J.: Apologetik und Apologeten, EJ II. Berlin 1928, 1176–1194.
Bernfeld, S.: Zur ältesten Geschichte des Christentums. JJGL 13, 1910, 89–128.
Blanchetière, F.: Aux sources de l'anti-judaisme chrétien. RHPhR 53, 1973, 354–398.
Blau, L.: Studien zum althebräischen Buchwesen und zur biblischen Litteratur- und Textgeschichte. I. Studien zum althebräischen Buchwesen und zur biblischen Litteraturgeschichte, Strassburg 1902.
Bloch, J.: On the Apocalyptic in Judaism. Philadelphia 1952.
–: "Outside Books", Mordecai M. Kaplan Jubilee Volume. New York 1953, engl. 87–108.
Blumenkranz, B.: Die Juden als Zeugen der Kirche. ThZ 5, 1949, 396–398.
–: Juifs et Chrétiens – patristique et moyen âge. London 1977.
Bonwetsch, N.: Der Schriftbeweis für die Kirche aus den Heiden als das wahre Israel bis auf Hippolyt, Theol. Studien für Theodor Zahn. Leipzig 1908, 1–22.
–: Doctrina Jacobi nuper baptizati (Abh. Akad. Göttingen, phil.-hist. Kl. NF XII/3). Berlin 1910.
Bokser, B. Z.: Judaism and the Christian Predicament. New York 1967.
Borgen, P.: Bread from Heaven. Leiden 1965.
Bousset, W.: Jüdisch-christlicher Schulbetrieb in Alexandria und Rom. Göttingen 1915.
–: Kyrios Christos. Geschichte des Christusglaubens von den Anfängen des Christentums bis Irenäus. Göttingen ²1921.
Bowman, J.: The Gospel of Mark – the New Christian Jewish Passover Haggadah. Leiden 1965.
–: Samaritanische Probleme. Stuttgart 1967.
–: The Fourth Gospel and the Jews. Pittsburgh/Pa. 1975.
Brandes, G.: Urchristentum. Berlin 1927.
Braude, W. G.: The Church Fathers and the Synagogue. Judaism 9, 1960, 112–119.
Brock, S. P.: Origen's Aims as a Textual Critic of the Old Testament. Studia Patristica 10, 1970, 215–218.
–: Jewish Traditions in Syriac Sources. JJSt 30, 1979, 212–232.

Budge, E. A. W.: The History of the Blessed Virgin Mary and the History of the Likeness of Christ which the Jews of Tiberias Made to Mock at. The Syriac Texts ed. with English Translation, 2 vols. London 1899 (repr. 1976).
–: The Book of the Cave of Treasures. London 1927.
Burkill, T. A.: Anti-Semitism in the Fourth Gospel. NT 3, 1959, 34–53.
Caird, G. F.: The Apostolic Age. London ²1974.
Carroll, K. L.: The Fourth Gospel and the Exclusion of the Christians from the Synagogue. BJRL 40, 1957/8, 19–32.
Chadwick, H.: Origen: Contra Celsum. Cambridge 1953.
–: Early Christian Thought and the Classical Tradition. Oxford 1966.
–: Die Kirche in der antiken Welt. Berlin 1972.
Charve, A.: L'incrédulité des juifs dans le Nouveau Testament. Gembloux 1929.
Cohen, A.: The Parting of the Ways. Judaism and the Rise of Christianity. London 1954.
Cohen, G. D.: Esau as Symbol in Early Medieval Thought, in: A. Altmann (ed.), Jewish Medieval and Renaissance Studies. Cambridge/Mass. 1967, 19–47.
Cohen, Y.: *Ha-jaḥas ʾäl han-nokrî ba-hᵃlakah ubam-mᵉṣîʾût bitqûfat hat-Tannaʾîm*, Diss. Jerusalem 1975 (The attitude to the gentiles in the Halacha and in reality in the Tannaitic period).
–: *Pᵉraqîm bᵉtôlᵉdôt hat-Tannaʾîm*, Jerusalem 1978.
–: *Ḥajjê han-nokrî – ʿärkam wᵉhaj-jaḥas ʿᵃlêhäm bitqûfat hat-Tannaʾîm. Hagût* 1977/8, 91–123.
Cohon, S. S.: The Unity of God. A study in Hellenistic and Rabbinic Theology. HUCA 26, 1955, 425–479.
Cook, M. J.: Mark's Treatment of the Jewish Leaders. Leiden 1978.
Cullmann, O.: Die neuentdeckten Texte und das Judenchristentum der Pseudoklementinen, in: Neutestamentliche Studien für Rudolf Bultmann (BZNW 21), Berlin 1957, 35–51.
–: Courants multiples dans la communauté primitive, in: Judéo-Christianisme. FS J. Daniélou. Paris 1972, 57–68.
–: Der johanneische Kreis. Tübingen 1975.
Cuming, G. J.: The Jews in the Fourth Gospel. Exp.T. 60, 1948/9, 290 bis 292.
Daniélou, J.: Les sources juives de la doctrine des anges des nations chez Origène. RechScRel 38, 1951, 132–137.
–: Das lateinische Judenchristentum. Heidelberg 1977.

Daube, D.: The New Testament and Rabbinic Judaism. London 1956.
Davies, W. D.: Christian Origins and Judaism. London 1962.
–: The Gospel and the Land. Early Christianity and Jewish Territorial Doctrine. Berkely 1974.
Denker, J.: Die theologiegeschichtliche Stellung des Petrusevangeliums. Ein Beitrag zur Frühgeschichte des Doketismus. Bern/Frankfurt 1975.
Derrett, J. D. M.: The Parable of the Prodigal Son: Patristic Allegories and Jewish Midrashim. Studia Patristica 10, 1970, 219–224.
–: Cursing Jesus (1 Cor 12, 3). The Jews as Religious Persecutors. NTS 21, 1975, 544–554.
Dexinger, F.: Die Sektenproblematik im Judentum. Kairos 21, 1979, 273–287.
Dix, G.: Jew and Greek. A study in the primitive church. London 1953.
Dodds, E. R.: Pagan and Christian in an Age of Anxiety. London 1965.
Donahue, P. J.: Jewish-Christian Controversy in the Second Century. A study in the Dialogue of Justin Martyr, Diss. Yale Univ./New Haven 1973.
Drijvers, H. J. W.: Bardaisan of Edessa. Assen 1966.
–: Edessa und das jüdische Christentum. Vig. Christ. 24, 1970, 4–33.
–: Rechtgläubigkeit und Ketzerei im ältesten syrischen Christentum. Or. Christ. Anal. 147, 1974, 291–310.
Dubarle, A. M.: Le témoignage de Josèphe sur Jésus d'après des publications récentes. RB 84, 1977, 38–58.
Dugmore, C. W.: The Influence of the Synagogue upon the Divine Service. Oxford 1944.
Efroymson, D. P.: Tertullian's anti-Judaism and its role in his theology, Diss. Temple Univ./Pa. 1976.
Ellis, E. E.: Prophecy and Hermeneutic in Early Christianity. Tübingen 1978.
Enslin, M. S.: Justin Martyr: an appreciation. JQR 34, 1943/4, 179–205.
–: The Parting of the Ways. JQR 51, 1961/2, 177–197.
Epp, E. J.: The "Ignorance Motif" in Acts and the Anti-judaic Tendencies in Codex Bezae. HThR 55, 1962, 51–62.
Fascher, E.: Der Vorwurf der Gottlosigkeit in der Auseinandersetzung bei Juden, Griechen und Christen, in: Abraham unser Vater, Festschrift für Otto Michel. Leiden 1963, 78–105.
–: Jerusalems Untergang in der urchristlichen und altkirchlichen Überlieferung. ThLZ 89, 1964, 81–98.
Festugière, A. J.: Les moines d'orient, I. Paris 1961.

Filson, F. V.: Geschichte des Christentums in neutestamentlicher Zeit. Düsseldorf 1967.
Fitzmyer, J. A.: Anti-Semitism and the Cry of "all the People". Theol. Stud. 26, 1965, 667–671.
Flusser, D.: *J^{a}hadût ûmqôrôt han-naṣrût.* Tel Aviv 1979.
Fortin, E. L.: Christianisme et culture philosophique au cinquième siècle. Paris 1959.
Fowden, G.: Bishops and Temples in the Eastern Roman Empire A.D. 320–435. JThSt 29, 1978, 53–78.
Frankel, Z.: Zur Geschichte der jüdischen Religionsgespräche. MGWJ 4, 1855, 161–181. 205–218. 241–250. 410–413. 447–454.
Frend, W. H. C.: The Persecutions: Some Links between Judaism and the Early Church. JEccl. Hist. 9, 1958, 141–158.
–: Religion Popular and Unpopular in the Early Centuries. London 1976.
Freudenberger, R.: Das Verhalten der römischen Behörden gegen die Christen im 2. Jahrhundert, dargestellt am Brief des Plinius an Trajan und den Reskripten Trajans und Hadrians. München [2]1969.
Friedländer, A. H.: Christliche Theologie und Antijudaismus. Die Kategorie „Alt-Neu" in der hebräischen Bibel und Tradition. EvTheol. 37, 1977, 502–508.
Fr(iedmann?), M.: Kirchenväter über Juden. Das Jüdische Literaturblatt 10, 1881, 50f. 65. 69f. 72f. 76f. 85f. 89. 93f.
Gager, J. G.: The Dialogue of Paganism with Judaism from Bar Cochba to Julian. HUCA 44, 1973, 89–118.
Garland, D. E.: The Intention of Matthew 23. Leiden 1979.
Gaston, L.: No Stone on Another. Studies in the Significance of the Fall of Jerusalem in the Synoptic Gospels. Leiden 1970.
Gavin, F.: The Jewish Antecedents of the Christian Sacraments. London 1928.
–: Rabbinic Parallels in Early Church Orders. HUCA 6, 1929, 55–67.
Geffken, J.: Zwei griechische Apologeten. Berlin 1907.
Gelsi, G.: Kirche, Synagoge und Taufe in den Psalmenhomilien des Asterius Sophistes. Wien 1978.
Gevaryahu, Ch. M. Y.: *„Birkat ham-mînîm"*. Sinai 44, 1958/9, 367–375.
Ghali, I. A.: L'orient chrétien et les juifs. Paris 1970.
Gigon, O.: Die antike Kultur und das Christentum. Gütersloh 1966.
Ginzberg, L.: Die Haggada bei den Kirchenvätern. MGWJ 42, 1898, 537–550; 43, 1899, 17–22. 61–75. 117–125. 149–159. 217–231. 293–303. 409–416. 461–470. 485–504. 529–547.

Ginzberg, L.: Die Haggada in den pseudo-hieronymischen ›Quaestiones‹. Amsterdam 1899.
–: Die Haggada bei den Kirchenvätern und in der apokrifischen Literatur. Berlin 1900.
–: Die Haggada bei den Kirchenvätern: Exodus, Livre d'hommage à la memorie du S. Poznanski. Warschau 1927, 199–216.
–: Die Haggada bei den Kirchenvätern: Numeri-Deuteronomium, Studies in Memory of A. S. Freidus. New York 1929, 503–518.
–: Die Haggada bei den Kirchenvätern. Der Kommentar des Hieronymus zu Kohelet, Abhandlungen zur Erinnerung an H. P. Chajes. Wien 1933, 22–50.
–: Die Haggada bei den Kirchenvätern VI: Der Kommentar des Hieronymus zu Jesaja, Jewish Studies ... G. Kohut. New York 1935, 280–314.
Glasson, T. F.: Anti-Pharisaism in St. Matthew. JQR 51, 1960/1, 316 bis 320.
Gnilka, J.: Die Verstockung Israels. Isaias 9–10 in der Theologie der Synoptiker. München 1961.
Goldenberg, R.: The Jewish Sabbat in the Roman World up to the Time of Constantine the Great, in: ANRW II, 19/1, 1979, 414–447.
Goldfahn, A. H.: Justinus Martyr und die Agada. MGWJ 22, 1873, 49–60. 104–115. 145–153. 193–202. 257–269.
Goodenough, E. R.: The Theology of Justin Martyr. Jena 1923.
Goodspeed, E. J.: Die ältesten Apologeten. Göttingen 1914.
Graesser, E.: Die antijüdische Polemik im Johannesevangelium. NTS 11, 1964/5, 74–90.
Graetz, H.: Gnosticismus und Judenthum. Krotoschin 1846.
–: Haggadische Elemente bei den Kirchenvätern. MGWJ 3, 1854, 311–318. 352–355. 381–387. 428–431; 4, 1855, 186–192.
–: Hillel, der Patriarchensohn. MGWJ 30, 1881, 433–443.
Grayzel, S.: The Beginnings of Exclusion. JQR 61, 1970/1, 15–26.
Grego, I.: I giudeo-cristiani alla luce degli ultimi studi e dei recenti reperti archeologici. Salesianum 40, 1978, 125–149.
Groningen, G. van: First Century Gnosticism. Leiden 1967.
Grotz, H.: Die Hauptkirchen des Ostens. Von den Anfängen bis zum Konzil von Nikaia. Rom 1964.
Güdemann, M.: Das IV. (Johannes-)Evangelium und der Rabbinismus. MGWJ 37, 1893, 249–257. 297–303. 345–356.
Guignebert, Ch.: Les demi-chrétiens et leur place dans l'Eglise antique. RHR 88, 1923, 65–102.

Guillaumont, A.: Monachisme et ethique judéo-chrétienne. RScR 60, 1972, 199–218.

Guitton, J.: Great Heresies and Church Councils. London 1965.

Gutmann, E. M.: The Hebrew Christians. Philadelphia 1973.

Guttmann, A.: Tractate Abot. Its Place in Rabbinic Literature. JQR 41, 1950/1, 181–193.

Hadot, J.: Contestation socio-religieuse et apocalyptique dans le judéo-christianisme. Archives de Sociologie des Religions 12/24, 1967, 35–47.

Hadas-Lebel, M.: Le paganisme à travers les sources rabbiniques des IIe et IIIe siècles. Contribution à l'étude du syncrétisme dans l'empire Romain, in: ANRW II, 19/2, 1979, 397–485.

Haenchen, E.: Judentum und Christentum in der Apostelgeschichte. ZNW 54, 1963, 155–187.

Hahn, St.: Sifre Minim, in: Dissertationes in honorem Dr. Eduardo Mahler. Budapest 1937, 427–435.

Hage, W.: Die syrisch-jakobitische Kirche in frühislamischer Zeit. Wiesbaden 1966.

Haller, J.: La question juive dans le premier millénaire chrétien. RHPhR 15, 1935, 293–334.

Hallevi, E. E.: *ᶜAl ᵓissûr ḥokmah jᵉwanît.* Tarbiz 41, 1971/2, 269–274.

–: *Ha-ᵓaggadah ha-hîsṭôrît – bîjôgrafît.* Tel Aviv 1975.

Hanson, R. P. C.: The Interpretation of Hebrew Place Names in Origen. Vig. Christ. 10, 1956, 103–123.

Harder, G.: Fragen zum Problem Ecclesia und Synagoge in den ersten Jahrhunderten. ThLZ 85, 1960, 153–154.

Heller, B.: Tendences et idées juives dans les contes hébreux. REJ 77, 1923, 97–126.

Hengel, M.: Zwischen Jesus und Paulus. ZThK 72, 1975, 151–206.

Hershkowitz, M.: *Hat-Tannaᵓîm šäl-laḥᵃmû nägäd han-naṣrût. ᵓÔr ham-Mizraḥ* 26, 1977/8, 229–246 (lag mir nicht vor).

Hilgenfeld, A.: Judentum und Judenchristentum. Leipzig 1886.

Hirschberg, H.: Die rabbinische Reaktion auf des Paulus Grundgedanken im Kapitel 7 des Römerbriefs. Emuna 7, 1972, 367–373.

Hoffmann, M.: Der Dialog bei den christlichen Schriftstellern der ersten vier Jahrhunderte. Berlin 1960 (1966).

Horst, P. W. van der: Seven Month's Children in Jewish and Christian Literature in Antiquity. EphTheolLov 54, 1978, 346–360.

–: Jezus in de joodse literatuur van de oudheid. Kerk en Theologie 30, 1979, 105–114.

Hruby, K.: Juden und Judentum bei den Kirchenvätern. Zürich 1971.
Hummel, R.: Die Auseinandersetzung zwischen Kirche und Judentum im Matthäusevangelium. München 1963.
Hunt, B. P. W. S.: The Dialogue between Timothy and Aquila. Studia Patristica 8, 1966, 70–75.
Isenberg, S.: Antisadducean Polemic in the Palestinian Targum Tradition. HThR 63, 1970, 433–444.
Isser, S. J.: The Dositheans. Leiden 1976.
Jaeger, W.: Das frühe Christentum und die griechische Bildung. Berlin 1963.
Joly, R.: Judaisme, Christianisme et Héllenisme dans le Pasteur d'Hermas. Le Nouveau Clio 5, 1953, 394–406.
Jonkers, E. J.: Einige Bemerkungen über das Verhältnis der christlichen Kirche zum Judentum vom 4. bis auf das 7. Jahrhundert. Mnemosyne 11, 1943, 304–320.
Kamlah, W.: Christentum und Geschichtlichkeit, Stuttgart ²(1951).
Kazan, St.: Isaac of Antioch's Homily against the Jews. Oriens Christianus 45, 1961, 30–53; 46, 1962, 87–98; 47, 1963, 89–97; 49, 1965, 57–78.
Kelly, J. N. D.: Altchristliche Glaubensbekenntnisse. Göttingen 1972.
–: Jerome. His Life, Writings and Controversies. New York 1976.
Keresztes, P.: The Imperial Roman Government and the Christian Church. ANRW II, 23/1 1979, 247–315 (From Nero to the Severi); 375–386 (From Gallienus to the great persecution).
Klausner, J.: Von Jesus zu Paulus. Jerusalem 1950.
Klein, G.: Der älteste christliche Katechismus und die jüdische Propaganda-Literatur. Berlin 1909.
Klein, R. (Hrsg.): Das frühe Christentum im römischen Staat. Darmstadt 1971.
Klevinghaus, J.: Die theologische Stellung der Apostolischen Väter zur alttestamentlichen Offenbarung. Gütersloh 1948.
Klijn, A. F. J.: Seth in Jewish, Christian and Gnostic Literature. Leiden 1977.
Knopf, R.: Das nachapostolische Zeitalter. Tübingen 1905.
Koch, G. A.: A Critical Investigation of Epiphanius' Knowledge of the Ebionites: a translation and critical discussion of ›Panarion‹ 30, Diss. Univ. of Pennsylvania 1976.
Koester, H.: The Purpose of the Polemic of a Pauline Fragment. NTS 8, 1961/2, 317–332.
Kohler, K.: The Origin and Composition of the Eighteen Benedictions with

a Translation of the Corresponding Essene Prayers in the Apostolic Constitutions. HUCA 1, 1924, 387–425.
–: Dositheus, the Samaritan Heresiarch, and His Relations to Jewish and Christian Doctrines and Sects. American Journal of Theology 15, 1911, 404–435.
Koschorke, K.: Die Polemik der Gnostiker gegen das kirchliche Christentum, in: M. Krause (ed.), Gnosis and Gnosticism. Leiden 1977, 43–49.
–: Die Polemik der Gnostiker gegen das kirchliche Christentum. Leiden 1978.
Kraus, H.: Begriff und Form der Häresie nach Talmud und Midrasch. Bern 1896.
Krauss, S.: The Jews in the Works of the Church Fathers. JQR o. s. 5, 1893, 122–157; 6, 1894, 82–99. 225–261.
–: Imprecation against the Minim in the Synagogue. JQR o. s. 9, 1897, 515–517.
–: Un atlas juif des statues de la Vierge. REJ 48, 1904, 82–93.
–: A Jewish Legend Concerning the Finding of the Cross. JQR o. s. 12, 1900, 718ff.
–: A propos des légendes de la Vierge. REJ 51, 1905, 150–152.
–: A Religious Disputation in Palestine at the End of the Byzantine Rule. Zion 2, 1926, 28–37 (hebr.; betr. Doctrina Jacobi).
–: Zur Literatur der Siddurim. Christliche Polemik, Festschrift für A. Freimann zum 60. Geburtstag (Soncino-Blätter). Berlin 1935, 125–140.
Kretschmar, G.: Studien zur frühchristlichen Trinitätstheologie. Tübingen 1956.
Kruijf, Th. C. de: Antisemitismus III: Im NT. TRE III, 1979, 122–128.
Labourt, J.: Le christianisme dans l'empire Perse sous la dynastie Sassanide (224–632). Paris [2]1904.
Lange, N. R. M. de: Origen and Jewish Bible Exegesis. JJS 22, 1971, 31–52.
–: Origen as a Source for Jewish History, Proceedings of the VIth World Congress for Jewish Studies. Jerusalem 1976, 1–7.
–: Origen and the Jews. Studies in Jewish-Christian Relations in Third-Century Palestine. Cambridge 1976.
–: Antisemitismus IV: Alte Kirche. TRE III, 1979, 128–137.
Larsen, M. T. (ed.): Power and Propaganda. A symposion on ancient empires. Copenhagen 1979.
Last, H.: The Study of the Persecutions. Journal of Roman Studies 27, 1937, 80–92.

Latourette, K. Sc.: Geschichte der Ausbreitung des Christentums. Göttingen 1956.

Lehmann, J.: Les sectes juives mentionnées dans la Mischna de Berakhot et de Meguilla. REJ 30, 1895, 182–203; 31, 1895, 31–46.

Leiman, S. Z.: The Canonization of Hebrew Scripture. The Talmudic and Midrashic Evidence. Hamden 1976.

Leipoldt, J.: Die Ablösung des frühen Christentums vom Judentum. Communio Viatorum 2, 1959, 217–227.

Leistner, R.: Antijudaismus im Johannes-Evangelium? Bern 1974.

Leon, H. J.: The Jews of Ancient Rome. Philadelphia 1960.

Levertoff, P. P.: St. Paul in Jewish Thought. London 1928.

Levine, L. I.: Caesarea under Roman Rule. Leiden 1975.

Lévy, I.: Le môt « minim » désigne-t-il jamais une secte juive des gnostiques antinomistes ayant exercé son action en Judée avant la destruction du temple? REJ 38, 1899, 204–210.

Lewis, J. P.: A Study of the Interpretation of Noah and the Flood in Jewish and Christian Literature. Leiden 1968.

Lindeskog, G.: Jews and Judaism in the New Testament. ASTI 11, 1977/8, 63–67.

Liebermann, S.: Greek in Jewish Palestine. New York 1942.

–: The Martyrs of Caesarea, Annuaire de l'Université libre de Bruxelles. Institut de philologie et d'historie orient. et slaves 7, 1939/44, 394 bis 446.

–: Hellenism in Jewish Palestine. New York 1950.

Lindars, B.: New Testament Apologetic. The Doctrinal Significance of the Old Testament Citations. London 1961.

Loewe, R.: Apologetic Motifs in the Targum to the Song of Songs, Studies and Texts III (Biblical Motifs). New Haven 1966, 159–196.

Longenecker, R. N.: Biblical Exegesis in the Apostolic Age. New York [2]1977.

Lorenz, R.: Arius judaizans? Untersuchungen zur dogmengeschichtlichen Einordnung des Arius. Göttingen 1979.

Lowry, R.: The Rejected-Suitor Syndrome. Human Sources of NT "Antisemitism". Journal of Ecum. Studies 14, 1977, 219–232.

Lucas, L.: Zur Geschichte der Juden im IV. Jahrhundert. Berlin 1910 (lag mir nicht vor).

Magnin, J. M.: Notes sur l'ébionitisme. Proche Orient Chrétien 23, 1973, 223–265; 24, 1974, 225–250; 25, 1975, 245–273; 26, 1976, 293 –318; 27, 1977, 250–276.

Maier, J.: Geschichte der jüdischen Religion. Berlin 1972.
–: Jesus von Nazareth in der talmudischen Literatur. Darmstadt 1978.
Malina, B. J.: Jewish Christianity or Christian Judaism. Towards a hypothetical definition. JStJ 7, 1976, 46–57.
Mancini, I.: La « Ecclesia ex circumcisione ». Bibbia e Oriente 7, 1965, 69–75.
–: Archaeological Discoveries Relative to the Judaeo-Christians. Jerusalem 1970.
Mann, J.: Changes in the Divine Service of the Synagogue Due to Religious Persecutions. HUCA 4, 1927, 241–310.
Mann, J.–Sonne, I.: The Bible as Read and Preached in the Old Synagogue. New York, I [2]1971, II 1966.
Manson, T. W.: The Argument from Prophecy. JThSt 46, 1945, 129–136.
Marmorstein, A.: Jews and Judaism in the Earliest Christian Apologies. Expositor 45, 1919, 104–116.
Martin, J. P.: Hermeneutica en el cristianismo y en el judaismo segun el « Dialogo » de Justino Martyr. Rev.Bibl. 39, 1977, 327–344.
Martyn, J. L.: History and Theology in the Fourth Gospel. New York 1968.
Maurer, W.: Kirche und Synagoge. Stuttgart 1953.
Meeks, W. A.: Jews and Christians in Antioch in the First Four Centuries. Society of Biblical Literature 10, 1976, 33–65.
Meyer, F. E.: Die Pessach-Haggada und der Kirchenvater Justinus Martyr, in: Treue zur Torah, Festschrift G. Harder. Berlin 1977, 84–87.
Mignard, J. E.: Jewish and Christian Cultic Discipline to the Middle of the Second Century. Boston 1966.
Mihaly, E.: A Rabbinic Defense of the Election of Israel. HUCA 35, 1964, 103–143.
Mitchell, C. W. (ed.): S. Ephraems Prose Refutations of Mani, Marcion and Bardaisan, 2 vols. London/Oxford 1912, 1921.
Momigliano, A. (ed.): The Conflict between Paganism and Christianity in the Fourth Century. Oxford 1970.
Mommsen, Th.: Der Religionsfrevel nach römischem Recht. Historische Zeitschrift 75, 1890, 389–429.
Müller, U. B.: Zur frühchristlichen Theologiegeschichte. Judenchristentum und Paulinismus in Kleinasien an der Wende vom 1. zum 2. Jh. n. Chr. Gütersloh 1976.
Munier, Ch.: L'Église dans l'empire Romain (IIe–IIIe s.) IIIe partie: Eglise et cité. Paris 1979 (p. 145 ff.).
Murmelstein, B.: Agadische Methoden in den Pentateuchhomilien des Ori-

genes. Zum 40jährigen Bestehen der Israelitisch-theologischen Lehranstalt Wien 1933, 13–122.
Murray, R.: Symbols of Church and Kingdom. A study in early Syriac tradition. London 1975.
Mutius, H. G. v.: Der Kainiterstammbaum in der jüdischen und christlichen Exegese. Hildesheim 1978.
Neusner, J.: Aphrahat and Judaism. The Christian-Jewish Argument in the Fourth Century. Leiden 1971.
–: Aphrahat on Celibacy. Judaica 28, 1972, 117–128.
–: Babylonian Jewry and Shapur II's Persecution of Christianity from 339 to 379 A.D. HUCA 43, 1972, 77–102.
Nibley, H.: Christian Envy of the Temple. JQR 50, 1959/60, 97–123. 229–240.
Nock, A. D.: Conversion. Oxford 1933.
–: Early Gentile Christianity and its Hellenistic Background. New York 1964.
O'Collins, G. G.: Anti-Semitism in the Gospel. ThSt 26, 1965, 663–666.
Odeberg, H.: Phariseism och Kristendom. Lund 1943.
Oesterley, W. O. E.: The Jewish Background of the Christian Liturgy. Oxford 1925.
Oppenheimer, A.: The ᶜam ha-aretz. A study in the social history of the Jewish people in the Hellenistic-Roman period. Leiden 1977.
Osten-Sacken, P. von der: Das paulinische Verständnis des Gesetzes im Spannungsfeld von Eschatologie und Geschichte. EvTheol 37, 1977, 549–587.
Pancaro, S.: The Law in the Fourth Gospel. Leiden 1975.
Parkes, J.: The Conflict of the Church and the Synagogue. A study in the origins of antisemitism. London 1934.
Paul, A.: Ecrits de Qumran et sectes juives aux premiers siècles de l'Islam. Paris 1969.
Perrone, L.: Vie religieuse et théologie en Palestine durant la première phase des controverses christologiques. Proche Orient Chrétien 27, 1977, 212–249.
Petuchowski, J. J.: Halakhah in the Church Fathers, Essays in honor of S. B. Freehof. New York 1964, 257–274.
Pines, S.: Judeo-Christian Materials in an Arabic-Jewish Treatise. PAAJR 35, 1967, 187–217.
Prigent, P.: Une trace de liturgie judéo-chrétienne dans le chapître 21 de l'Apocalypse de Jean. RScR 60, 1972, 165–172.

Quispel, G.: Gnostic Studies, 2 Bde. Istanbul 1975.
Rahmer, M.: Die hebräischen Traditionen in den Werken des Hieronymus, I. Die ›Quaestiones in Genesis‹. Breslau 1861.
Rengstorf, K. H.–Kortzfleisch, S. v.: Kirche und Synagoge I. Stuttgart 1968.
Riegel, St. K.: Jewish Christianity; definition and terminology. NTS 24, 1978, 410–415.
Rosenbloom, J. R.: Conversion to Judaism. Cincinnati 1978.
Rudolph, K.: Stand und Aufgaben in der Erforschung des Gnostizismus, in: ders. (Hrsg.), Gnosis und Gnostizismus. Darmstadt 1975, 510–553.
–: Das frühe Christentum als religionsgeschichtliches Phänomen, in: Das Korpus der griechisch-christlichen Schriftsteller (TU 120). Berlin 1977, 29–42.
–: Gnosis – Weltreligion oder Sekte. Kairos 21, 1979, 255–263.
–: Synkretismus – vom theologischen Scheltwort zum religionswissenschaftlichen Begriff, in: Humanitas religiosa, Festschrift für Harald Biezais. Stockholm 1979, 194–212.
Ruhbach, G. (Hrsg.): Die Kirche angesichts der konstantinischen Wende. Darmstadt 1976.
Ryckmans, J.: La persecution des chrétiens Himyarites au sixième siècle. Leiden 1956.
Saldarini, A. J.: Apocalyptic and Rabbinic Literature. CBQ 37, 1975, 348–358.
Sandmel, S.: Parallelomania. JBL 81, 1962, 1–13.
Schäfer, P.: Studien zur Geschichte und Theologie des rabbinischen Judentums. Leiden 1978.
Schalit, A.: Die frühchristliche Überlieferung über die Herkunft der Familie des Herodes. Ein Beitrag zur Geschichte der politischen Invektive in Judaea. ASTI 1, 1962, 109–160.
Schedl, C.: Muhammed und Jesus. Die christologisch relevanten Texte des Koran. Wien 1978.
Schneemelcher, W.: Das Problem des Judenchristentums. Verkündigung und Forschung 1949/50, 229–238.
Schoeps, H. J.: Symmachusstudien. Coniect. Neotest. 6, 1942, 65–93.
–: Ehebewertung und Sexualmoral der späteren Judenchristen. Stud. Theol. 2, 1948, 99–101.
–: Aus frühchristlicher Zeit. Tübingen 1950.
–: Urgemeinde, Judenchristentum, Gnosis. Tübingen 1956.
–: Die Pseudoklementinen und das Urchristentum. ZRG 10, 1958, 1–15.
–: Das Judenchristentum. Bern 1964.

Schoeps, H. J.: Das Judenchristentum in den Parteienkämpfen der Alten Kirche, in: Aspects du Judéo-Christianisme. Paris 1965, 53–74.
–: Judenchristentum und Gnosis, in: U. Bianchi (ed.), The Origins of Gnosticism. Leiden 1967, 528–537.
Schürer, E.: The History of the Jewish People in the Age of Jesus Christ (175 B.C.–A.D. 135). A new English version . . . by G. Vermes, F. Millar, M. Black. Edinburgh I, 1973; II, 1979.
Schwartz, E.: Christliche und jüdische Ostertafeln. Berlin (AAW, phil.-hist. Kl. n.s. VIII/6) 1905.
Seaver, J. E.: Persecution of the Jews in the Roman Empire (300–438). Lawrence 1952.
Segal, A. F.: Two Powers in Heaven. Early Rabbinic Reports about Christianity and Gnosticism. Leiden 1977.
Seyberlich, R. M.: Die Judenpolitik Kaiser Justinians I. Byzantinische Beiträge 1, 1964, 73–80.
Shezipanski, Y.: *Ham-mînîm w^{e}ham-malšînîm*, Sefär Jôbel S. Federbusch. Jerusalem 1961, 343–351.
Siegert, F.: Gottesfürchtige und Sympathisanten. JStJ 4, 1973, 109 bis 164.
Siegfried, C.: Über Ursprung und Entwicklung des Gegensatzes zwischen Christentum und Judentum. Jena 1895.
Simon, M.: Recherches d'histoire judéo-chrétienne. Paris 1962.
–, A. Benoit: Le Judaisme et le Christianisme antique. Paris 1968.
Simonsen, D.: Eine Sammlung polemischer und apologetischer Literatur, Festschrift A. Freimann. Berlin 1935, 114–120.
Sloan, G. S.: Is Christ the End of the Law? Philadelphia 1978.
Stein, S.: The Dietary Laws in Rabbinic and Patristic Literature. Studia Patristica 2, 1958, 141–154.
Stemberger, G.: Die sogenannte „Synode von Jabne" und das frühe Christentum. Kairos 19, 1977, 14–21.
–: Die Beurteilung Roms in der rabbinischen Literatur, in: ANRW II, 19/2, 1979, 338–396.
–: Das Klassische Judentum. München 1979.
Stichel, R.: Außerkanonische Elemente in byzantinischen Illustrationen des Alten Testaments. Röm. Quartalschrift 69, 1974, 159–181.
Strobel, A.: Ursprung und Geschichte des frühchristlichen Osterkalenders (TU 121). Berlin 1977.
Styger, P.: Juden und Christen im alten Rom. Berlin 1934.
Testa, E.: Il simbolismo degli Judeo-cristiani. Rom 1961.

Thoma, C.: Christliche Theologie des Judentums. Aschaffenburg 1978.
Thrower, J. A.: The Alternative Tradition. A Study of Unbelief in the Ancient World. Berlin 1979.
Tilborg, S. van: The Jewish Leaders in Matthew. Leiden 1972.
Tison, J.-M.: Salus Israel apud Patres primi et secundi saeculi. Verbum Domini 39, 1961, 97–108.
Torrey, C. C.: Documents of the Primitive Church. London/New York 1941.
–: The Aramaic Period of the Nascent Christian Church. ZNW 44, 1952/3, 205–223.
Tränkl, H.: Q.S.F. Tertulliani Adversus Judaeos. Wiesbaden 1963.
Treu, K.: Die Bedeutung des Griechischen für die Juden im römischen Reich, Festschrift für E. v. Ivanka, Salzburg 1963/4, 123–144.
Turner, H. E. W.: The Pattern of Christian Truth. A study in the relation between orthodoxy and heresy in the early church. London 1954.
Unnik, W. C. van: Die Gotteslehre bei Aristides und in gnostischen Schriften, ThZ 17, 1961, 166–174.
Vermes, G.: The Decalogue and the Minim, in: In Memoriam Paul Kahle, ed. M. Black–G. Fohrer. Berlin 1968 (BZAW 103), 232–240; auch in: ders., Postbiblical Jewish Studies. Leiden 1975, 169–177.
Vielhauer, Ph.: Geschichte der urchristlichen Literatur. Berlin [2]1978.
Vogt, J.: Helena Augusta, das Kreuz und die Juden. Fragen um die Mutter Constantins des Großen. Saeculum 27, 1976, 211–222.
Voss, B. R.: Der Dialog in der frühchristlichen Literatur. München 1970.
Wagner, M. St.: Religious Nonconformity in Ancient Jewish Life, Diss. Yeshiva University New York 1964 (Ann Arbor University Micro-Films 1965).
–, Breek, A. D.: Great Confrontations in Jewish History. Denver 1977.
Waitz, H.: Neue Untersuchungen zu den judenchristlichen Evangelien. ZNW 36, 1937, 60–81.
Walzer, R.: Galen on Jews and Christians. Oxford 1949.
Wasserstein, A.: A Rabbinic Midrash as a Source of Origen's Homily on Ezechiel. Tarbiz 46, 1976/7, 317–318.
Werner, E.: Melito of Sardes, the first poet of deicide. HUCA 37, 1966, 191–210.
Wieder, N.: The Idea of a Second Coming of Moses. JQR 46, 1955/6, 356–366.
Wiessner, G.: Zur Märtyrerüberlieferung aus der Christenverfolgung Schapurs II. Göttingen 1967.

Wifstrand, A.: Die alte Kirche und die griechische Bildung. Bern 1967.
Wilde, R.: The Treatment of the Jews in the Greek Christian Writers of the First Three Centuries. Washington 1949.
Wilken, R. L.: Towards a Social Interpretation of Early Christian Apologetics. Church History 39, 1970, 437–458.
–: Judaism and the Early Christian Mind. New Haven 1971.
Williams, A. L.: Adversus Judaeos. A bird's eye view of Christian Apologiae until the Renaissance. Cambridge 1935.
Wilson, R. McL.: Jewish Christianity and Gnosticism. RScR 60, 1971, 261–272.
Windisch, H.: Der messianische Krieg und das Urchristentum. Tübingen 1909.
–: Der Untergang Jerusalems im Urteil der Christen und Juden. Leiden 1914.
Wlosok, A.: Rom und die Christen. Stuttgart 1970.
Wytzes, J.: Der letzte Kampf des Heidentums in Rom. Leiden 1976.
Yankelevitch, R.: Jews and Gentiles in Palestine in the Period of the Mischna and Talmud, Diss. (hebr.) Bar Ilan University/Ramat Gan 1975.
Young, F. M.: Temple Cult and Law in Early Christianity; a study in the relationship between Jews and Christians in the early centuries. NTS 19, 1973, 325–338.
Zahler, A. C.: The Redaction of the Jacob–Esau Legend in the Midrash. Los Angeles 1976.
Zeik, M.–Siegel, M.: Root and Branch. New York 1973.

REGISTER

1. Sach- und Namenregister

2. Hebräische/aramäische Wörter

3. Griechische Wörter

4. Rabbinennamen

5. Moderne Autoren

6. Stellenregister

a) Altes Testament

b) Frühjüdische Literatur

c) *Josephus Flavius*

d) *Neues Testament*

e) Rabbinische Texte

α) Mischna, Tosefta, Talmudim, Kleine Talmudtraktate

β) Midraschim

f) Liturgische Texte

g) Altkirchliche Literatur

h) Nag Hammadi – Texte

W … CHER

6353-8 Dembowski, Hermann:
Einführung in die Christologie. 1976

6344-9 Donner, Herbert:
Einführung in die biblische Landes- und Altertumskunde. 1976

6684-7 Feld, Helmut:
Das Verständnis des Abendmahls. (EdF, Band 50) 1976

6034-2 Frank, Karl Suso:
Grundzüge der Geschichte des christlichen Mönchtums.
(Gz, Band 25) 2. Aufl. 1979

7510-2 Ganoczy, Alexandre:
Einführung in die katholische Sakramentenlehre. 1979

7759-8 Lanczkowski, Günter:
Einführung in die Religionsphänomenologie. 1978

7039-9 Leroy, Herbert:
Jesus. Überlieferung und Deutung. (EdF, Band 95) 1978

4901-2 Maier, Johann:
Jesus von Nazareth in der talmudischen Überlieferung.
(EdF, Band 82) 1978

5658-2 Mann, Ulrich:
Einführung in die Religionspsychologie. 1973

7265-0 Müller, Hans-Peter:
Das Hiob-Problem. (EdF, Band 84)

6690-1 Scheffczyk, Leo:
Einführung in die Schöpfungslehre. 1975

5282-X Schrey, Heinz-Horst:
Einführung in die evangelische Soziallehre. 1973

6691-X Trillhaas, Wolfgang:
Einführung in die Predigtlehre. 1974

WISSENSCHAFTLICHE BUCHGESELLSCHAFT
Postfach 11 11 29 **D-6100 Darmstadt 11**